Alba de Tormes.
Ducal y Teresiana
Importancia histórica, religiosa, cultural y turística

Eugenio García Zarza

Alba de Tormes. Ducal y Teresiana

Importancia histórica, religiosa, cultural y turística

SALAMANCA 2018

Ediciones de la Diputación de Salamanca
Serie Ayuntamientos, nº 52

e mail: ediciones@lasalina.es
http//www.lasalina.es/cultura

Cubierta: AF Diseño gráfico

I.S.B.N.: 978-84-7797-532-8
Depósito Legal: S. 195-2017

Maquetación: INTERGRAF

Impreso en España
Imprime: Lletra, S.L.

PRESENTACIÓN

No cabe duda que la conmemoración del Año Jubilar Teresiano incide en nuestra provincia y especialmente en Alba de Tormes con notable importancia cultural y artística.

Este trabajo realizado por el profesor Eugenio García Zarza reúne precisamente un amplio panorama de cuanto acontece en torno a la villa albense en sus referentes históricos y recoge por ello como características especiales las de *Ducal y Teresiana*, dualidad destacada por escritores como Miguel de Unamuno, gran admirador de la patrona de las letras españolas.

En los siguientes capítulos el lector puede conocer las características geográficas e históricas de Alba de Tormes, con un emplazamiento privilegiado, clave para su desarrollo posterior e importancia histórica y, en este contexto, encontramos, además, la estrecha relación de dos personajes tan singulares como Don Fernando Álvarez de Toledo, el *Gran Duque*, y Santa Teresa de Jesús, ambos con una trayectoria y biografía extraordinarias.

Por otra parte, estamos ante una muestra inequívoca de la variedad e interés de los recursos turísticos de Alba de Tormes y su comarca, la incidencia del enclave turístico que supone y la huella indeleble del marco cultural que representa.

F. JAVIER IGLESIAS GARCÍA
Presidente de la Diputación de Salamanca

INTRODUCCIÓN

En los trabajos que se hacen sobre los núcleos de población, están los que estudian su origen, evolución histórica y situación actual. Esto lleva implícito analizar también el lugar donde están, las causas que influyeron en la elección y las que han influido en su desarrollo posterior y actual. Al tiempo, deberán estudiarse las actividades realizadas por sus habitantes y cómo estas han contribuido a su desarrollo y configuración presente, aspectos que son conocidos como la geografía urbana de dicho lugar.

En España y en la zona en que estamos, provincia de Salamanca, al tener raíces históricas antiguas, anteriores a la Era Cristiana, hay bastantes lugares con origen antiguo y evolución histórica interesante. Entre ellos destaca la capital, cuya primera noticia histórica se remonta al siglo III a. de C., relacionada con el legendario general cartaginés Aníbal. Antes de llevar su ofensiva a Roma, mejoró su ejército y, para ello, estuvo en las minas de cobre de Riotinto, en las de oro de las Médulas y en las de estaño de Galicia. Aprovechó el recorrido a lo largo de la Calzada de la Plata para recoger caballos y soldados. A su paso por Salamanca, sus habitantes le montaron una astuta estratagema que enfureció a Aníbal y por la que decidió destruir la ciudad, pero consiguieron calmarlo y librarse del peligro. Este singular acontecimiento, recogido por los historiadores de la época, Tito Livio, Polibio y Plutarco, ha servido para confirmar que Salamanca ya era un núcleo de cierta importancia en la citada fecha, ratificado después por los romanos al construir el puente sobre el Tormes en el año 70 de nuestra era.

Pero fue a partir de la reconquista de Toledo, 1085, cuando surgieron muchos núcleos nuevos o incrementaron su importancia otros ya existentes, como Alba, gracias a su privilegiada situación y al papel que desempeñó en la repoblación de estas tierras y en la reconquista de las extremeñas. Hay más casos que entonces tuvieron destacada relevancia y hoy se hallan en franca regresión o han perdido todo el interés que tenían. Así, Salvatierra de Tormes, Miranda del Castañar, Yecla de Yeltes o el Fuerte de la Concepción. Pero de todos los pueblos de la provincia surgidos entonces, uno de los que alcanzó más importancia y gran proyección, solo podría equipararse con la capital debido a su Universidad, fue Alba de Tormes, la cual tuvo una fuerte vinculación con dos importantes personajes de nuestra historia, el Gran Duque de Alba y Sta. Teresa de Jesús. La interesante biografía de ambos está estrechamente relacionada con Alba y de ahí su merecido y doble reconocimiento de Ducal y Teresiana.

Alba es un núcleo de origen anterior a la Era Cristiana, surgido cerca de un vado del Tormes, mejorado por los romanos con un puente, en el que confluyen caminos y cañadas para cruzarlo, y defendido desde un cerro cercano en el que, desde antiguo, hubo una fortaleza para defender el paso fluvial y el núcleo surgido junto a él. Este privilegiado emplazamiento y la importancia de las actividades que se realizaban en Alba hicieron que se convirtiera en el centro más importante de la zona, razón por la que Juan II, en 1429, concedió a uno de sus nobles, el intrigante obispo de Palencia D. Gutierre, la creación de un señorío con sede en Alba, convertido en ducado medio siglo después, origen de la todopoderosa casa ducal de Alba.

Este fue, asimismo, el comienzo de la gran proyección exterior de Alba, que alcanzó niveles hoy inimaginables durante los dos siglos que residieron en ella antes de marcharse a Madrid y olvidarse por completo de sus raíces. La etapa fue particularmente intensa de la mano del III duque de Alba, D. Fernando Álvarez de Toledo, 1507-1582, conocido por su destacada trayectoria internacional como el Gran Duque. Durante los 57 años de su largo recorrido profesional, fue el mejor militar y más hábil político de los importantes reinados de Carlos V y Felipe II, amigo de ambos, estrecho y eficaz colaborador como gobernador en los Países Bajos y Milán, y virrey en Nápoles y Portugal, reino que incorporó a la Corona española con una eficaz y ejemplar conquista.

Fue una persona culta, formada en el nuevo modelo educativo renacentista, consideró su preceptor a J. Boscán, fue amigo de Garcilaso de la Vega, tuvo a Lope de Vega como secretario, y además contó con la colaboración de otros muchos similares en su corte de Alba, de clara orientación renacentista, como la de los Médicis en Florencia. La cercanía a Salamanca y el destacado papel de su Universidad en la promoción de dicho modelo educativo-cultural explican que lo de Alba y el Gran Duque haya pasado desapercibido pese a su importancia. En cambio, se le recuerda por los siete años en los Países Bajos, donde cumplió con su deber, pero la leyenda negra, humillantemente aceptada por nosotros, marcó y manchó su brillante trayectoria profesional.

Por esto, Alba es más conocida por su estrecha relación con Sta. Teresa, iniciada con la construcción del séptimo convento reformado, en 1570. No entraba en sus cálculos hacerlo, por tratarse de un núcleo pequeño y haber

otros tres, pero el deseo de su hermana, el interés de los duques y el patronaz-
go de D.ª Teresa Layz, la hicieron cambiar, cosa de la que no se arrepentirá,
pues pronto se convertirá en uno de sus preferidos, quizás por surgir con poca
oposición, como fue habitual en los restantes. Esto se acrecentará al llegar enferma de muerte de su fundación de Burgos en 1582 y manifestar querer ser
enterrada en Alba si fallecía en dicho lugar, cosa que así fue. De esta forma se
convirtió, con pleno derecho, en destacado centro teresiano, junto con Ávila,
aunque los de esta se atribuyen el nacimiento de la Santa sin documento alguno que lo acredite. Se explica así que Alba pueda y deba ser conocida como
Villa Ducal y Teresiana.

La importancia histórica de Alba se debe a los personajes citados, Gran
Duque y Sta. Teresa, y a las instituciones a las que pertenecían, la casa ducal
y las Carmelitas Descalzas. También han influido las ya citadas condiciones
favorables de su privilegiada situación geográfica y el hecho de ser el centro
de las campiñas del noreste provincial desde la lejana repoblación medieval,
motivo por el que D. Gutierre la convirtió en el centro del señorío creado en
1429. Dentro de su emplazamiento destaca su situación en la confluencia
de tres zonas con recursos económicos diferentes: Campo Charro, ganadero;
Campiñas, cerealista, y Ribera del Tormes, hortícola. Además, está su cercanía a un vado del Tormes, con puente desde antiguo, que permite cruzarlo
y desarrollar en tal lugar otras actividades que le dan supremacía sobre los
pueblos del entorno, con la competencia más fuerte de la capital y la menos
influyente, pero real, de Peñaranda.

Alba tiene hoy gran trascendencia histórica, cultural y religiosa por el
importante papel desempeñado en nuestra historia por los personajes citados,
Gran Duque y Sta. Teresa. Tan destacado papel no ha continuado después por
la marcha de la casa ducal a Madrid, a comienzos del siglo XVII. También
se redujo en lo religioso por la competencia de Ávila, deseosa de ser la única
referencia en el mundo teresiano, sin reparar en medios, como se ha demostrado con motivo del V centenario y de las Edades del Hombre. Ha influido
en ello el escaso dinamismo socioeconómico albense desde hace un siglo,
como lo ratifica su evolución demográfica, 3499 habitantes en 1900 y 5341
habitantes en 2015, y económica, cada vez más sometida a la influencia de la
cercana capital, sobre todo de su área metropolitana.

El escaso dinamismo socioeconómico albense, reflejado en los datos
anteriores, no impide que Alba tenga muchos y variados recursos turísticos:
naturales, histórico-monumentales, culturales, religiosos y gastronómicos.
Su grado de aprovechamiento dista mucho del que podían tener, con las consiguientes repercusiones positivas para Alba, si estuvieran mejor promocionados y explotados, cosa que ahora no ocurre o se hace poco bien. Por eso,
la segunda parte del presente trabajo, tras el estudio de la historia y geografía

urbana de Alba y de sus dos personajes más importantes, está encaminada a analizar, dar a conocer e impulsar el aprovechamiento turístico de sus recursos con el fin de mejorar el sector y, con él, la actividad económica albense, muy necesitada de impulso y renovación.

El procedimiento más empleado consiste en estudiar y dar a conocer los recursos turísticos albenses, cosa que haré adentrándome en su historia y peculiar emplazamiento geográfico. Para su promoción y aprovechamiento aconsejo la realización de cinco rutas que tendrán como referencia a Alba, de modo que esta resulte beneficiada. Los títulos de tales rutas son: 1.ª *El curso medio del Tormes.* 2.ª *Iglesias románico-mudéjares de las campiñas del noreste.* 3.ª *Ruta por lugares históricos importantes.* 4.ª *Ruta carmelitiana, Alba-Fontiveros.* 5.ª *Fundaciones de Sta. Teresa en Castilla y León.*

Las cinco rutas citadas dan a conocer lugares y aspectos interesantes del paisaje, historia, pueblos y modo de vida de las gentes de las tierras por las que pasan. El objetivo es favorecer a Alba, por lo que todas las rutas la tienen como comienzo y final del camino propuesto. Como se deduce del nombre de las rutas, cada una se centra en un aspecto diferente, lo que ratifica la diversidad, abundancia e importancia de los recursos turísticos existentes en Alba y su entorno. Estoy convencido de que, si se conocieran mejor, se promocionaran y se aprovecharan adecuadamente, el sector turístico de Alba tendría mucha más importancia, con las correspondientes y beneficiosas ventajas para su economía y población, hoy bastante estancadas ambas. La celebración del V centenario y de las Edades del Hombre, con el incremento turístico que conllevan, han ratificado que esto es cierto y posible, siempre que se hagan las cosas bien, con sentido común y práctico, y se busque la unión de todos y no se empiece de nuevo cada vez que alguien se hace cargo de una institución y se olvida de los demás y de lo hecho antes, solo por singularizarse.

Estos son los dos propósitos centrales que me han impulsado a la hora de hacer este trabajo: estudiar y dar a conocer la interesante y brillante historia de Alba, su peculiar emplazamiento geográfico y la importancia de dos personajes singulares relacionados con ella, el Gran Duque de Alba y Sta. Teresa de Jesús. Junto con lo anterior, estudiar, promocionar y aprovechar mejor los muchos, variados e interesantes recursos turísticos existentes en Alba, con el objeto de impulsar su sector turístico y la economía albense, muy necesitada de empuje y de un desarrollo integral y sostenible. Si consiguiera los citados fines, cosa que es posible, daría por bien empleados el esfuerzo y la dedicación que me ha supuesto dar forma a este libro, cuyo título ya sintetiza los objetivos buscados con su realización:

ALBA DE TORMES. Ducal y Teresiana.
Importancia histórica, religiosa, cultural y turística.

CITAS SOBRE ALBA DE TORMES, EL GRAN DUQUE Y STA. TERESA

En la ribera verde y deleitosa / del sacro Tormes, dulce y claro río, / hay una vega grande y espaciosa, / verde en el medio del invierno frío, / y en el otoño verde y primavera / verde en la fuerza del ardiente estío. / Levántase al fin de ella una ladera / con proporción grandiosa en el altura / que sojuzga la Vega y la Ribera.

Descripción literaria del emplazamiento de Alba.
Garcilaso de la Vega. *Égloga II.*

Muellemente recostada sobre el cerro que le sirve de asiento y cuyos pies besa el Tormes, con largo puente para salvarle, ceñida de muros ruinosos y desmoronados. Protegida por el castillo de los Duques desde lo alto del cerro y cuya torre se eleva en una peña sobre un humilde molino harinero, defendiendo la entrada del puente. Y las torres de sus iglesias, destacando su silueta por encima del caserío, sobre el azul del cielo, sorprenden gratamente al viajero.

Emplazamiento de Alba.
J. Vázquez de Parga. *Salamanca y su provincia.*

Desde Gredos, espalda de Castilla, / rodando, Tormes, sobre tu dehesa, / pasas brezando el sueño de Teresa / junto a Alba, la Ducal dormida villa.

Estrecha relación del Tormes con lo Ducal y Teresiano.
M. de Unamuno. *Al Tormes.*

Alba de Tormes, tu silencio huele / a claustros de seráficas mansiones, / parece que en ti rezan los blasones / y que tu viento oros de historia muele. / Alba de Tormes, para darte brillo, / se conjugan en símbolo y empresa, un monasterio, un río y un castillo / Alba de Tormes, en tus espacios pesa / la voz que a don Fernando hizo caudillo /¡ y el último suspiro de Teresa/.

Poética alusión histórica. **A. Álamo Salazar.**

Alba, sombras, iglesias, el castillo; / un sepulcro, la vega sonriente, / el cristalino Tormes transparente / donde amó Garcilaso, el buen caudillo.

Alba, un rincón para la poesía. **J. Sánchez Rojas.**

Tres cosas diré a Vuestra Majestad. La primera es que nunca ofrecí negocio vuestro, aunque fuese pequeño, que no lo antepusiese al mío, aunque fuese importantísimo. La segunda es que tuve siempre más cuidado de mirar por vuestra hacienda que por la mía y así no os soy cargo de un solo pan a Vos ni a vuestros vasallos. La tercera, que nunca os propuse un nombre para algún cargo que no fuese el más suficiente de todos cuantos yo conocía para ello, pospuesta toda afición propia.

El Gran Duque, modelo de servidores. *Carta a Felipe II.*

El rey le encomendó al anciano duque, exiliado en Úbeda, con 72 años y que gozaba de enorme popularidad en el mando de la tropa, la misión de conquistar Portugal. Éste accedió a la nueva encomienda de Felipe II, manifestándole que: Sois el único monarca de la tierra que sacáis de la prisión a un general para daros otra Corona. (¡¡??)

Confianza del Gran Duque. **M. Fernández Álvarez:**
Felipe II y su tiempo.

El lugar de nacimiento hubo de ser, según parece, la riente aldea de Gotarrendura, donde sus padres solían invernar.

Argumento en favor de Gotarrendura.
P. Efrén de la Madre de Dios. OCD. *Sta. Teresa de Jesús.*

Teresa nació en 1515, en una casa grande y acomodada, con huerto, noria y establos, arcones, tapices y alfombras.

Biógrafo que ratifica a Gotarrendura como lugar de nacimiento.
P. Sanz. OCD.

Mujer de inteligencia peregrina / y corazón sublime de cristiana, / fue más divina cuanto más humana / y más humana cuanto más divina.

Referencia a las destacadas cualidades de Sta. Teresa.
J. M.ª Gabriel y Galán.

En una huerta que había en la casa, procurábamos hacer ermitas, poniendo unas piedrecillas que luego se nos caían y, así, no hallábamos remedio en nada para nuestro deseo... Procuraba soledad para rezar mis devociones, en especial el rosario... Gustaba mucho cuando jugaba con otros niños a hacer monasterios, como que éramos monjas.

Premonición de la Santa sobre su Vida. **Sta. Teresa:**
Libro de su vida.

Comencé a traer galas, y a desear contentar en parecer bien, un mucho cuidado de manos y cabello y olores, y todas las vanidades que en esto podía tener, que eran hartas, por ser muy curiosa... Tenía primos hermanos, algunos... eran casi de mi edad, poco mayores que yo; andábamos siempre juntos, teníanme gran amor y en todas las cosas que les daba contento, los sustentaba plática y oía sucesos de sus aficiones y niñerías, no nada buenas.

Antecedentes juveniles poco ejemplares. ***Sta. Teresa. Libro de su vida.***

Fue reformadora contra viento y marea, mística, escritora y poetisa. Fue atrevida y valiente. Aún hoy sorprende que la Inquisición, que la vigiló con saña, no la encarcelase como a otros genios de la época, Fr. Luis de León, primer editor de sus obras. La mística de Ávila y su joven y fiel compañero de fatigas, S. Juan de la Cruz, iban a convertirse en los más célebres místicos, sobre todo en Francia, Italia y Alemania. Amenazada por la Inquisición, no publicó nada en vida, pero Felipe II, que la admiraba, puso a buen recaudo los manuscritos en El Escorial. También fue feminista a su manera, sobreponiéndose con coraje a los machismos de su tiempo.

Cualidades personales al más alto nivel como reformadora, escritora y feminista. Ahí es nada. **J. G. Bedoya. *Personalidad de la Santa.***

CAPÍTULO I
IMPORTANCIA HISTÓRICA, CULTURAL, RELIGIOSA Y TURÍSTICA DE ALBA DE TORMES

ASPECTOS GENERALES

Las citas anteriores son variadas y fueron emitidas por personajes importantes de nuestra historia, cuya destacada trayectoria profesional avala el interesante contenido de cada una de ellas. Se refieren a aspectos diferentes de Alba, Sta. Teresa y el Gran Duque que se complementan y tienen estrecha relación entre sí. Las primeras destacan el privilegiado emplazamiento de Alba sobre un cerro, junto a un vado del Tormes y en cruce de caminos por estas tierras, causa de su relevancia histórica en el pasado. Siguen las que ratifican las grandes cualidades personales del Gran Duque de Alba, esas que le valieron tal apelativo; desde mi punto de vista, este es uno de los personajes más importantes de la Historia de España no perteneciente a la familia real, como así lo acreditan sus 57 años al servicio de Carlos V y Felipe II en primera línea. Y en tercer lugar están las últimas citas, las cuales muestran características de Sta. Teresa, alguna, como jugar a monjas, es una premonición de lo que hará después, pero estas también se alternan con otras que muestran su coquetería y que están muy lejos de lo mucho e importante que hará después como reformadora, escritora y feminista. Conociendo su biografía, no es extraño que alguno, al que me uno, haya dicho que es la mujer más importante de la historia de la Iglesia después de la Virgen María.

Estos dos notables personajes de nuestra historia tienen en común que ambos hicieron de Alba una destacada referencia en sus solemnes biografías, gracias a las cuales la Villa Ducal ha tenido una repercusión histórica impensable en un núcleo de estas características. Como ocurre en otras muchas ocasiones, esta historia, sobre todo la del Gran Duque, es poco conocida o ha sido tergiversada, y la conocemos, sobre todo, por lo que han dicho de él sus enconados enemigos centroeuropeos a los que venció, cosa que aún no le han perdonado ni lo harán jamás. Sirva este modesto trabajo sobre *Alba, ducal y teresiana*, como un pequeño homenaje a ambos personajes con el que saldar la gran deuda que tenemos con ellos y a partir del cual, modestamente, la biografía real del Gran Duque sea mejor conocida y valorada por los españoles, en particular por los salmantinos.

No constituye ninguna novedad establecer esta relación entre la casa ducal de Alba en sus primeros siglos, Sta. Teresa y Alba de Tormes, porque es históricamente cierto. Pero no es menos verdad que no se ha sabido aprovechar adecuadamente esta confluencia de personajes tan significativos de nuestra historia con Alba. Es fácil encontrar testimonios que ratifican la relación tan próxima que tuvieron Alba, la casa ducal y Sta. Teresa en el pasado, pero ya no en nuestros días. Son muchas las citas históricas o literarias que lo corroboran, por ejemplo, la siguiente: *Alba de Tormes, para darte brillo, / se conjugan en símbolo y empresa, / un monasterio, un río, un castillo / Alba de Tormes, en tus espacios pesa / la voz que a D. Fernando hizo caudillo/¡ y el último suspiro de Teresa...!* En el mismo sentido incide el siguiente testimonio que confirma la intensísima relación histórica de Alba con la casa ducal y Sta. Teresa: *Alba de Tormes y Sta. Teresa están muy unidos. Sta. Teresa de Jesús fundó en 1571 el convento de carmelitas descalzas de la Anunciación y en este convento morirá en 1582. Desde entonces esta Villa y esta Santa no se explican una sin la otra. Además, Alba es la Villa Ducal de la Casa de tal nombre. En el siglo XVI es una segunda corte española en la que se agrupan hombres de letras, políticos o militares y toda una población ambulante que giraba alrededor de los Duques. A ello se debe la proyección que Alba tendrá en la literatura, el arte y la cultura española de la época, cuyo mejor exponente está en los conocidos versos de Garcilaso en su Égloga II y citados antes.* Sí se ha mantenido dicha relación con Sta. Teresa, pero con la casa ducal, la desvinculación casi es completa, desde que se marcharon de aquí hace varios siglos y se olvidaron de ella, y los albenses tampoco han hecho mucho para restablecer dicha relación. No ha ocurrido así en el caso de los de Ávila, que han aprovechado la estancia de los Duques de Alba algún tiempo en Piedrahíta para crear la Fundación Gran Duque de Alba como organizadora de las actividades culturales provinciales. Pero la historia está ahí y no debemos ignorarla ni tergiversarla o, por el contrario, como se suele decir, estaremos obligados a repetirla en sus aspectos negativos. Por eso este trabajo reivindica el restablecimiento de dicha relación entre Alba y la casa ducal a la que da nombre, por la importancia que tendría para Alba hacerla efectiva. Es uno de los objetivos de esta modesta publicación, como así lo resalta su título: *Alba de Tormes. Ducal y Teresiana. Importancia histórica, cultural, religiosa y turística.*

Si hacemos una apretada síntesis de la historia de España hasta resumir-la en las principales características de la misma, destacan en ella, desde mi punto de vista, los siguientes aspectos que expongo a continuación:

Son evidentes la relación y dependencia de Alba respecto al Tormes, su puente y el castillo.

España es el país más antiguo de Europa, puesto en marcha por el ma-trimonio de los Reyes Católicos en 1474, el final de la Reconquista en 1492 y dado por concluido con la anexión de Navarra en 1512. Una segunda ca-racterística es que el país creado por los Reyes Católicos alcanzó pronto tales cotas de influencia mundial que llegó a ser la primera potencia mundial bajo los reinados de Carlos V y Felipe II, con una influencia cultural y política que muy pocos, como Grecia, Roma e Israel, han tenido en la historia mundial. Por este motivo y por la forma de desarrollar este poder, tenemos una historia muy importante e interesante, tanto como la de los antes citados, y de la que podemos sentirnos orgullosos, pese a los errores que también tiene, como toda obra humana. Pero hay muchas páginas en nuestra historia de las que podemos enorgullecernos, por ejemplo, las referentes a la actividad coloniza-dora en América, con el respeto a los derechos de su población, la propaga-ción del catolicismo y la doctrina explicada en la Universidad de Salamanca por el dominico P. Vitoria, basada en la defensa de los Derechos Humanos, de los que fue pionero en el mundo, como ha sido reconocido por las Naciones Unidas, y en la lucha contra los protestantes en Europa que la fragmentaron. Dentro de este destacado papel de España en el mundo occidental de enton-ces, la Universidad de Salamanca, las gentes que en ella enseñaban y los que se formaron en ella tuvieron una enorme repercusión de la que todavía queda grato recuerdo, pese al tiempo transcurrido y, sobre todo, a pesar de que nuestra historia ha sido tergiversada, manipulada y desprestigiada por propios y extraños, con la tristemente famosa leyenda negra española que gente de aquí, incluso en nuestros días, ha coreado y hasta magnificado lo anterior aunque fuese falso.

También ha existido y existe el grupo de quienes opinamos de otra manera al respecto y pensamos que, con las deficiencias propias de toda obra humana, tenemos una historia apasionante, con más luces que sombras, de cuyo valor a nivel mundial podemos sentirnos satisfechos, como lo confirman esos casi quinientos millones de personas que hablan español y tienen muchos elementos culturales nuestros. Sin embargo, ha tenido también mucha audiencia o proyección el planteamiento de los anteriores, que han dado una imagen catastrofista de nuestra historia y casi han conseguido que los españoles no tengamos interés por ella, de ahí que el desconocimiento de la misma sea muy grande y está tergiversado. Esta es la causa por la que existe la creencia y se dice que, cuando una persona habla mal de España, es español, cosa que no ocurre nunca en el caso de un francés o un inglés, nuestros principales competidores en el concierto mundial en el pasado.

La consecución de un pasado histórico tan brillante e interesante se logró en una sociedad muy diferente a la actual. Había grandes grupos de poder, nobleza, Iglesia católica y una incipiente burguesía, que estaban repartidos por el territorio, pues no existía un lugar en el que se concentraran. En el caso español, Madrid se convirtió en ese punto a partir de Felipe II. Antes tenían como sede pequeños núcleos de población, las capitales de los principales señoríos, uno de los cuales, y no de escasa importancia, fue Alba de Tormes. No ocurría como ahora que los recursos, la población y el poder están concentrados en grandes ciudades desde las que ejercen un férreo control y extienden su influencia por todo el territorio, en el que vive una población cada vez más escasa y envejecida y con menos importancia en todos los sentidos. Era una sociedad muy diferente a la actual en la que tenían bastante influencia gentes de pequeños núcleos, Alba es buen ejemplo de ello, no fue el único pero sí uno en el que la actividad desarrollada por dos personajes relacionados con ella, el Gran Duque de Alba y Sta. Teresa, tuvo gran proyección en el Imperio español, el primero, por los extraordinarios servicios que prestó y la segunda fue muy sobresaliente dentro de la Iglesia católica como gran reformadora y escritora.

Este va a ser el principal objetivo del presente trabajo: impulsar el conocimiento de la historia de Alba, particularmente el periodo en el que desarrollaron su actividad los personajes citados, el Gran Duque y Sta. Teresa, que tanta importancia tuvieron en la de España. Algo tendrían Alba y sus gentes para que, desde este lugar tan pequeño, dichos personajes, cada uno en su campo, realizaran proezas que figuran entre las más destacadas de España en sus respectivos campos de acción. Antes de analizar los acontecimientos históricos de dicho periodo, conviene recordar los favorables factores geográficos del emplazamiento de Alba junto al Tormes, ya señalados antes, que hicieron que fuera ya entonces el núcleo más importante en las campiñas del noreste provincial salmantino. En pocas ocasiones está más justificado que ahora el aplicar a Alba lo que decimos en casos como este: *Algo tendrá el agua cuando la bendicen.*

En relación con la Santa, son muchos los testimonios de estudiosos de su vida y de su obra que constatan su importancia, en general, y su estrecha relación con Alba, aunque no fuera el único lugar con el que tuvo una relación también destacada, como así lo dejan ver sus fundaciones por toda Castilla y Andalucía. Uno de sus biógrafos, el carmelita P. Sanz, lo pone de manifiesto al tiempo que señala la manipulación o tergiversación que se ha hecho de ciertos acontecimientos de su vida; dice así: *Hoy Sta. Teresa es una figura universal que imprimió su huella en la historia y lugares por donde pasó realizando fundaciones que han llegado hasta hoy, constituyendo una referencia religiosa, literaria, cultural y social. Fue la primera mujer nominada doctora de la Iglesia y sus obras están en el grupo de cabeza de la Literatura Española del Siglo de Oro. Sin embargo, el conocimiento que se tiene de su vida y obra se limita a episodios de éxtasis, poesías populares, anécdotas y leyendas que han ido configurando el imaginario popular. De ahí que el centenario se deba concebir como una oportunidad para ahondar y dar a conocer todo ello mejor.*

Las citas con las que comienza este trabajo ponen de manifiesto la trascendencia de los citados personajes y temas objeto de estudio, muy relacionados con Alba. Tal es la del Gran Duque de Alba, D. Fernando Álvarez de Toledo, símbolo y síntesis de la casa ducal, el más prestigioso de cuantos han ostentado dicho título y al que dio proyección internacional, al igual que a Alba, al tener su sede en la citada villa. Es también uno de los personajes más importantes de la historia de España, en la que, afortunadamente, hay muchos, aunque algunos se empeñan en querer demostrarnos lo contrario. Fue el militar y gobernante más famoso de Carlos V y Felipe II durante 57 años en nuestro brillante Siglo de Oro. La siguiente cita de mi profesor, ilustre catedrático de la Universidad de Salamanca, M. Fernández Ávarez nos muestra la formación renacentista que recibió el futuro Gran Duque de Alba, la cual hizo de él un hombre culto y resultó una gran inversión por el provecho que sacó de ella al servicio de sus reyes y de España; reza así: *Un personaje de importancia crucial en la educación del joven Fernando fue Juan Boscán, en su calidad de ayo, al servicio de la Casa desde 1520 hasta su muerte en el Rosellón en 1542. Fue un ejemplo depurado de perfecto cortesano español y*

convirtió al futuro Gran Duque en un discípulo digno del maestro. Le alec-
cionaría en todas las artes propias de un caballero de su tiempo y de ellas
la de trovar era de gran importancia. Dentro de esta educación cortesana y
renacentista, no debe ser despreciado el papel representado por Garcilaso
de la Vega. Íntimo amigo de Boscán y apenas mayor que Fernando, fue su
acompañante y gran amigo. A cambio, el duque le costeaba los gastos, lo
ayudó cuando cayó en desgracia con el emperador y mantuvo a su viuda
después de su muerte.

Territorios españoles en Europa con Felipe II y en los que el Gran Duque de Alba
tuvo destacada participación.

Similar importancia ha tenido para Alba la estrecha relación que tuvo
Sta. Teresa con la villa ducal debido, en gran parte, al interés que tuvieron
los Duques en tal sentido. De hecho, ellos fueron la causa de que la muerte
de la Santa coincidiera con una estancia de la misma en Alba a petición suya.
Como es sabido, la Santa ha sido una de las mujeres más grandes e influyentes de nuestra historia y de la Iglesia católica, como así ha sido reconocido.
Su relación con Alba está fuera de dudas al ser el convento que fundó uno de
sus preferidos, al haber muerto en él y al manifestar su deseo de reposar para
siempre en el mismo, con gran pesar para los de Ávila, que ya tenían preparado un sepulcro para la Santa. De esta forma, Alba se ha ganado, por méritos
propios, el segundo apelativo y por el que más se la conoce, villa teresiana, y
el hecho de que, por tal motivo, tenga la doble condición de ser villa ducal
y teresiana, singular característica que no tiene ningún otro núcleo en España.

El Gran Duque de Alba y Sta. Teresa, dos destacados personajes de la historia de Alba y, también, de la española.

Igualmente es necesario conocer los aspectos geográficos, históricos y paisajísticos de Alba de Tormes, pequeño núcleo semiurbano, de antigua e interesante trayectoria histórica, sobre todo por la actividad desarrollada en el mismo por los dos personajes citados, el Gran Duque y Sta. Teresa, quienes figuran entre los más solemnes de nuestra historia, aunque afortunadamente hemos tenido muchos, como así lo puede comprobar cualquiera que estudie nuestro pasado sin anteojeras de burro de noria, cosa que ocurre con frecuencia. Pretendo llamar la atención sobre tan interesante y olvidado aspecto de nuestra historia y geografía con el fin de conocerlas mejor y, sobre todo, de apreciar las de pequeños núcleos como Alba y otros similares, hoy olvidados, pero en los que vivieron importantes personajes, tuvieron lugar acontecimientos de nuestra historia muy nombrados y que cuentan con un interesante patrimonio histórico-monumental y cultural, y un atractivo turístico que merece ser conocido para su mejor aprovechamiento.

Por el comentario anterior se deduce que centraré el presente trabajo en el estudio de los aspectos geográficos e históricos de Alba, esto es, el territorio sobre el que se levanta el núcleo, las características de su entorno, el aprovechamiento que se ha hecho del mismo y las actividades que sus gentes han realizado a lo largo del tiempo y en nuestros días. También en las características que tiene hoy Alba de Tormes y, sobre todo, en su patrimonio histórico-monumental, su interés cultural y las posibilidades turísticas del mismo. De todo ello resulta lo que está a nuestra vista en Alba y en su entorno, el paisaje geográfico, esto es, el resultado de la acción humana sobre un espacio concreto a lo largo del tiempo. Son muchos los que lo entienden así, además de los geógrafos. J. Manzanares en su novela *El río del olvido* dice: *El paisaje es memoria. Más allá de sus límites, el paisaje sostiene las huellas del pasado, reconstruye recuerdos, proyecta en la mirada la sombra de otro tiempo que solo existe ya como reflejo de sí mismo, en la memoria del viajero, del que, simplemente, sigue fiel a su paisaje en el que se ha criado.* Magistral definición del *paisaje geográfico* en la que destaca el papel de la acción humana, principal protagonista y benefactora del mismo a lo largo del tiempo y en nuestros días.

Afortunadamente en España son muchos los núcleos de población, hoy con mediana o poca importancia, que tienen tras de sí una trayectoria histórica impresionante, generalmente unida a la de personajes que, en el caso de Alba, son el Gran Duque y Sta. Teresa. Hoy son muchos, mayoría, los que desconocen esta parte tan interesante de nuestra historia y juzgan el interés de tales núcleos solo por lo que ahora son, sin tener en cuenta para nada ni importarles lo que han sido en nuestra historia y la importancia del patrimonio histórico-monumental que tienen por tal motivo. Suele ser muy frecuente que su historia esté estrechamente vinculada a la de algún personaje notable al que ha permanecido unido y hoy se asocian siempre que nos referimos a uno de los dos, el núcleo o el personaje relacionado con el mismo. Todos conocemos casos y muchos podrían poner otros ejemplos sobre esto. Así, Unamuno y Salamanca, Cervantes y Alcalá, Zorrilla y Valladolid, Pereda y Santander, El Escorial y Felipe II, y el Greco y Toledo, entre otros muchos ejemplos. Esto es lo que ocurre también con Alba y el Gran Duque, que tomó su nombre de nuestra villa y que ha sido uno de los personajes más importantes de nuestra historia en el importante periodo del Siglo de Oro, como brillante servidor de Carlos V y Felipe II. Sabemos que la brillante trayectoria de este personaje, entre otros puestos ostentó el de virrey de Portugal y Nápoles y gobernador en Milán y los Países Bajos, tuvo como residencia familiar Alba de Tormes, al no existir todavía la corte como residencia del rey y la nobleza. Por eso, está justificado que Alba sea conocida hoy como la Villa Ducal, al igual que Salamanca es conocida como Universitaria y Toledo, como Imperial, entre otros ejemplos.

Pero Alba también está relacionada con otro importante personaje de nuestra historia, Sta. Teresa de Jesús, aunque comparte este aspecto con Ávila, cuya relación con la Santa también ha sido grande, al haber profesado esta en un convento de dicha ciudad y realizado su importante labor reformadora desde el convento de S. José de Ávila. La devoción e importancia de lo teresiano es hoy tan grande en Alba como en Ávila, por más que se empeñen los abulenses en anular cuantos lugares puedan tener alguna relación con lo anterior, como lo confirma el haberla rebautizado como Teresa de Ávila y

Salamanca es Universitaria y Alba, ducal y teresiana.

querer tener la exclusiva en todo lo relacionado con la Santa, como sucedió con motivo del V centenario y la celebración de las Edades del Hombre. En ambos aspectos Ávila ha logrado tener una destacada participación, y ha relegado a Alba, injustamente, a un lugar secundario.

Al igual que otros muchos personajes de nuestra historia ya citados antes, es habitual asociar a Sta. Teresa con el lugar en el que dicen los de Ávila que nació, cosa que no está demostrada, y con el lugar en el que murió, sobre lo que no hay duda alguna. También tienen gran importancia dentro de la biografía teresiana aquellos lugares en los que realizó la fundación de alguno de sus conventos reformados, por la influencia que tendrán después en la proyección de su obra reformadora y en la influencia literaria y feminista de la Santa. Sabemos bien dónde murió, en Alba, porque tal acontecimiento fue conocido en su tiempo, dado el prestigio del personaje en cuestión y porque nos dejaron relación de cómo ocurrió algunos de los que estuvieron presentes o la conocieron directamente. Pero no ocurre lo mismo respecto al lugar de nacimiento, pues no existe documentación escrita directa del mismo, pero sí muchas noticias indirectas que nos dicen que nació en el pequeño pueblecito de Gotarrendara, donde tenían la casa familiar y nacieron sus otros nueve hermanos. Sin embargo, por la importancia de la Santa, los de Ávila, desde el primer momento, se erigieron como el lugar donde había nacido, sin tener los documentos históricos adecuados que lo acrediten, solo alguna noticia indirecta de algún biógrafo que escribió al dictado de lo que le interesaba a los de dicha ciudad. Nadie discute el sobresaliente papel de Ávila en la biografía teresiana y en su importante obra reformadora como monja del convento de S. José de Ávila. Por eso, la vinculación de Sta. Teresa con Ávila es igual de sublime que la que tuvo con Alba, pero no como único lugar en la vida y obra de la Santa, como con frecuencia creen, y guiados por ello actúan, los abulenses.

Aunque no hubiera nacido la Santa en Ávila, su relación con dicha ciudad es tan profunda que sería absurdo negarlo, como sucede con Alba, y de ahí que ambas localidades tengan el atributo de teresianas. Hay razones suficientes para ello y para que no sea una sola la que se atribuya tal mérito, como ocurre con la mayor parte de los personajes importantes, que suelen estar asociados solo con un lugar. No sucede en este caso, y los acontecimientos ocurridos en Alba con relación a Sta. Teresa han sido tantos y tan importantes que nadie le niega su consideración de villa teresiana, como ocurre también con la de ducal por las razones citadas antes. Nos encontramos con el caso singular de que Alba tiene un vínculo muy fuerte con dos personajes destacados de nuestra historia, lo que confirma y ratifica su importancia histórica, ya que tal hecho no es casual, sino que obedece a la estrecha relación que ambos personajes tuvieron con Alba, siendo muchas y dignas de mención las cosas que hicieron en ella. Por todo eso está justificado el título del trabajo: *Alba de Tormes. Ducal y Teresiana.* Es frecuente que los poetas establezcan relaciones entre ambos personajes históricos y su especial nexo con Alba. Así lo hace, entre otros, el conocido escritor albense A. Álamo Salazar, cuando escribe: *Alba de Tormes, para darte brillo, / se conjugan en símbolo y empresa, / un monasterio, un río, un castillo. / Alba de Tormes, en tus espacios pesa / la voz que a D. Fernando hizo caudillo / ¡y el último suspiro de Teresa...!*

En relación con la primera nominación, Alba, villa ducal, no ha habido competencia de otro lugar ni rechazo alguno, pero tampoco es muy conocido tal aspecto y, sobre todo, apenas ha sido aprovechado para impulsar en Alba algún tipo de actividad que tenga que ver con el papel histórico desempeñado por tan importante personaje. No ha ocurrido así en Ávila que, solo porque los Duques tenían en Piedrahíta un castillo, han creado la Fundación Gran Duque de Alba para organizar todas las actividades culturales en la provincia. Tampoco ha sido igual respecto a lo teresiano, aspecto en el que Alba ha sido siempre uno de los dos centros más importantes, junto con Ávila, con la diferencia de que la villa ducal no ha querido nunca eliminar de tal consideración teresiana a Ávila, cosa que no ha sido igual en el sentido contrario. El haber fallecido en Alba y ser enterrada en tal lugar, por deseo expreso de la Santa antes de morir, le ha dado esa importancia en el mundo teresiano, aunque ya antes, en vida de la Santa, el convento de Alba estaba entre sus preferidos, pese a que nunca pensó fundarlo, al ser Alba un núcleo pequeño y en el que ya había otros tres. Pero se dio la circunstancia de que murió aquí, fue mandada a acompañar a la Duquesa con motivo de que esperaba un nieto; esa fue la razón por la que regresó tras la fundación del convento de Burgos, ciudad en la ya que se había encontrado mal, pero hizo el viaje enferma, y murió poco después en Alba. Por todo ello hay tan fuerte unión entre Alba y la Santa, y eso es ya razón suficiente para poder considerarla villa teresiana, al igual que es también villa ducal, mérito que solo Alba tiene en España.

Vado fluvial, puente, cerro cercano, castillo, iglesias y basílica teresiana, principales elementos urbanos de Alba.

La gran importancia de Sta. Teresa en vida, por su gran actividad como reformadora, escritora y feminista activa, hizo que no solo los lugares en los que había fundado un convento estuvieran muy relacionados con ella e interesados por su vida y obras, sino que otros muchos tenían también gran interés porque esperaban que fundara algún convento o estableciera relaciones con ellos. Como ejemplo destacado está el de Felipe II, que manifestó interés en conocerla, pero hicieron lo posible por predisponerlo contra ella, particularmente el Nuncio del Papa en España y algún miembro de la Inquisición, pues no les agradaba su actividad de fundadora de conventos reformados. Consiguieron que dicho rey se hiciera un gran admirador y defensor de su obra, hasta el punto de que encargó personalmente a Fr. Luis de León que editara los escritos de la Santa, cosa que hizo en 1486, solo cuatro años después de su muerte.

Esta intensa relación de Alba con la Santa y el hecho de que muriera y fuera enterrada en Alba, para cumplir su deseo, sentaron muy mal en Ávila, donde ya tenían preparado un sepulcro para recoger sus restos cuando falleciera, pues pensaban que no podía ser en otro lugar más que en Ávila. Esto causó gran pesar e hicieron cuanto pudieron para darle uso sin conseguirlo, incluso llegaron a robar el cadáver de la Santa dos años después de su muerte, pero lo devolvieron contra su voluntad gracias a la presión de los Duques, que estaban interesados en que las cosas quedaran como había querido la Santa y le gustaba a ellos. Mas han seguido considerándose los únicos herederos de la Santa y el lugar teresiano casi en exclusividad, con un protagonismo exagerado que pone en su contra incluso a muchos de los devotos teresianos. Actúan como si Ávila fuera la única ciudad teresiana, cosa que cualquiera sabe que no es cierta. Han continuado actuando de esta manera hasta hoy, como lo confirman los últimos acontecimientos relacionados con lo teresiano en nuestros días. Así, con motivo de la celebración del Día del turismo de Castilla y León en 2014, que giró en torno a Sta. Teresa, la mayor parte de los actos, y los más interesantes, se celebraron en Ávila, mientras que en Alba fueron pocos, secundarios y sin asistencia de las autoridades regionales. Otro tanto ha ocurrido con la programación del V centenario teresiano, en el que Alba ha tenido un desvaído segundo lugar, frente al destacado protagonismo abulense. Lo mismo puede decirse con la celebración de las Edades del Hombre. Las organizaron en cuatro capítulos, los tres más importantes en Ávila, y en Alba solo uno y secundario. Los datos cantan.

Los lugares más significativos de la biografía de una persona suelen ser aquellos en los que nació y murió. No es nada seguro, como expondré más adelante y ya he mencionado, que Sta. Teresa naciera en Ávila, pero han conseguido que figure como tal, y han hecho desaparecer toda referencia al lugar en el que seguramente tuvo lugar tal acontecimiento, Gotarrendura, pequeño pueblo de La Moraña, cerca de Ávila, con más razones que Ávila a su favor, pero sin documentación escrita pues desapareció de forma un poco extraña. Nacimiento y muerte suelen tener similar importancia en cualquier biografía. Pero, en este caso, algunos se empeñan en considerar solo importante lo primero, aunque haya serias dudas de que ocurriera en Ávila. Hacen cuanto pueden para minimizar lo segundo, el lugar en el que falleció y en el que se produjo tal suceso, Alba. Los que así actúan demuestran tener una visión muy corta y gran ambición, se olvidan de que no se puede ir contra la historia, de que la unión hace la fuerza, y de que una postura como la adoptada desde siempre por Ávila se vuelve contra ellos y es como dar coces contra el aguijón. Quieren reducir la gran figura de la Santa, destacada en tres importantes campos (fundadora-reformadora religiosa, extraordinaria escritora y activa feminista, pionera en defensa de los derechos de la mujer), a los estrechos moldes de su miope postura, olvidando lo que dijo de ella el poeta charro

Conventos de S. José y la Anunciación, Ávila y Alba,
símbolos de lo teresiano en ambos lugares.

J. M.ª Gabriel y Galán en homenaje a la Santa y para reivindicar esto que algunos ponen en entredicho: *Mujer de inteligencia peregrina / y corazón sublime de cristiana, / fue más divina cuanto más humana / y más humana cuanto más divina.*

Conociendo el carácter recto de la Santa y sin pelos en la lengua, seguro que este comportamiento le disgustaría mucho y no les diría lindezas ni piropos a los que actúan así, como ya hiciera con otros similares. La celebración del V centenario de Sta. Teresa, en el que Alba de Tormes debió ocupar un lugar destacado, con pleno derecho, al igual que Ávila, me ha impulsado a hacer este trabajo y así contribuir humildemente a realzar la importancia de Sta. Teresa en los tres campos citados y en su relación con Alba. Busco dar a conocer algo mejor la historia de Alba y, al mismo tiempo, contrarrestar la importancia que se han dado los de Ávila en lo relacionado con Sta. Teresa, hasta el punto de que algunos, con motivo del V centenario, le han cambiado el sobrenombre de Jesús, por el de Ávila, Sta. Teresa de Ávila (¡?), en su afán por apropiársela en exclusividad y no dar participación a nadie aunque, como en el caso de Alba, tenga todas las razones para ello.

Sin querer quitar un ápice al protagonismo que tiene Ávila en lo teresiano y que es mucho, justo y merecido, resulta absurdo querer marginar o minimizar a Alba. Para ello me apoyo en la opinión de Cervantes que, en el poema que le premiaron en Alba en 1614, su primer reconocimiento literario, con motivo de la Beatificación de la Santa, dijo: *Aunque naciste en Ávila, se puede / decir que en Alba fue donde naciste, / pues allí nace donde muere el justo; / desde Alba, ¡oh madre!, al cielo te partiste: / alba pura, hermosa, a quien sucede / el claro día del inmenso gusto.* Es importante el lugar del nacimiento en la biografía de cualquier persona, pero hay casos en que, por la importancia de lo que hicieron después, se olvida o minimiza dicho lugar y se otorga mayor importancia a donde desarrolla su actividad. Los de Ávila no lo creen así. Cervantes intuyó lo que iba a ocurrir después de morir la Santa y quiso adelantarse a la mezquindad de miras y egoísmo posteriores. Previó que, dada la importancia que ya tenía la Santa a poco de morir, algunos iban a querer apropiarse de su gran figura en beneficio propio, algo imposible por su universalidad. Como en otros escritos y sobre otras temáticas, les da un toque de atención aunque no ha servido para mucho. No olvidemos que, poco después de morir, antes del premio a Cervantes, los de Ávila, para tener la exclusiva teresiana, se llevaron el cadáver de la Santa, con nocturnidad y alevosía, y lo retuvieron casi un año, hasta que la presión de los albenses y, sobre todo, la decisiva intervención del Duque de Alba, los obligaron a devolverlo al convento de Alba, como deseó la Santa, y a que no volvieran a sacarlo jamás, aunque lo intentaron otra vez hace un siglo.

Tras manifestar mi opinión sobre la similar importancia de Alba y Ávila en la biografía de Sta. Teresa, entre otras cosas porque así lo quiso ella, quiero destacar también que no fue por casualidad, sino consecuencia del importante papel que tenía entonces Alba en la sociedad y en las altas esferas de aquel tiempo, como sede y escenario de uno de los títulos nobiliarios más importantes entonces en España, la Casa de Alba, pese a ser un pequeño núcleo semiurbano, con menos de 3.000 habitantes. Como es sabido, los dos siglos que tuvo aquí su residencia convirtieron a Alba en un lugar con una importancia y una proyección exterior en lo cultural muy por encima a lo que le correspondía por su cuantía demográfica y relevancia económica. Siguiendo los cánones de la época y la moda italiana renacentista, tuvieron en Alba a su servicio a muchos de los más importantes escritores y artistas del momento, al estilo de lo que hicieron los Médicis en Florencia y otros nobles en otros lugares. No es de extrañar que algunos le dedicaran encendidos poemas, como fue el caso de Garcilaso de la Vega, con la cita que encabeza este trabajo. Pocos núcleos tienen la suerte de Alba de Tormes, que la descripción de su emplazamiento geográfico la haga uno de los escritores más preclaros del Siglo de Oro español. La cita describe el privilegiado emplazamiento de la villa ducal y teresiana, primer e importante factor favorable para su interesante evolución histórica y causa destacada de su rico patrimonio monumental y cultural, dado el alto nivel que registraron en Alba los aspectos citados, ser villa ducal y teresiana.

Cervantes ya destacó la importancia de Alba en la biografía de Sta. Teresa.

En efecto, Alba de Tormes es uno de tantos núcleos semiurbanos españoles con gran importancia histórica y, por ello, atesora gran riqueza monumental y cultural, pese a ser pequeño y a las importantes pérdidas sufridas después por causas diversas. Esto se debe a que tiene tras de sí una historia interesante por su privilegiado emplazamiento, que la llevó a jugar ya un importante papel en la Reconquista y, sobre todo, por su doble condición de ducal y teresiana, cosa que sorprenderá a más de uno, al ser poco conocidos en su plenitud ambos aspectos. En relación con lo primero, ser villa ducal, se debe a que fue cabeza y sede del título nobiliario de su nombre, uno de los más importantes y prestigiosos entre los muchos existentes en España en nuestro Siglo de Oro, reinados de los RR. CC. Carlos V y Felipe II. Además, uno de sus titulares, el III Duque, conocido como el Gran Duque de Alba, ha sido uno de los más importantes personajes en los reinados de dichos reyes, como político y militar destacado durante 57 años, nada menos, que sirvió a la Corona con cargos de máxima responsabilidad y gran éxito, en Países Bajos, Portugal e Italia.

También por la imponente *corte renacentista* que montaron en Alba los Duques y en la que participaron muchos importantes escritores y artistas de nuestro Siglo de Oro. Garcilaso de la Vega fue uno de ellos y nos dejó en su *Égloga II* una bella descripción del emplazamiento de Alba junto al Tormes y reflejada en sus tranquilas aguas. Otros fueron J. del Encina, J. Boscán, Tirso de Molina, Cervantes, Calderón de la Barca y, sobre todo, Lope de Vega, que estuvo cinco años, 1591-1596, como secretario del Duque y aquí escribió varias obras. Además, en la iglesia de Santiago están enterradas su esposa Belisa, Isabel de Urbina, y una hija, hecho que afectó mucho a Lope de Vega,

Iglesia de Santiago, siglo XII, donde reposan el primer señor de Alba, la esposa y una hija de Lope de Vega.

como lo refleja en varios escritos realizados al efecto, pero son muy pocos los que destacan esto en la historia de Alba pese a su indudable relevancia. No es el único escritor sobresaliente en esta singular característica albense como factor de su trascendencia cultural e histórica.

Por eso, la celebración del V centenario del nacimiento de Sta. Teresa es una buena oportunidad para estudiar más a fondo y de manera más completa la historia de Alba, particularmente su estrecha e interesante relación con la institución y la persona a la que debe su importancia histórica, casa ducal y Sta. Teresa. En general esto se sabe, pero de manera incompleta, inconexa, como un poco vergonzante, sin valorar su verdadera importancia y sin destacar el fuerte vínculo que permite considerar Alba, con razón y pleno derecho, villa ducal y teresiana. Tampoco ha sido justamente valorado ni repercute como debería ser en Alba, con reconocimiento de su actividad histórica, cultural y turística. Esto acaba de ser reconocido, en parte, con la celebración de las Edades del Hombre sobre temática teresiana, junto con Ávila, con las consiguientes y positivas repercusiones en los citados aspectos, cultural y turístico, aunque, en las mismas y una vez más, ha sido minusvalorada su importancia en favor de Ávila, como ha ocurrido antes tantas veces.

Pero más significativo que las ventajas derivadas de su privilegiado emplazamiento geográfico, sobre un cerro junto a un vado del Tormes y en cruce de caminos en estas tierras del noreste provincial, con interesante evolución histórica, ha sido la fuerte vinculación de Alba con una institución, la Casa de Alba, entre las más importantes de este gremio en España, por su cercanía a Sta. Teresa, la persona más destacada e influyente en la Iglesia como reformadora y gran escritora, como reconoció en su día la Universidad de Salamanca nombrándola doctora honoris causa, primera de dicha institución, por su lucha en pro de los derechos de la mujer. Esto fue mucho antes de que lo hicieran las actuales asociaciones que se empeñan en hacernos creer que son ellas las pioneras en algo que la Santa y otras, como Isabel la Católica, hicieron cinco siglos antes y sin armar tanta escandalera.

Por lo tanto, la casa ducal, particularmente los Duques III y V y Sta. Teresa, son los causantes de que Alba haya tenido un destacado papel en España en lo religioso, literario e histórico, pese a ser un pequeño núcleo que hoy no llega a los cinco mil habitantes y en los momentos de mayor esplendor en el pasado no alcanzó los tres mil. Por tal motivo, está más que merecida y justificada su doble nominación, Ducal y Teresiana, que recuerda su destacada trayectoria histórica, al igual que hacemos con otras ciudades pero con una sola nominación: Salamanca=Universitaria, Toledo=Imperial, Córdoba=Califal y Barcelona=Condal, entre otras. Esta interesante dualidad, ducal y teresiana, salta a la vista en cuanto se conoce un poco la historia albense, al ser una de sus señas de identidad. Ha sido reconocida por cuantos

Alba y los factores geográficos de situación: vado del río, puente, cerro y castillo para controlarlo y suelos fértiles.

se han interesado por Alba, como Unamuno, que en su poema *El Tormes* dice así: *Desde Gredos, espalda de Castilla, / rodando, Tormes, sobre tu dehesa, / pasas brezando el sueño de Teresa, / junto a Alba, la Ducal dormida Villa.* Animo a los de Alba a que tomen como suya esta imagen de Unamuno y muestren que Alba es ducal y teresiana, y que ha salido del letargo que cita Unamuno, deben mostrar su interesante historia relacionada con el Gran Duque y Sta. Teresa. Yo lo hago así, ratificado con el título del presente trabajo: *Alba de Tormes: Ducal y Teresiana.* Que cunda el ejemplo.

Precisamente por este motivo, por ser la sede de la casa ducal, y además por su gran vínculo con Sta. Teresa, Alba de Tormes tiene una destacada importancia dentro de la ruta de las fundaciones de Sta. Teresa, tanto si se hace con las diecisiete que llevó a cabo en toda España como si la hacemos solo con las nueve que realizó en Castilla y León. En cualquiera de los casos que tomemos en consideración, Alba tendrá un destacado papel en la citada ruta, al estar aquí su sepulcro, con la consiguiente relevancia dentro del mundo carmelitano. Este interesante aspecto de la historia de Alba debe ser un importante factor para impulsar el turismo religioso y cultural en Castilla y León, con el beneficio que conlleva para los lugares destacados del recorrido y, sobre todo, para Alba, por su condición de centro teresiano o Villa teresiana por antonomasia.

Afortunadamente, hay muchos y buenos trabajos de Alba sobre esta temática y desde diferentes perspectivas. Tal es el caso de los de D. Sánchez, P. Belda, R. Sánchez Arroyo, N. Miñambres, J. L. Gutiérrez Robledo, J. M. Corredera Martín y L. J. Cuesta Hernández, entre otros. Estos autores ponen de manifiesto la interesante evolución histórica albense, favorecida inicialmente por su situación y privilegiado emplazamiento geográfico, sobre un cerro, situado junto a un vado del río que, desde antiguo, contó con un puente que convirtió Alba en un interesante cruce de caminos en estas tierras. Esto se acrecentó, desde el siglo XV, por su fluida relación con una importante institución nobiliaria, con sede en Alba, y por la reforma carmelitana de Sta. Teresa, al ser el punto final de ambas y referencia destacada debido al fallecimiento de la Santa en este lugar. Por todo ello, Alba ha tenido una importancia histórico-cultural muy por encima de lo que cabría esperar de un núcleo siempre mediano en estas tierras. También cuenta con una riqueza monumental que sorprende al viajero, quien no espera encontrar algo así, a pesar de las muchas e importantes pérdidas que ha sufrido, como tantos otros lugares y por las mismas causas: la funesta desamortización; el abandono de la casa ducal, que se marchó a Piedrahíta y después a Madrid, y la incuria de la administración, que se despreocupó de sus monumentos. Además, consintió el expolio al que sometieron a su patrimonio, algunos de sus más importantes monumentos, como el castillo y el monasterio de S. Leonardo, se consideraron vulgares canteras y varias de sus interesantes iglesias románico-mudéjares cayeron en el olvido y terminaron desapareciendo.

Monasterio de S. Leonardo, siglo XII, en la Vega del Tormes, importante en vida de la Santa.

Es posible que alguno considere exagerado el comentario anterior sobre la importancia histórica, cultural y religiosa de Alba de Tormes y su riqueza histórico-monumental subsiguiente, de la que conserva hoy solo una pequeña parte, al no haber sabido ni querido conservar todo su interesante patrimonio.

Es indicativo de la certeza de mis aseveraciones el que varios de nuestros grandes escritores del Siglo de Oro, además del citado Garcilaso, le dedicaran elogiosos comentarios al mismo, con motivo de su residencia en la corte renacentista que los Duques crearon en Alba, al estilo de los príncipes italianos florentinos de la época. Además del citado Garcilaso, se sabe que estuvieron en la villa ducal, por el motivo mencionado, Juan del Encina, patriarca del Teatro español; L. Fernández; Luis Vives; J. Boscán, impulsor del Renacimiento; G. de la Vega; Lope de Vega; Cervantes; Sta. Teresa; y Calderón de la Barca, entre otros. Cervantes consiguió en Alba su primer premio literario en 1614 con ocasión de un certamen poético convocado para celebrar la beatificación de la Santa y ser premiado su trabajo sobre *Los Éxtasis* de la misma. Parece ser que también buscó el patrocinio del duque de Alba para la segunda parte de *El Quijote* y, al no conseguirlo, se lo ofreció al duque de Béjar, que sí lo aceptó. Según opinión de algunos historiadores, es posible que C. Colón también estuviera en Alba, en el monasterio jerónimo de S. Leonardo, porque el presidente de la Comisión de Expertos, nombrada por la reina Católica para estudiar y valorar su proyecto de viaje a las Indias, Fr. Hernando de Talavera, personaje importante como catedrático de la Universidad, confesor y asesor de la Reina Isabel y primer arzobispo de Granada tras su reconquista en 1492, antes había sido fraile jerónimo y prior del monasterio albense, y pudo convocar a C. Colón en este lugar, durante su estancia en Salamanca en 1486, al igual que pudo estar también en la Hacienda Zorita, de los dominicos, por su relación con el P. Deza.

Este es un aspecto poco conocido de la historia de Alba, como el de la estancia de C. Colón en Salamanca, pese a la gran influencia que esta tuvo para que los RR. CC. se decidieran a apoyar el proyecto colombino y el Descubrimiento se hiciera bajo el amparo de la Corona de Castilla, el asesoramiento de la Universidad de Salamanca y el dominico P. Deza, al que C. Colón y su hijo Diego atribuyen que el descubrimiento de América se hiciera con el apoyo de Castilla. Pero a todo esto, a pesar de su importancia, como a otras muchas cosas, apenas se le ha prestado atención o se ha menospreciado, y es poco conocido en general y no se le ha sacado provecho alguno, como han hecho otros con muchos menos motivos. Tal es el caso de Valladolid con C. Colón. Se sabe que tuvo cierta relación con dicha ciudad, donde estuvo solamente para intentar entrevistarse con el Rey Católico y exigirle que cumpliera con lo acordado en las Capitulaciones de Granada. Solamente a partir de esto han montado un museo colombino en la casa donde dicen que pasó unos días buscando que lo recibiera el rey Fernando el Católico y le reconociera algunos títulos y privilegios que le habían prometido al patrocinar y apoyar su viaje a las Indias. Este fue el motivo por el que C. Colón estuvo en Valladolid una vez, pero jamás residió en la misma de forma estable, ni pasó periodos de tiempo, ni tuvo una casa. Pero el hecho de que falleciera en dicha ciudad lo han sabido aprovechar muy bien, hasta el punto de que parece como si Valladolid fuera la única ciudad española que ha tenido relación con dicho navegante y este hubiera vivido siempre en ella.

Aunque la relación de Salamanca con C. Colón fue importante para la historia de España y mundial, no lo hemos sabido aprovechar en nada o muy poco, como han hecho los de Valladolid que ningunean a Salamanca siempre que pueden en este y otros temas, como si no hubiéramos tenido nada que ver en tal cuestión. En parte es culpa nuestra, al no haber estudiado ni hecho nada al respecto, como si no hubiera ocurrido nada. Sucede algo parecido con lo concerniente a Sta. Teresa en Ávila y Alba. Parece que solo la primera tiene que ver con la Santa. Se pone de manifiesto la importancia de estudiar la historia y hacer una correcta interpretación de la misma para evitar que otros la manipulen y tergiversen en su beneficio. Además, los afectados por tal tergiversación, en este caso Alba, deben hacer valer sus derechos, luchar contra tal injusticia y no dejarse manipular. Pero tienen que dar ejemplo, siendo ellos los que estudien y conozcan su historia, no que se la interpreten y valoren otros. Espero con este trabajo contribuir de alguna manera en tal sentido.

Ahora, con motivo de las celebraciones del V centenario del nacimiento de Sta. Teresa está ocurriendo algo parecido entre Ávila y Alba. Parece como si la primera fuese la única ciudad que tuvo estrecha relación e importancia histórica con la Santa y que Alba no tuviera en esto participación alguna. Hacen todo lo posible para anular lo que pueda quitarles la exclusividad que ellos se atribuyen injustamente. No es baladí en esto el apoyo de la Junta con sede en Valladolid, en favor de Ávila. Empieza con el lugar de nacimiento de la Santa, sobre lo que no hay documentación escrita que acredite que nació en dicha ciudad, aunque han logrado que se admita tal creencia, por haberlo afirmado así sus primeros biógrafos, abulenses o a su servicio, sin aportar datos concretos al respecto ni tener documentación escrita alguna. Hay muchos más argumentos para pensar que nació en el pequeño pueblecito de Gotarrendura, cercano a Ávila, donde la familia de la Santa tenía una casa en la que ella pasaba temporadas, y posesiones de las que vivían y donde nacieron los otros nueve hermanos de Sta. Teresa, siendo ella, curiosamente, la única que lo hizo en Ávila. Además, por igual motivo, han desaparecido folios de los registros de nacimientos y bautismos en Gotarrendura y la parroquia de S. Juan de Ávila, donde dicen que fue bautizada. (¡¡??)

Entre los que opinan que no nació en Ávila hay ilustres biógrafos, como el carmelita, P. E. de la Madre de Dios. En su extraordinaria obra *Santa Teresa de Jesús. Biografía de la Santa*, 1952, dice:

Iglesia de Gotarrendura, pueblo donde, con fundadas razones, nació Sta. Teresa.

El lugar de nacimiento hubo de ser, según parece, la riente aldea de Gotarrendura, donde sus padres solían invernar. Similar opinión tiene otro biógrafo, el P. Sanz, carmelita, que dice: *Teresa nació en 1515 en Gotarrendara, en una casa grande y acomodada, con arcones, tapices y alfombras, huerto y noria, ganados y establos.* Tales características no parece que puedan corresponder a una vivienda urbana, sino rural. La única razón en favor de Ávila, con poca fiabilidad y mucha subjetividad, son las noticias de los primeros biógrafos, interesados en que fuera Ávila la que apareciera como tal, al igual que intentaron hacer con su cadáver, al llevárselo, pese a que la Santa manifestó su deseo de ser enterrada en Alba, cosa que no les agradó, pues ya tenían preparado su sepulcro mucho antes de morir. El hacerla nacer en Ávila fue más fácil que lograr que fuera lugar de su descanso eterno. No tuvieron oposición en lo primero, al ser un pequeño lugar, pero no consiguieron lo segundo, dada su evidencia y al no resultar fácil quedarse con sus restos por robo y tener que devolverlos contra su voluntad. Para compensar esto, siempre que han podido han ninguneado a Alba en todo lo relacionado con lo teresiano. Así ha ocurrido recientemente con el año teresiano, el V centenario y Las Edades del Hombre, las tres sobre dicha temática. El protagonismo de Ávila reduce a Alba a mera comparsa en todo, incluso si tiene tantos méritos como Ávila. Al exagerado deseo de exclusividad de los abulenses se une la pasividad de los de Alba, como si la cosa no fuera con ellos y, también, porque tienen pocos apoyos fuera. Sirva este modesto trabajo como pequeña colaboración para subsanar tal deficiencia e injusticia histórica.

La devoción a la Santa ha sido siempre una seña de identidad de los albenses.

CAPÍTULO II
SITUACIÓN Y EMPLAZAMIENTO DE ALBA DE TORMES. IMPORTANCIA DE LOS FACTORES NATURALES Y HUMANOS EN AMBOS ASPECTOS

Antes de estudiar las características urbanas de cualquier núcleo, deben conocerse, con cierto detalle, las de su situación y emplazamiento geográficos, esto es, dónde está dentro de una zona y el lugar exacto que ocupa en la misma, por su influencia en la evolución posterior, en sus características urbanas actuales y en las posibilidades futuras de un mayor desarrollo. En el estudio histórico de cualquier núcleo urbano es necesario estudiar y conocer las características geográficas del territorio en el que se alza, pues esto ha influido a la hora de elegir su emplazamiento, y ayuda a explicar muchas de sus características y la influencia que tiene en el comportamiento y en las actividades de sus gentes. D. Miguel, conocedor de estas cuestiones, como gran viajero y observador, deja bien claro la conveniencia y el interés de estudiar el territorio cuando queremos conocer la historia y geografía de los núcleos que se han levantado en el mismo. En su conocido libro *Por tierras de Portugal y España* dice así: *Para conocer una patria, un pueblo, no basta con conocer el alma, lo que dicen y hacen sus gentes, es menester, también, conocer su cuerpo, su suelo, su tierra. Y os aseguro que pocos países habrá en Europa en que se pueda gozar de una mayor variedad de paisajes que en España. Cóbrase en tales ejercicios y visiones ternura para con la tierra, siéntese la hermandad para con los árboles, con las rocas, con los ríos; se siente que son de nuestra raza, que son también españoles.*

Los núcleos de cualquier espacio, en este caso la provincia charra, muestran gran diversidad en su situación y emplazamiento, como se comprueba analizando los mismos. Está bastante extendida la idea de que Salamanca es una provincia uniforme, en la que solo existe la macrocomarca del Campo

Charro y un pequeño territorio montañoso periférico, y que en los núcleos de la primera no hay variedad en su situación y emplazamiento. Mas esto no es cierto, sino que la provincia tiene tres espacios claramente diferenciados, desde el punto de vista geográfico, con unas características paisajísticas muy diferentes entre ellos, y, dentro de cada uno, también hay diferencias que permiten su comarcalización. Esto lo deja bien claro el Prof. Á. Cabo cuando dice: *La provincia de Salamanca es considerada por muchos como una inmensa dehesa, dedicada solo a criar toros de lidia y cerdos en su montanera. Esta idea se refiere solo a la penillanura paleozoica que al sur y oeste del Tormes ocupa el espacio más extenso de la Tierra Charra. Pero no faltan en la provincia tierras importantes, diferentes a las citadas, que se reparten la planicie terciaria del noreste provincial, en la margen derecha del Tormes y al sur de las comarcas serranas. Es injusto que unas y otras, con gran importancia geográfica, estén eclipsadas por la fama, fácil, de unos embutidos o divisas ganaderas.* Es evidente la diversidad comarcal salmantina.

Grandes *zonas paisajísticas* salmantinas, con Alba en el área de transición entre dos importantes.

Tales aspectos, situación y emplazamiento de Alba, guardan relación con espacios con importantes recursos agroganaderos, comunicaciones, cruces de las mismas, y zonas con intereses de otra índole, militares, administrativas o turísticas. Todo esto tuvo gran trascendencia en el pasado, cuando la fundación inicial de muchos núcleos y, más tarde, cuando la repoblación medieval y al tener que buscar las zonas más propicias para los núcleos que se iban a levantar en ellas. En el caso de Alba, la zona donde levantaron el núcleo inicial está situada en el espacio de transición entre dos importantes territorios provinciales, las Campiñas cerealistas del noreste provincial, con la Armuña, las Villas, el Campo de Peñaranda y la Tierra de Alba, y la macro-comarca ganadera del Campo Charro, que ocupa el amplio centro provincial, desde Salamanca a la frontera portuguesa. Además, dicho espacio refuerza sus atractivos para el asentamiento de núcleos con la presencia de la ribera del Tormes que, desde Alba hasta pasada la capital, separa ambos espacios, añadiendo otro importante y favorable factor de situación geográfica. Esta zona adquirió un valor militar especial al separarse Castilla y León algún tiempo, 1157-1230, y quedar Alba en la frontera entre ambos, como ratifican con su nombre varios pueblos cercanos, Zorita y Aldeaseca de la Frontera. Son bastantes los pueblos con características geográficas parecidas a las de Alba en este sentido, incluida la capital provincial, con factores de situación similares. La diversidad económica que esto creaba en estas zonas beneficia-ba a los pueblos situados en ellas.

Privilegiada situación geográfica de Alba, en el curso medio del Tormes.

Por emplazamiento de un núcleo se entiende el lugar concreto donde se alza, elegido por sus fundadores por sus condiciones favorables, con relación a sus intereses en ese momento. Los lugares elegidos para tal motivo han sido muchos y diferentes, unos relacionados con factores o características del medio natural, ríos, cerros, riberas; otros con los diferentes recursos exis-tentes en ese lugar en el momento de la fundación. También tuvieron mucha influencia los intereses de los repobladores, que entonces encontraron más favorable ese lugar que los demás de la zona, y puede ser que hoy ya no sea así. Son claros los factores que impulsaron la elección para el emplazamiento de Alba: vado del río, cerro cercano desde el que podía defenderse dicho vado y el núcleo, riberas fértiles cercanas y cruce de caminos.

Esta ventajosa situación en el Tormes reforzaba el ser cruce de caminos que buscaban el vado fluvial para cruzarlo. Las razones que impulsaron a los repobladores a levantar un núcleo en un lugar concreto suelen cambiar con los tiempos, al hacerlo los intereses de la población y las condiciones económicas de la zona. Por eso, hay muchos núcleos que hoy no se levantarían donde lo hicieron entonces, o que conservan construcciones o características urbanas que ya no tienen interés alguno, que son perjudiciales para su desarrollo urbanístico actual y en los que los habitantes actuales tengan problemas por tal motivo. Toledo es buen ejemplo de esto, pero en Salamanca tenemos muchos ejemplos similares, como Miranda del Castañar, entre otros. Las construcciones militares, murallas y castillos que hay en muchos, importantes en algunos lugares cuando fueron repoblados en la Edad Media y que, hace tiempo, perdieron su interés y razón de ser, pero se han conservado en los mismos con la consiguiente repercusión urbanística y visual. Ocurre otro tanto con los que se levantaron en determinados lugares por causas económicas, en relación con las comunicaciones o por intereses concretos de los fundadores y a los que hoy se les ha dado otro uso.

Es así en el caso de Alba, cuyas causas para el emplazamiento inicial conservan hoy su vigencia e importancia, aunque sus repercusiones tengan menos valor para su desarrollo que entonces, al haber otras más influyentes que las anulan o no dejan que se aprovechen. Esto se debe al desarrollo económico, a las nuevas actividades sociales y administrativas y a las formas de vida que han impulsado el desarrollo de otros lugares o nuevos espacios diferentes a los antiguos. El resultado es que el aspecto que ofrecen hoy los núcleos de población, sobre todo urbanos, con cierta antigüedad, las actividades que se realizan en ellos y el modo de vida de sus gentes son muy diferentes, así con castillos o palacios como Paradores, por ejemplo. No ha ocurrido así en núcleos diferentes a los de hace un siglo y, mucho más, respecto a la de su fundación hace casi un milenio, como ocurre en el caso de Alba y otros similares.

La influencia de los factores naturales en el emplazamiento de muchos pueblos cuando se llevó a cabo la repoblación medieval está fuera de dudas. Cuando estos son favorables al poblamiento humano, como las Campiñas cerealistas del noroeste, se levantaron en ellos núcleos de población más numerosos, cercanos y tuvieron más auge que los de la macrocomarca ganadera del Campo Charro, con recursos naturales más escasos y de menor importancia económica para la población. En la primera de las citadas zonas

Estrecha relación de Alba con el Tormes
por su proximidad e intercambios.

El castillo, elemento destacado
del paisaje urbano albense.

paisajísticas se levantaron más núcleos de población y más cercanos entre sí. Su evolución posterior les ha permitido llegar a nuestros días en mejores condiciones que los del Campo Charro, azotados por un intenso éxodo rural que despobló a muchos de ellos en siglos pasados, convirtiéndolos en las conocidas *dehesas*. La difícil situación económica hasta los años sesenta del siglo XX permitió la recuperación del mundo rural y de la población de casi todos sus pueblos que registraron en dicha fecha, 1960, la mayor cuantía de población de su historia. El desarrollo urbano, la crisis económica y el modo de vida del mundo rural posteriores han provocado un intenso éxodo dentro del mismo y reducido la población de casi todos a la mitad o menos, con lo que han puesto al borde de la despoblación a muchos por la escasa cuantía, la constante regresión y el alto grado de envejecimiento.

Concentración de caminos para cruzar el Tormes por el puente de Alba.

Los citados espacios provinciales, zonas paisajísticas con recursos económicos diferentes, desde Alba hasta pasar Salamanca, están separados por el Tormes, por lo que no era posible hacer los intercambios en cualquier lugar, sino donde lo permitiera o facilitara el río o se construyera un puente para favorecerlo. Esto solía ocurrir en lugares del mismo, poco profundos, conocidos como *vados del río* y con orillas no pantanosas ni abruptas. Estas características fluviales favorecieron, desde muy pronto, ya en época de los romanos y cuando se llevó a cabo la repoblación medieval, el levantamiento de puentes que facilitaran el paso del río y los intercambios comerciales y otras actividades en el núcleo levantado junto a ellos. Estos se convertían así en un atractivo para los caminos y rutas que recorrían las tierras a uno y otro lado del río, esto es, en un nudo de comunicaciones que acrecentaban la importancia de los citados lugares. También atrajo a los amantes de lo ajeno o a los que deseaban dominar los territorios donde estos lugares tenían mucha importancia. Por eso, desde sus inicios, necesitaban tener un espacio dentro de ellos que facilitara la defensa, como un cerro, otero, altozano u orilla escarpada del río cerca del vado y puente. Muy pronto este lugar vio reforzado su carácter defensivo con un castillo o alcázar, desde el que defendían el puente y la ciudad que pronto rodearon con una muralla con igual fin. La conjunción o la cercanía de los citados factores y la importancia de las actividades que se desarrollaron en muchos de ellos dieron origen a núcleos de cierta importancia demográfica, ciudades que necesitaban recursos básicos, agua y alimentos agrarios, que podían obtener del río y de los suelos fértiles existentes en la cercana ribera fluvial.

Estos son, por lo general, los principales factores naturales que han decidido la elección del emplazamiento de muchos de nuestros pueblos y ciudades, y Alba, al igual que Salamanca, es un extraordinario ejemplo de ello. Son los principales aspectos del medio natural que, en mayor o menor medida, han influido para que los primitivos pobladores de Alba y después los que la repoblaron, tras la reconquista a los árabes a finales del siglo XI, se decidieran a levantarla donde hoy está. Después han mantenido el núcleo en el mismo lugar, aunque ya no tenían tanta influencia positiva tales factores en las actividades socioeconómicas que se iban desarrollando, incluso a veces eran contrarios a ellas y molestos para el modo de vida de la gente. Es lo que ocurre en ciudades que se instalaron en lugares escarpados cerca de los ríos, con fácil defensa, como Toledo, y que hoy son un serio problema para sus actividades urbanas, la expansión de la ciudad y el modo de vida de sus gentes.

Entre los factores naturales citados influyentes en el emplazamiento urbano, tienen gran importancia las zonas de transición entre dos áreas paisajísticas diferentes y que muchas veces están marcadas por la presencia de un río, como ocurre con el Tormes en el caso de Alba. Podrían ponerse muchos ejemplos al respecto, tales como Salamanca, Alba, Guijuelo y Ciudad Rodrigo en la provincia. Son muchos los escritores que, al escribir sobre los citados núcleos, ponen de manifiesto dicha influencia fluvial en el lugar elegido para su instalación. Así lo hace el escritor A. Ruibal al referirse a Salamanca, y lo mismo podemos aplicar a Alba. Ambas se encuentran entre dichas zonas paisajísticas, campiñas cerealistas y penillanura ganadera del Campo Charro, que se extienden a ambos lados del tramo del Tormes, desde antes de pasar por Alba, hasta después de hacerlo por la capital. El Tormes, junto con la ribera que forma a lo largo del citado tramo, es la línea divisoria entre dichas zonas paisajísticas provinciales y, con su presencia, contribuye a incrementar la importancia de tal espacio y a que los núcleos que se levanten en estas zonas sean más importantes que los que están fuera de estos privilegiados espacios.

Emplazamiento de Alba junto al vado del río, con un cerro cercano
y entre dos zonas paisajísticas diferentes.

En la elección del emplazamiento de Alba aparecen los factores del medio natural citados antes y que aconsejaron levantarla en dicho lugar, aspecto que es visible en la vista general de la foto anterior y en el dibujo de Van de Vyngaerden, 1575, que acompañan el presente trabajo. Es lo que describe, con bastante detalle, Vázquez de Parga cuando dice así: *Muellemente recostada sobre el cerro que le sirve de asiento y besa el Tormes, con un largo puente para salvarle, ceñida de muros, si bien ruinosos y desmoronados. Protegida por el castillo de los Duques, situado en lo alto del cerro y que, aún se alza colosal y cuya torre más avanzada, de pizarra negra, se eleva en una peña sobre un humilde molino harinero y, como defendiendo la entrada del puente, con un sotillo de chopos, pinos y negrillos en los islotes del río. Y las torres de sus iglesias destacando su silueta sobre el azul del cielo, por encima del caserío, sorprende al viajero que, al doblar el cerro que la oculta, se presenta de repente a sus ojos, en medio del variado panorama que la rodea.*

Geográfica y magistral descripción del *emplazamiento* y entorno paisajístico de Alba, junto al Tormes, estrechamente relacionada con los citados factores naturales que tanto influyeron en la elección de tal lugar. Alba, al igual que Salamanca, está en la zona de transición entre dos grandes espacios provinciales, con recursos económicos diferentes y complementarios, agricultura, ganadería, transacciones comerciales, administración y defensa, favorables a la hora de elegir este lugar como emplazamiento, por lo que, desde su fundación, Alba fue ya más importante que los otros núcleos del entorno, carentes de tales ventajas. Son muchos los que se han interesado por describir el emplazamiento de Alba por su singularidad y, sobre todo, por ser el origen y sede de la poderosa Casa de Alba y, más tarde, por su estrecha relación con Sta. Teresa, y se han olvidado de las favorables condiciones geográficas del lugar elegido para levantarla. De todas las descripciones, la mejor por su contenido geográfico y forma literaria es la que hizo uno de los mejores escritores de nuestra Literatura en el Siglo de Oro, Garcilaso de la Vega, cuando estaba al servicio de su amigo el duque de Alba. Dice así en su *Égloga II*: *En la ribera verde y deleitosa / del sacro Tormes, dulce y claro río, / hay una vega grande y espaciosa, / verde en el medio del invierno frío / en el otoño verde y primavera, / verde en la fuerza del ardiente estío. / Levántase al fin della una ladera, / con proporción graciosa en el altura, / que sojuzga la vega y la ribera; / allí está sobrepuesta la espesura / de las hermosas torres, levantadas / al cielo con extraña hermosura, / no tanto por la fábrica estimadas, / aunque extraña labor allí se vea, / cuanto por sus señores ensalzadas. / Allí se halla lo que se desea: / virtud, linaje, haber y todo cuanto / bien de natura o de fortuna sea. / Un hombre mora allí de ingenio tanto / que toda la ribera adonde él vino / nunca se harta d'escuchar su canto.* Magistral y literaria descripción del privilegiado emplazamiento geográfico de Alba de Tormes, causa original de su importancia histórica posterior, al saber aprovechar tan ventajosa posición.

En sentido similar se expresa el Prof. L. Cortés en su descripción del paisaje del curso medio del Tormes por Salamanca, desde antes de llegar a Alba hasta poco después de pasar por Salamanca. En ella destaca las diferencias paisajísticas y económicas existentes en las tierras que cruza y que están separadas por dicho río. Aunque se refiere al Tormes a su paso por la capital, tal descripción puede aplicarse también a Alba, al no haber diferencias

El *Campo Charro* llega hasta Alba y ésta se alza
y extiende sobre las campiñas del noreste.

geográficas esenciales entre ambos núcleos en este importante aspecto; dice así: *En las inmediaciones de la ciudad, la cinta húmeda y clariazulina del Tormes que la parte por gala en dos, deja en cada una de sus márgenes una campiña bien diferenciada. De cara al norte, las tierras paniegas de la parda Armuña (Tierra de Alba) que, arrancando de la última casa de Salamanca, (Alba), se dilata hasta perderse insensiblemente, mezclándose con las llanadas de la Moraña abulense. Tierra sobrevolada por las pesadas avutardas que, apeadas, se confunden con los surcos. Al mediodía, arrancando antaño de la última casa del Arrabal, hasta la frontera, los encinares, tan serios, tan dignos, con la fronda verdinegra y perenne de sus copas, bajo la que sestean los toros bravos, amerizan las ovejas o buscan afanosamente las bellotas los recios puercos ibéricos, de sabroso pernil.* Esta descripción geográfica es válida también para Alba, ya que su situación y relación con el Tormes es similar a la de Salamanca, al igual que para todo el espacio que hay entre ambos núcleos, perteneciente a su curso medio y que es recorrido por el citado río.

La diversidad paisajística de la zona donde se levanta Alba, campiñas, Ribera y Campo Charro, es causa destacada en la elección de tal lugar y en la importancia para su desarrollo posterior, aunque el caserío se alza en la margen derecha del Tormes, sobre el borde de las campiñas cerealistas que ocupan el noreste provincial, y forma parte de un espacio con paisaje similar al de las tierras centrales de la cuenca del Duero, la Tierra de Campos. A este singular e interesante paisaje castellano se refiere el Prof. Terán en su *Geografía de España y Portugal*, en la que dice, haciendo alusión a Castilla y León, pero también aplicable a estas tierras: *El llano es, en efecto, la forma de relieve dominante en el paisaje castellano; pero Castilla no es una llanura de uniforme continuidad, sino un conjunto de planos situados a diferente altitud y encuadrados por una orla exterior de serranías y bloques montañosos tabulares.* En efecto, desde el cerro sobre el que está la ermita del Otero, frente a Alba, se ven las singulares y sencillas formas orográficas del citado paisaje y, también, pueden verse al otro lado del río y por encima del caserío de Alba. A la espalda de dicho lugar y hacia Salamanca están los conocidos e interesantes encinares del Campo Charro, sobre una morfología más ondulada sobre la penillanura paleozoica. Y en un espacio deforestado de los mismos, cerca de Alba, están los conocidos, singulares e históricos Arapiles, conocidos por la célebre batalla que se libró en ellos. Son pequeñas mesetas, resaltes, con depósitos de areniscas en la parte superior, resistentes a la erosión y que solo los encontramos en esta zona en toda la provincia.

Paisaje de las campiñas cerealistas del noreste:
descanso de los ojos y suplicio para la imaginación...

El emplazamiento de Alba entre dichas zonas paisajísticas hace que lleguen hasta ella encinares que cubren y caracterizan la macrocomarca charra, y aportan características al paisaje en torno a Alba y a sus gentes. La encina, especie de tótem con su sencillez, sobriedad y resistencia, atribuibles a las gentes que las explotan, como hace A. Machado en su poema *Las Encinas*, en el que dice: *¡Encinares castellanos / en laderas y altozanos, / serrijones y colinas / llenos de obscura maleza, / encinas, pardas encinas, / humildad y fortaleza. / Mientras que llenándoos va / el hacha de calvijares, / ¿nadie cantaros sabrá, / encinares? / En tu copa ancha y redonda / nada brilla, / ni tu verdioscura fronda/ni tu flor verdiamarilla. / Nada es lindo ni arrogante / en tu porte, ni guerrero, / nada fiero / que aderece tu talante. / Brotas derecha o torcida / con esa humildad que cede / solo a la ley de la vida, / que es vivir como se puede.* Interesante descripción de los encinares y de la asociación de estos con la vida y el comportamiento de las sufridas gentes de estas tierras.

De similar opinión, contundencia en sus comentarios y mostrando su interés en defensa de estos paisajes, fue D. Miguel de Unamuno, conocedor y enamorado de ellos, como imagen y símbolo de Castilla, región matriz de España; dice así: *Para mí no hay paisaje feo. Al llegar a acá a Castilla, cuyos campos guardan estrecha semejanza con los que dicen ser la Pampa, me hablaban todos de su tristeza y fealdad, cosas que no son ciertas Prefiero este paisaje severo, grave, esta única nota, pero nota solemne y llena como la de un órgano... Estos pueblos terrosos, como excrecencias del terreno o esculpidos en él por el hombre, me dicen más que las casitas blancas, con tejados rojos que han sido puestas por el hombre en los vallecitos verdes.*

Los Arapiles, pese a su sencilla morfología, alteran las tierras cercanas a Alba.

Típicos encinares en el entorno de Alba y hasta Salamanca.

Como a muchos escritores de la Generación del 98 e Institución Libre de Enseñanza, le atraía la simplicidad paisajística de estas llanuras, la dureza del medio natural reflejado en la reciedumbre de sus gentes, el destacado papel de estas en la historia de España y el deseo de que volvieran a ser el motor de la necesaria regeneración española, como lo manifestó cuando dijo: *Hundirse en esta Castilla, / cumbre de enorme montaña, / y sentir que se agavilla, / desde ambos mares España.*

Los encinares charros, con su secular y ejemplar explotación sostenible, modélica según la UE, interesaron a D. Miguel y a muchos de su Generación, por su serena e inalterable belleza, austeridad y honda reciedumbre, cualidades que atribuyen a los que los explotan y encarnan el estado de ánimo del observador. Sus referencias a los encinares charros son frecuentes e interesantes por su valor literario y geográfico, por ejemplo, la siguiente: *En este mar de encinas castellano / los siglos resbalaron con sosiego / lejos de las tormentas dela historia, / lejos del sueño / que a otras tierras la vida sacudiera; / sobre este mar de encinas tiende el cielo / su paz engendradora de reposo, / su paz sin tedio. / Sobre este mar que guarda en sus entrañas / de toda traición el manadero / esperan una voz de hondo suspiro / largos silencios. / Es su verdura, flor de las entrañas / de esta rocosa tierra, toda hueso; es flor de piedra su verdor perenne, / pardo y austero.* Es una magistral descripción literaria y geográfica del paisaje charro hecha por quien se interesó por él y lo conoció bien.

También es fácil encontrar escritores que han destacado la importancia del Tormes y su estrecha relación con Alba, al igual que con Salamanca, aspecto que debe tenerse muy en cuenta por su influencia en la historia albense y en sus características urbanísticas. Tal es el caso de la cita que encabeza este trabajo, la *Égloga II* de Garcilaso de la Vega, que describe poéticamente la importancia del Tormes a su paso por Alba. Este singular emplazamiento de Alba, junto al Tormes, también le llamó la atención a D. Miguel de Unamuno, que dice así: *Desde Gredos, espalda de Castilla, / rodando, Tormes, sobre tu dehesa, / pasas brezando el sueño de Teresa / junto a Alba la Ducal dormida villa.* No es esta la única referencia de D. Miguel a este singular aspecto albense, como le ocurre a Salamanca, sino que en otro escrito dice: *El río Tormes tranquilo, los álamos que le bordan y en él se miran espejados, la sierra que en el fondo se alza, rompen la monotonía ceñuda de la llanada. Sin ser un típico paisaje castellano, es una revelación de la dulzura que el adusto páramo guarda aún en sus entrañas.* Magistral como siempre, D. Miguel.

Entre los factores del medio natural citados antes, por su influencia en la elección del emplazamiento, la presencia de un río ha sido frecuente e influyente, al acompañarlo otros factores que también lo son. En el caso de Alba se produce la existencia conjunta de un vado, agua, suelos fértiles y cerros o elevaciones cercanas para la defensa de lo anterior y que tan claves fueron para la erección, pervivencia y desarrollo de Alba, al igual que de otros muchos núcleos urbanos de la provincia y región. Son muchos los testimonios que avalan esta importancia fluvial en relación con los núcleos surgidos en sus cercanías y a su amparo. Solo en esta provincia, además de Alba, tenemos a Salamanca, Ciudad Rodrigo, Ledesma y Puente del Congosto. Es fácil encontrar testimonios que ratifican esta influencia fluvial en el emplazamiento geográfico de muchos núcleos. E. Bustos, en su trabajo *Guía de los ríos de España*, dice: *Los ríos son más que una corriente de agua. Son destacados agentes modeladores del territorio, una corriente de vida, fuente de naturaleza, garantía de supervivencia, semillero de obras públicas, creadores de riqueza en sus cuencas, atractivos para el asentamiento de la población en sus cercanías, memoria del tiempo, viejo almacén de culturas, sedimento arrastrado por los siglos y surcos en la historia de los pueblos que bañan.*

Paisaje de ribera del Tormes, con regadíos y alamedas a su paso por Alba.

Soberbia síntesis geográfica de lo que han sido los ríos en nuestro contexto, y, en particular, el Tormes para Alba y Salamanca o el Águeda para Ciudad Rodrigo. Caro Baroja hace un comentario que reafirma lo anterior; decía que los ríos han sido: *Fuentes de riqueza y civilización, que han dado lugar a una concepción especial de la vida.* El escritor J. Manzanares en su libro *El río del olvido* añade otros matices a esta destacada importancia fluvial, en relación con los núcleos urbanos e interés de las actividades humanas que se realizan en ellos, cuando dice: *Son más que un recurso de utilidad humana, amenaza en tiempos de lluvia, consuelo en los de sequía, rayas azules y nombres perdidos entre otros en los mapas. Es el relicario de miles de nostalgias y de historias, el espinazo de todas las tierras que en él se enjugan, el eco de las risas y lágrimas que en él se vertieron.* Estas características de los ríos, como mucho más que corrientes de agua, pueden aplicarse al Tormes a su paso por Alba, cuya influencia y relación con los núcleos surgidos junto a él es mucho más que la de ser una corriente de agua o represada para su mejor regulación y más rentable aprovechamiento y para atender importantes necesidades básicas de la población. Esto y mucho más ha significado el Tormes para Alba y Salamanca, y lo sigue haciendo, aunque los avances tecnológicos han permitido superar la gran dependencia que antes había entre desarrollo urbano, proximidad y aprovechamiento del Tormes.

Las características naturales de los ríos, y su gran importancia en el emplazamiento de los pueblos y en su economía, se han visto acrecentadas en el caso del Tormes, con la construcción de embalses que han regulado su caudal, que han reducido las consecuencias de los estiajes y crecidas y acrecentado su influencia paisajística y económica. Esto es lo que ha ocurrido con el gran embalse de Sta. Teresa, aguas arriba de Alba, para regular su caudal y aportar el agua necesaria para abastecer a la población cercana de Guijuelo, la capital y de su entorno, y para impulsar los regadíos, y que ha tenido grandes repercusiones paisajísticas, económicas y en el poblamiento al surgir nuevos pueblos de colonización. Esta labor se hace, sobre todo, gracias al azud de Villagonzalo, abastecido con aguas del embalse de Sta. Teresa y del que parten la toma de aguas para la capital y varios canales que riegan las tierras de las comarcas cercanas de la Ribera, Tierra de Alba, las Villas y la Armuña. La tradicional e importante influencia del Tormes en su curso medio, desde algo más arriba de Alba hasta poco después de pasar por la capital, al igual que sus repercusiones geográficas, se ha visto mejorada e incrementada con estas obras de regulación y aprovechamiento de sus aguas en las formas citadas antes. Esta regulación del caudal también ha tenido gran influencia en las repercusiones del Tormes a su paso por Alba, antes expuesta a sus crecidas y estiajes.

La conjunción de factores naturales, río, vado, puente y cerro, también están en el origen de Ciudad Rodrigo.

Como es sabido, la mayor parte de los núcleos de población en España, y en particular en las tierras de la extensa Meseta, se levantaron o repoblaron de nuevo con la repoblación medieval, tras su reconquista a los árabes y, para estas tierras, con la Toledo en 1085. Esto hizo que la actividad defensiva, fundamentalmente la búsqueda de lugares de fácil defensa para oponer más resistencia si volvían los árabes, fuera uno de los factores más cotizados a la hora de elegir el emplazamiento de algunos, entre ellos los más importantes. Ello se observa fácilmente viendo que muchos núcleos están en lugares elevados con fácil defensa, en las orillas escarpadas de los ríos o rodeados, en parte, por el cauce encajado de estos. Cuando consideraban que era insuficiente, reforzaban los obstáculos naturales citados con castillos y murallas con el mismo fin. Esto también ocurrió en Alba y es fácil constatarlo en su plano actual, pese a las pérdidas y cambios y a que Alba no fue de los ejemplos más claros al respecto.

Azud de Villagonzalo, aguas abajo de Alba,
con gran influencia paisajística y económica.

La búsqueda de defensa es una característica que ha llamado la atención a muchos que han escrito sobre las ciudades. Así lo recogía ya el Ro*mancero* cuando se refiere a Zamora, destacando las defensas naturales facilitadas por el Duero y en las que se apoya su defensa, y las construidas para reforzar las anteriores: *Allá en Castilla la Vieja / un rincón se me olvidaba, / Zamora tiene por nombre, / Zamora la bien cercada; / de un lado la cerca el Duero, / de otro Peña Tajada, / del otro veintiséis cubos, / del otro la barbacana.* El caso de Zamora no es una excepción, y ahí está Ávila con su imponente muralla. Fue algo frecuente entonces y también lo tuvieron en cuenta en Alba, aunque sus defensas, las naturales y las construidas por el hombre, no fueran tan sólidas y fuertes como las zamoranas y abulenses.

La importancia de los factores defensivos en la elección del *emplazamiento* de Alba es evidente, impuesto por las circunstancias de la época y por la trascendencia que tuvo en los primeros tiempos tras la reconquista, al estar en la frontera entre Castilla y León y ser punta de lanza entre ambos reinos hasta que se unieron con Fernando II el Santo en 1230. Pero después, en su evolución y desarrollo posterior, ha ido eliminando aspectos urbanos de tal actividad, y los ha sustituido por otros relacionados con actividades económicas diversas, cada día más importantes, y con una ordenación y configuración urbanas diferentes, que iba eliminando lo defensivo y militar, y surgió una ciudad con actividades como el comercio, la administración y servicios diversos, dando origen a una ordenación, modo de vida y aspecto urbanos muy diferentes a los de los primeros siglos tras la medieval. Es lo que recoge D. Miguel de Unamuno cuando dice así, respecto a la zona donde se alza Alba: *El río Tormes tranquilo, los álamos que le bordean y en él se miran espejados, la sierra que en el fondo se alza, rompen la monotonía ceñuda de la llanada. Sin ser un típico paisaje castellano, es una revelación de la dulzura que el adusto páramo guarda aún en sus entrañas, cuando lo cruza un río como el Tormes.*

Los numerosos núcleos de población que hay en España y particularmente en Castilla y León, en mucho mayor número y con más densidad que en ningún otro territorio español, se emplazaron donde ahora están alguno, varios o todos los factores naturales citados antes en el caso de Alba, al ser este como un prototipo generalizado en la región. Como ocurre con las actividades que realiza la población de un núcleo, cuantas más son y más relevancia tienen, también el citado núcleo es más grande e influyente en el entorno. Eso ocurrió cuando surgió Alba, al ser repoblada por Raimundo de Borgoña a finales del siglo XII. Por eso nació con más importancia que la mayor parte de los muchos núcleos existentes en estas tierras, que solían contar con escasos factores naturales y pocas actividades desarrolladas en ellos por su población.

En Alba no fue así y, por eso, desde sus orígenes, fue el más importante en su zona, hoy Tierra de Alba, siendo desde entonces hasta hoy el centro administrativo, comercial y de servicios de la misma, como nos recuerda el historiador J. Valdeón cuando dice: *Desde el Puerto de Pajares hasta el de Navacerrada y desde la llanada de Miranda de Ebro hasta Béjar, el viajero que recorre estas tierras, tropieza con muchos recuerdos del pasado. Modestas pero interesantes iglesias, imponentes catedrales, casonas de hidalgos o robustos castillos, humildes conventos o soberbios monasterios, restos de murallas o yacimientos arqueológicos, la historia está presente, con fuerza singular, en Castilla y León. En verdad, el peso dejado por los diversos pueblos que se asentaron en el trascurso de los siglos en la cuenca del Duero es*

La confluencia de un vado, cerro cercano, vega y puente ha tenido
gran influencia urbana en Alba.

Dibujo de Van den Wyngaerden, 1570, que destaca la estrecha relación de Alba
y el castillo con el puente.

de gran densidad, interés e importancia, como corresponde a una historia
varias veces milenaria e interesante.

Dentro de este contexto, Alba ha pertenecido al grupo de núcleos semiurbanos, con mediana importancia demográfica, pero una destacada participación histórica, cultural y religiosa, no solo dentro de Salamanca y Castilla y León, sino a nivel nacional. Como he señalado antes reiteradas veces,
esto se debió a la presencia en ella de personajes de gran valor, como Sta.
Teresa y el Gran Duque de Alba, con una importancia histórica que desbordó
ampliamente los límites locales y regionales. No es un caso único en España,
sino bastante frecuente en nuestra historia ya que, como Alba, hay otros núcleos interesantes en España y por motivos similares, aunque Alba está en el
grupo de cabeza. Reconozcámoslo y hagámoslo valer.

CAPÍTULO III
ALBA DE TORMES. EVOLUCIÓN HISTÓRICA Y VILLA DUCAL POR ANTONOMASIA

Los comentarios sobre aspectos geográficos, como emplazamiento y características paisajísticas donde está el caserío, ratifican la importancia del Tormes en todo, hasta convertirse en la razón de ser de Alba y factor sobresaliente en lo que concierne al origen de dicho núcleo, evolución histórica, desarrollo y características urbanas. La famosa frase de Herodoto al referirse al origen de Egipto: *Egipto es un don, regalo, del Nilo*, podemos aplicarla a muchos núcleos españoles en relación con algún río, con gran repercusión en su origen y evolución posterior, siendo Alba y Salamanca buenos ejemplos. Pero más señalados que los factores naturales citados, influyentes en los orígenes, evolución y desarrollo de Alba, son los factores humanos, esto es, todo lo relacionado con la actividad humana, los habitantes del lugar, desde antiguo hasta nuestros días. A ellos se debe lo que ha sido Alba a lo largo de la historia y, por supuesto, también lo que es en estos momentos.

Ya comenté en el apartado correspondiente que Alba está junto a un vado del Tormes, estrecho, con orillas poco pantanosas que permitían cruzarlo fácilmente, como hacían varias rutas que recorrían las tierras de ambos lados del río, con las consiguientes ventajas para el citado lugar. Además, contaba con tierras fértiles cercanas en las riberas fluviales para obtener recursos, y un altozano cercano que permitía defender todo lo que había en dicho lugar, el caserío, los cultivos y el puente levantado para favorecer el paso del río e impulsar el desarrollo urbano. El núcleo surgido en este lugar no era grande, porque su influencia no se extendía muy lejos, a pocos kilómetros, y porque cerca de aquí estaba Salamanca, con las mismas actividades urbanas que las de Alba desde sus comienzos y, poco después, otras más importantes, variadas y dinámicas que han competido con ventaja con las de Alba. Esta ventajosa situación de Alba fue conocida y aprovechada en los comienzos históricos, como lo ratifica el que los romanos levantaron un puente y construyeron una calzada que lo cruzaba, al igual que lo hacía por las tierras a uno y otro lado del río, con el consiguiente beneficio para el desarrollo socioeconómico de la villa ducal ya entonces.

El origen histórico de Alba de Tormes, como de otros lugares, es incierto. Según el P. César Morán, corresponde a un castro prerromano, ocupado en época romana con el nombre de Albocola, surgido sobre un cerro cercano a un vado del Tormes en este lugar, por lo que pronto adquirió más importancia que otros del entorno que no tenían tantos factores favorables como Alba. Hay indicios que hunden las raíces de su origen a los primeros periodos prehistóricos, en relación con su situación topográfica en la margen derecha del río Tormes. En las terrazas próximas del mismo, se han encontrado yacimientos de industrias líticas achelenses del Paleolítico Inferior, que se corresponden con bifaces fabricados a partir de cantos rodados de cuarcita. La privilegiada situación del citado castro hizo que los romanos levantaran un puente, mejorado en la Edad Media, y que todavía es el único existente para que cruzara el Tormes la Calzada que también construyeron.

Calzada romana, cerca de Alba y paralela a la carretera con Salamanca.

La zona o Tierra de Alba, como las tierras al sur del Duero, quedaron prácticamente despobladas con la invasión árabe, comienzos del siglo VIII, hasta finales del XI, cuando las reconquistaron. Solo se mantuvo en ella alguna población, escasa y temporalmente, para control del lugar y de las rutas que pasaban por ella. A comienzos del siglo X, 929, Ramiro II logró la victoria de Alhandega, en la cuenca del Tormes, y ocupó algunos lugares de la zona para instalarse en ella. No pudo consolidar tales conquistas por el avance victorioso de Almanzor que, en el 986, volvió a situar la frontera en el Duero, además de hacer incursiones, razias, al norte del mismo, antes de ser derrotado en Calatañazor en 1002, momento en que desapareció la situación anterior, favorable a los árabes. Eliminado dicho caudillo árabe, las cosas cambiarán radicalmente, y esta fue una de las zonas más beneficiadas por el avance de los cristianos, dada su privilegiada situación en la Cuenca del Duero, con ocupación de tierras y repoblación de muchos lugares. Parece ser que la primeras noticias que tenemos sobre Alba de Tormes son algo posteriores a la campaña de Ramiro II por estas tierras. Se debe al ataque que sufren estas tierras por parte de Almanzor en el año 986, dentro de la llamada Campaña de las ciudades. Aunque con cierto retraso, fue la reacción de los árabes a la campaña realizada años antes por Ramiro II contra ellos y que terminó con la victoria de Simancas.

Raimundo de Borgoña, repoblador de Alba, y el Torreón,
único resto de la muralla medieval.

Se reanuda la reconquista por parte de los cristianos y culmina en 1085 con la de Toledo por Alfonso VI y el traslado de la frontera con los árabes hasta Sierra Morena. Esto permite la repoblación de las tierras entre el Duero y el Tajo, y la provincia de Salamanca fue uno de los espacios más importantes y favorecido con tal medida. El responsable de la misma será el conde francés Raimundo de Borgoña, yerno de Alfonso VI, con gran eficacia repobladora ya que, además de Alba, repobló Ávila y Salamanca. En la repoblación de esta participó también un colectivo francés que se estableció en la capital, en el cerro central de S. Isidro, con la calle de la Rúa como eje de la zona urbana repoblada por franceses, entre la Catedral Vieja y la iglesia de S. Martín. También realizó la de la Sierra de Francia, topónimo, junto con otros muchos del mismo cariz y origen, que muestra claro el origen e importancia de su principal colonia repobladora medieval. Las repoblaciones fueron importantes y, en el caso de Alba, valieron las buenas condiciones naturales y ventajas de su emplazamiento, razón por la que, desde el principio, va a ser el núcleo más importante de la zona en la que se encuentra y, más aún, como centro del señorío que surgirá más tarde y llevará su nombre.

Sepulcro de Raimundo de Borgoña, repoblador de Alba.
Catedral de Santiago de Compostela.

Un acontecimiento histórico desafortunado, derivado del testamento de Alfonso VII, cambió el devenir tranquilo de Alba tras la repoblación, aunque acrecentará su importancia por su privilegiada situación. Fue la repartición del reino en 1157 entre sus hijos Sancho III rey de Castilla y Fernando II de León. Dicha situación se mantuvo hasta que volvieron a unirse definitivamente con Fernando III el Santo, en 1230. La villa ducal quedó en el reino de León, como plaza importante en la frontera entre ambos reinos, frente a Castilla, con un privilegiado emplazamiento, cruce de importantes rutas que, desde el centro de la cuenca del Duero, aprovechaban el puente de Alba para dirigirse a alguno de los puertos de montaña situados al sur de estas tierras en el Sistema Central. Por eso, era una plaza disputada por ambos reinos cristianos, por su privilegiada situación caminera.

Un elemento singular de la repoblación medieval albense fueron su muralla y la ordenación del caserío en torno a las parroquias, como elemento ordenador del caserío y de estas en torno al castillo, que se alzaba sobre el cerro, desde el que dominaban el puente sobre el Tormes. Esta configuración urbana ha llegado en gran medida hasta nuestros días, al no haberse producido un incremento considerable de la población y el caserío, con nueva ordenación y construcciones más altas, desde finales del siglo XIX hasta hoy. Otro elemento urbano con gran influencia urbana ha sido el puente sobre el Tormes, elemento fundamental para su desarrollo inicial y, mucho después, por la importancia de la red de caminos y cañadas que confluían en el mismo. Su repercusión en los siglos medievales y modernos contrasta notablemente con el estancamiento posterior, sobre todo a lo largo del último siglo, en el que la proximidad de Salamanca ha condicionado su evolución y desarrollo socioeconómico y urbano, y ha mostrado su condición de núcleo secundario respecto a la capital.

Esta importancia de Alba desde la repoblación será ratificada por la concesión del Fuero de Alba en 1140 por Alfonso VII y luego ratificado por Alfonso X, que confirmó su predominio sobre los pueblos del entorno, territorio que será conocido como Comunidad o Tierra de Alba, precedente histórico de la actual comarca geográfica con centro en la villa ducal. Estaba formada por el núcleo de población murado, su arrabal y las aldeas de Martín Valero, Amatos, Las Huertas, Palomares, Tejares, Torrejón y Aldehuela. Además, Alba fue una importante punta de lanza del Reino de León en la reconquista y repoblación de Extremadura, llevada a cabo en este periodo y en la que Alba tuvo destacada participación como avanzadilla leonesa hacia aquellas tierras. Culmina esta importante página de la historia medieval de Alba de Tormes con la ratificación del *Fuero* y sus privilegios en Ferias y Mercados medievales por Alfonso X el Sabio, en 1279, con el consiguiente desarrollo urbano. Una copia del citado documento está en el Archivo Municipal. Alba acrecentó así su papel de centro de la comarca Tierra de Alba, en la cuenca media del Tormes, lo que favorecerá también la creación del señorío de Alba y del ducado posterior, causa fundamental del gran papel de Alba en la historia y cultura españolas.

Diversos avatares históricos y geográficos no favorecieron apenas el incremento socioeconómico desde mediados del siglo XIX hasta hoy, y menos aún al ritmo al que lo hizo en los siglos XV y XVI. Destacaron la pérdida de su condición de sede de la casa ducal al marcharse a Piedrahíta y después a Madrid y olvidarse de ella; las negativas repercusiones de la Guerra de la Independencia y muy particularmente de la batalla de los Arapiles, que se libró cerca de la villa ducal; así como las consecuencias de la Desamortización, al tener tanta importancia en ella los conventos. Pero las causas fundamentales del estancamiento han sido el olvido de la administración a la hora de realizar inversiones y mejorar sus servicios, y también la escasa iniciativa de los albenses para instalar actividades que hubieran dinamizado su economía. Por eso, a mediados del siglo XIX tenía una población similar a la de tres siglos antes, por el escaso desarrollo registrado en ese periodo. Desde entonces, la cercanía a Salamanca ha sido otro factor contrario, al impedir o no favorecer la instalación de actividades económicas que preferían hacerlo en la cercana capital y no ser muy atrayente convertirla en dormitorio para gente que trabaje en dicho lugar, pues está algo lejos y tiene una carretera con mucho tráfico y considerada problemática. En nuestros días continúa esa influencia negativa o poco favorable de la capital, agravada por el hecho de no haberse incorporado al área metropolitana salmantina y, de esta forma, favorecer, sobre todo, el asentamiento de gentes como barrio dormitorio de la capital, al igual que lo han hecho los pueblos más cercanos del entorno de la capital como Los Villares, Villamayor, Carbajosa y, sobre todo, Sta. Marta de Tormes.

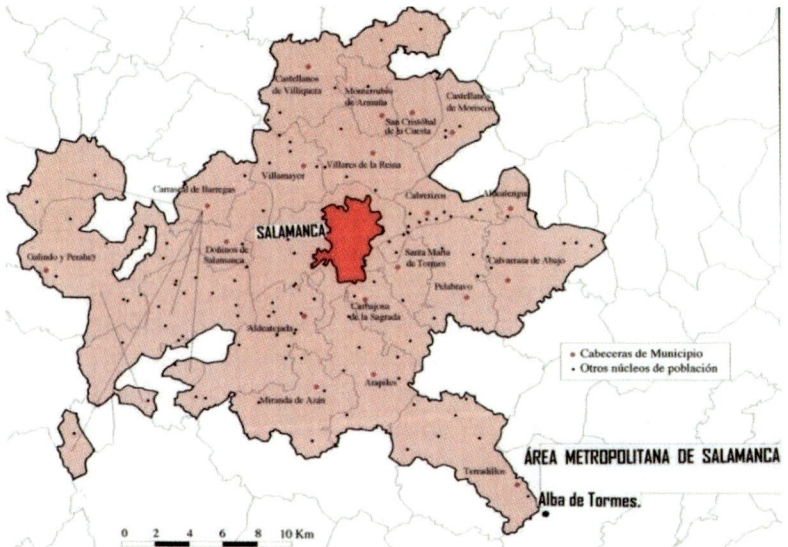

Área metropolitana salmantina, con Alba en el borde de ella, y con escasa participación.

ORIGEN, EVOLUCIÓN Y PERSONAJES IMPORTANTES DE LA CASA DUCAL DE ALBA

La importancia histórica de Alba, gracias a su buena situación y emplazamiento geográficos, motivó que los reyes se interesaran por ella y la utilizaran para agradecer favores a personas de su confianza. El rey Enrique II de Trastámara, en 1373, la entregó como dote al infante portugués Don Dionís, prometido de su hija Constanza se casara con D. Juan, duque de Valencia. La hija de ambos, D.ª Beatriz de Portugal, será señora de Alba hasta 1411, y a su muerte, engrosó el patrimonio de los Infantes de Aragón. Como villa ducal se inició en 1429, cuando Juan II de Castilla, para agradecerle los servicios prestados y tenerlo a sus órdenes, nombró señor de Alba a D. Gutierre Álvarez de Toledo, personaje poderoso, influyente y de su confianza, que fue obispo de Palencia y arzobispo de Sevilla. Formaba parte de la nueva nobleza creada por Enrique II de Trastámara, al acceder al trono de forma violenta tras ser el responsable de la muerte de su hermano Pedro I. Los Reyes Católicos continuarán con esta política de fortalecer esta nueva nobleza afín a sus intereses y someter a la antigua, díscola y que hacía tiempo les venía causando muchos problemas. Entre la mencionada nueva nobleza afín a la Corona, estará el recién creado señorío de Alba como condado, origen de la importante Casa Ducal del mismo nombre y que dio entonces sus primeros pasos.

Tan poderoso señor dio a Alba gran impulso con una segunda repoblación y prestó apoyo a conventos, como S. Leonardo de Jerónimos, en cuya iglesia está enterrado. En él fue prior Fr. Hernando de Talavera, catedrático de la Universidad de Salamanca, amigo de Nebrija e impulsor de su Gramática y miembro de la Comisión a la que C. Colón le presentó su proyecto por deseo de la reina Isabel. Formó parte del Consejo Real al entrar con los Reyes Católicos en Granada tras su reconquista y fue su primer obispo. D. Gutierre, para enaltecer el señorío de Alba, erigió una Torre en lo más alto del casco urbano y, en torno a la misma, D. García, primer duque de Alba, hijo del sucesor de D. Gutierre, levantó en 1472 uno de los castillos renacentistas más suntuosos de España. En él se hospedaron los Reyes Católicos y fue sede de una interesante corte renacentista, creada por los duques al estilo de los Médicis, y en la que estuvieron a su servicio los escritores más destacados del Siglo de Oro, como Juan del Encina, Luis Vives, J. Boscán, Garcilaso de la Vega, Lope de Vega, Sta. Teresa, Calderón de la Barca y Cervantes, entre otros, además de importantes artistas.

Anteriormente al castillo, existía una construcción llamada alcázar, donde solía residir la señora de la villa, Beatriz de Portugal. Hay varios documentos que lo certifican e incluso hoy puede corroborarse su existencia en el nombre de algunas de sus calles, Bajada al Alcázar, junto con los restos de la muralla que aún se conservan. Algunos historiadores confunden este alcázar con el castillo de los duques. Sería en 1426 cuando figurase por primera vez el término castillo de Alba, en un documento firmado por Juan II de Navarra. En 1429 Juan II de Castilla otorga la villa de Alba de Tormes a D. Gutiérrez Álvarez de Toledo, que dará origen a la Casa de Alba, el linaje más importante de los siglos XV y XVI, y hoy el más importante entre los españoles. Nada más tomar posesión, D. Gutierre mandó levantar una torre-fortaleza en la parte más alta de la villa, donde fijará su residencia. Sus sucesores realizaron obras de ampliación del castillo, pero será con D. Fernando Álvarez de Toledo, III Duque de Alba, conocido como el *Gran Duque*, con el que el castillo se engalane con los mejores mármoles, pinturas y tapices; y es cuando se pintarán los magníficos frescos del Salón de la Armería. Es a mediados del XVI cuando el castillo toma aires palaciegos y se convierte en uno de los más importantes y suntuosos de España, por su arquitectura y por la rica y variada decoración que acumularon los Duques en él; por allí pasaron los más destacados escritores españoles de los siglos XVI y XVII. Sus salas fueron escenario de la primera representación de obras teatrales renacentistas escritas por Juan del Encina. Sus muros alojaron a otros muchos ilustres escritores como Juan Boscán, Lope de Vega, Tirso de Molina, Calderón de la Barca y Garcilaso de la Vega, así como a otros a quienes los duques invitaban.

Todo este esplendor se vino abajo por la marcha de los duques a Piedrahíta a comienzos del siglo XVII, y después a Madrid; se olvidaron del palacio de Alba, aunque no sufriera graves deterioros entonces. Cuando ocurrió todo lo peor, hasta llegar a la triste situación actual, fue con los avatares de la guerra de la Independencia. En 1809 las tropas napoleónicas tomaron el castillo hasta su retirada en 1812, cuando lo destruyeron. En ese momento intervino Julián Sánchez, el Charro, quien temía un nuevo ataque de los franceses y, para evitar un posible atrincheramiento, incendió el castillo, que quedó en desuso. Se inició entonces un lento proceso de ruina, y el castillo acabó convirtiéndose en cantera para Alba y pueblos cercanos. Lo que queda está declarado Bien de Interés Cultural desde el 22 de abril de 1949. En 1960, por iniciativa de D. Luis Martínez de Irujo, XVIII duque consorte de Alba, comienza la restauración de la Torre y de las pinturas de la sala de la Armería, principalmente las de la bóveda. En 1991, el castillo, propiedad de la Fundación Casa de Alba, pasa por cesión de uso al Ayuntamiento de la localidad. A partir de ese momento, comienzan una serie de trabajos arqueológicos, con los que se han sacado a la luz el perímetro defensivo de las torres, dependencias del castillo e importantes restos. La huella del castillo en la villa ducal y sus gentes es incuestionable. No solo porque en construcciones posteriores se utilizaran piedras y restos de lo que en su día fue uno de los palacios renacentistas más bellos de España, sino porque la silueta del Torreón de la Armería, el castillo, junto al puente sobre el Tormes, es uno de los símbolos más conocidos de Alba. Así lo destaca el escritor albense J. Sánchez Rojas cuando escribe: *Alba de Tormes es un castillo, solamente un castillo. Alba sin su castillo sería un pueblo sin leyenda.*

Pese a la importancia del mecenas, el Gran Duque de Alba, y de los personajes de nuestra historia que participaron en dicha corte, hace tiempo que no queda más que el recuerdo, y no muy destacado, por lo que apenas se le presta atención, al haber desaparecido años atrás los aspectos más importantes de la misma y no tener mucho interés los propios albenses y salmantinos por conocer, respetar y valorar su propia historia. Han influido en esto varias

Torre de la Armería y cimientos, únicos restos del castillo-palacio de los duques.

causas ya citadas y sus nefastas consecuencias, le causaron grandes males como a Salamanca, con la desaparición del castillo-palacio renacentista por abandono, expolio y decadencia de Alba, y el auge que ha tenido después todo lo teresiano, a años luz de las relaciones con la casa ducal. Sea esta breve referencia histórica sobre Alba un sencillo homenaje a tan brillante historia, con gran repercusión en la de España, y a su estrecha relación en el pasado con la casa ducal que lleva su nombre. La misma que hoy la tiene en el olvido, Alba goza de escasa significación actual, se observa distanciamiento y falta de relaciones entre ambas. Una verdadera pena.

Con D. Gutierre Álvarez de Toledo comienza la etapa más brillante de la secular y apasionante historia de Alba, con la creación del señorío de Alba en 1429, al que seguirán una serie de mejoras urbanas y administrativas que darán empaque e importancia a Alba. Se mostró muy activo para mejorar las condiciones de la villa, y así levantó un hospital; mejoró varios conventos; fundó el monasterio de S. Jerónimo, donde será enterrado, y levantó el castillo-fortaleza que ampliarán otros después y que dio origen al palacio renacentista de los duques y del que solo se conserva la gran torre construida por D. Gutierre a mediados del siglo XV. El encumbramiento y la solemnidad de Alba con tales mejoras fueron evidentes, y aún pueden observarse algunas de ellas. Actualmente se conserva buena parte del castillo que él levantó, convertido en uno de los iconos de Alba y testigo elocuente de su brillante trayectoria histórica. Asimismo, dicho señor sentó las bases para que Alba

Autógrafo de D. Gutierre Álvarez de Toledo, 1.er señor de Alba.1429.

Torre del homenaje levantada por dicho señor.

se convirtiera en el núcleo dominante de estas tierras, pues aprovechó su privilegiada situación en la cuenca media del Tormes y de las campiñas del noreste provincial y entre las cuencas del Duero y Tajo con los puertos existentes en el Sistema Central.

Poco después, en 1439, logra que el señorío de Alba se convierta en condado del mismo nombre y sus sucesores, conscientes de la tan revuelta situación social y política de la época y de la debilidad del rey Enrique IV, al que apoyaron, consiguieron convertirlo en ducado en 1472, con lo que lograron para Alba su condición de villa ducal, mantenida hasta nuestros días aunque a años luz de su importancia pasada, cuando los duques tuvieron aquí su residencia. Los once primeros duques, hasta 1755, pertenecieron a la Casa de Alba pero, al morir sin heredero directo M.ª Teresa Álvarez de Toledo, primera mujer duquesa, le sucedió un miembro de los Silva, Fernando de Silva y Álvarez de Toledo, y así continuó hasta 1802 cuando, por no tener sucesor directo, el título pasó a un hijo bastardo de Jacobo II de Inglaterra, de la conocidísima familia Fitz-James Stuart, que dará una proyección internacional al título e incrementará la gran solemnidad que ya tenía la Casa de Alba. El titular actual, XIX duque, según orden cronológico, mantenía dicha relación inglesa, como lo acreditan sus apellidos, Fitz-James Stuart y Martínez de Irujo, el paterno estaba colocado en segundo lugar y relegó a lugar secundario el apellido fundador de la Casa de Alba, Álvarez de Toledo.

I Duque de Alba orante. 1472.
Casa de Alba.

D. Fadrique A. de Toledo, II Duque de Alba.
1488-1531.

D. FERNANDO ÁLVAREZ DE TOLEDO, GRAN DUQUE.
BUEN MILITAR Y HOMBRE CULTO

La historia albense y su importancia en la de España y Europa en el siglo XVI va unida a dicho título nobiliario y, sobre todo, a varios de sus primeros Duques, D. Fadrique Álvarez de Toledo, II duque de Alba, 1488-1531, y a su nieto y sucesor Fernando Álvarez de Toledo, III duque, conocido como el Gran Duque, 1531-1582. D. Fadrique fue un noble que gozó de la confianza de Fernando el Católico y colaboró en el final de la Reconquista y en la repoblación de las tierras recién conquistadas, por lo que dio nombre a la Puebla de D. Fadrique en la provincia de Granada. Apoyó eficazmente al Rey Católico contra Felipe el Hermoso y gozó de la confianza de Carlos V. Amplió la fortaleza inicial de Alba y la convirtió en palacio renacentista, decorado por los mejores artistas, y en el que Juan de la Encina representó sus primeras obras de teatro renacentistas. Muerto su heredero, D. García, joven primo hermano del Rey Católico en el sitio de Gelves, 1510, se preocupó de formar a su nieto, cosa que conseguirá muy eficazmente, pues será conocido como el Gran Duque, por sus extraordinarias dotes personales y buenos servicios en los reinados de Carlos V y Felipe, de los que fue uno de sus hombres de mayor confianza durante 57 años.

D. Fadrique Álvarez de Toledo, II duque de Alba, por lo dicho antes, fue hombre muy culto, gran mecenas en este sector, como lo acreditan la estrecha relación que tuvo con Garcilaso de la Vega, J. Boscán y otros escritores, e impulsor del Renacimiento en España, destacado militar, como demostró en múltiples ocasiones en escenarios muy diversos y ante contrincantes muy dispares y poderosos. Se interesó por que su nieto, Fernando Álvarez de Toledo, futuro III duque de Alba, al haber muerto su padre en Gelves en 1510, recibiera una formación cultural acorde a su tiempo y al estilo de las cortes renacentistas italianas. Es conocido como el Gran Duque por su brillante trayectoria en la historia de España y por ser uno de los personajes más destacados de nuestra interesante historia, entre los muchos que hubo en los reinados del emperador Carlos V y Felipe II.

El Gran Duque sirviendo a Carlos V, su esposa y Felipe II. A. S. Coello.

Tuvo como preceptor a Luis Vives, de profesor a J. Boscán y fue amigo de Garcilaso de la Vega, todos personajes de gran provecho para su formación como hombre renacentista. Era una persona austera, recia de carácter, exigente consigo mismo, culto, hablaba varios idiomas y sentía admiración por los escritores y artistas, y además fue un gran militar y hábil político. Él continuará, a mayor escala, la obra cultural iniciada por su abuelo en Alba, organizó en su castillo-palacio una corte renacentista, al estilo de los Médicis en Florencia, en la que trabajaron los artistas y escritores más importantes del Siglo de Oro español, tales como Juan del Encina, J. Boscán, Garcilaso de la Vega, Lope de Vega, Luis Vives, Tirso de Molina, Cervantes, Calderón de la

Barca y otros más, así como artistas que enriquecerán el palacio que erigirá en Alba con importantes obras, faceta poco conocida de su biografía, mientras que sí es bien conocida la difundida por sus enemigos los protestantes y rebeldes holandeses, que nos lo han mostrado como hosco, duro, injusto e inculto.

Sin duda alguna ha sido el titular de la casa ducal que ha tenido un papel más destacado, complejo e influyente entre todos los que han tenido la misma categoría al frente de la misma. Sirvió con diligencia a la Corona española durante 57 años, 1525-1482, y fue el más conocido y eficaz de los muchos colaboradores que tuvieron Carlos V y Felipe II, de los que fue mayordomo real; hombre de total confianza; uno de sus generales más eficaces y brillantes en las muchas tareas que llevó a cabo, y buen gobernante en puestos muy difíciles y lugares tan diferentes como Navarra, Portugal, Países Bajos, norte y sur de Italia. Además, como otros de la casa ducal, fue una persona culta, gracias a la educación recibida por el interés que su abuelo D. Fadrique tenía en ello, quien le puso como preceptores a J. Boscán y L. Vives, entre otros. No es de extrañar que, después, fuera un gran mecenas de artistas y escritores a lo largo de su vida y un gran impulsor de la cultura renacentista española en la corte que la casa ducal tenía en Alba, desde tiempos de su abuelo y después.

Esta es una imagen real, positiva y poco conocida del Gran Duque y de otros miembros de su familia que conviene conocer y difundir, en honor a la justicia y por haberse hecho lo contrario, incluso por españoles. La serie de TVE *Carlos V* ha ayudado a conocer mejor a este importante personaje de nuestra historia y también a su abuelo, D. Fadrique, al dar una imagen más veraz y positiva de su importancia en la corte del emperador, del que fue, como de su hijo, mayordomo mayor y obtuvo el Toisón de Oro, distinción que muy pocos conseguían. Resulta difícil resumir en unas líneas la interesante trayectoria de este personaje, al que los historiadores objetivos y sin anteojeras consideran como uno de los más importantes entre los muchos que ha habido en nuestra historia. Han sido varios los que han estudiado la figura e importancia del Gran Duque de Alba, cabe destacar al catedrático de Historia Moderna de la Universidad de Salamanca, mi Prof. Dr. Fernández Álvarez, experto en los reinados de Carlos V y Felipe. En varios de sus trabajos sobre dichos reinados, que expongo más adelante, hace laudatorios comentarios del Gran Duque de Alba.

De dicho señor sobre todo, pero también de sus sucesores, desconocemos bastante su historia y, además, tenemos una imagen falsa, tergiversada, muy influida por lo que los flamencos contaron de él tras haberlos derrotado y sometido cuando fue gobernador en Flandes. Destacan y exageran los aspectos negativos de su actividad y ocultan lo que pudiera favorecerlo. En honor a la verdad, se limitó a actuar y a cumplir de manera eficaz con su obligación como gobernante, que era la de someter a unos súbditos muy rebeldes, contrarios a los intereses de España en aquellas tierras, y a actuar como era habitual en su tiempo. Por eso, dada su estrecha relación con Alba, donde tenía su residencia familiar y la sede de la Casa Ducal, aunque viviera aquí poco tiempo por sus actividades fuera de España, conviene conocer correctamente los aspectos más importantes de su interesante y exultante biografía y darla a conocer, para que se le juzgue y valore como se merece y no como han escrito de él sus más acérrimos enemigos, y también algunos españoles que, como en otras cosas, son los más críticos e injustos y contribuyen a mantener tales falsedades.

D. Fernando Álvarez de Toledo, Gran Duque.
Ticiano.

Escudo

Nació en Piedrahíta el 29 de octubre de 1507 y murió en Lisboa en 1582. Hijo de D. García, muerto en combate en la isla de Gelves y de D.ª Beatriz de Pimentel. Se casó con su prima María Enríquez, con la que tuvo cinco hijos. Sucedió a su abuelo D. Fadrique, II duque, famoso militar que había participado en numerosas campañas con los RR. CC. y Carlos V, a los que prestó sus servicios como eficaz colaborador, cosa que le agradecieron generosamente. Su dedicación a las armas fue constante y desde muy joven, hasta el punto de que, con solo 7 años, acompañó a su abuelo, que estaba al mando de un ejército que se enfrentó a los franceses en Navarra. En 1524, con 17 años, se unió, sin permiso familiar, a las tropas del condestable de Castilla, D. Íñigo de Velasco, que sitiaron y rindieron la plaza de Fuenterrabía, ocupada por los franceses y navarros, y fue nombrado después gobernador de dicha plaza. Siendo ya Duque de Alba, III en el ordenamiento y conocido como el

Gran Duque, en 1532, en 1532, acudió a la llamada del emperador Carlos V y marchó a Viena, acompañado de su amigo Garcilaso de la Vega, para defenderla del acoso de los turcos. No fue preciso entrar en combate pues, visto el formidable ejército Imperial y la firme decisión de defenderla, los turcos levantaron el asedio, y libraron a tan impor tante ciudad de caer bajo su poder como desgraciadamente le había ocurrido dos siglos antes a Constantinopla, que se perdió para siempre.

D. Fernando Álvarez de Toledo, III duque de Alba, 1531-1582, es conocido en la historia como el Gran Duque, por su extraordinaria hoja de servicios a la Corona durante 57 años. Además, también es reconocido como destacado pionero e impulsor de la cultura renacentista en España. Es uno de los personajes más importantes de nuestra historia, aunque hayamos tenido muchos y muy buenos, como militar, gobernante y mecenas cultural. A muchos de ellos no los hemos valorado justamente, y el Gran Duque es uno de estos casos. Tristemente es más conocido entre nosotros por la historia difamatoria, injusta, falsa y tergiversada que contaron de él los holandeses en los siete años que estuvo de gobernador en Flandes, donde aún es recordado con temor, respeto y admiración. Mas no es alabado por lo que hizo en los otros cincuenta años en que sirvió competentemente a la Corona en Italia, Portugal y Navarra. Gobernó con rectitud, exigencia y eficacia, no solo para los intereses españoles, sino en general, y se ratificó así su talla de muy buen político, además de gran estratega militar, a pesar de la rebeldía existente, acrecentada cuando en ellas empezó a cuajar la herejía protestante. Ha sido sido tan intensa su influencia en aquellas gentes que todavía hay personas en Holanda que, cuando quieren calmar a un niño porque no duerme o está intranquilo, le dicen: *Chisss… que viene el Duque de Alba.* Hoy se recuerda esta anécdota

Entrada del Gran Duque de Alba en Róterdam. 1567.
Pintura de E. Isabey. Museo d'Orsay.

más que toda su eficaz gestión en otros muchos e importantes lugares. Sirvan estas líneas como modesta reparación a tanto infundio y tantas injusticias existentes en la historia del Gran Duque de Alba.

En junio de 1535 sirvió en el ejército que ocupó Túnez, y embarcó en Cagliari bajo el mando del marqués del Vasto. El 14 de junio cayó la fortaleza de la Goleta, y una semana después, Túnez, defendida por Barbarroja. En la guerra contra la Liga protestante de Smakalda, dirigió al ejército imperial como general de la tropas, encabezadas por el emperador Carlos V, y consiguió la importante victoria de Mülhberg, 1547, batalla en la que cayó prisionero Juan Federico de Sajonia y a Mauricio de Sajonia le fue devuelto su Electorado. Gracias a esta victoria, Carlos V logró una posición favorable desde la que imponer su propio ajuste político y religioso en Alemania. Sus intervenciones más importantes se produjeron en el reinado siguiente, el de Felipe II, quien le manifestó su gran confianza, como lo ratifica el hecho de que el Gran Duque D. Fernando y su esposa fueran sus padrinos en la boda del rey con María Tudor, en la Abadía de Winchester, el día 25 de julio de 1554. En el año 1555 se aviva en Italia el conflicto entre Francia y España. El duque intervino como capitán general, gobernador de Milán y virrey de Nápoles. El recién nombrado papa Pablo IV, enemigo visceral de los Habsburgo, incitó a Enrique II de Francia a expulsar a los españoles de Italia, para lo que unió sus tropas a las del francés y en julio del año 1556 desposeyó a Felipe II de su título de rey de Nápoles. El duque de Alba se dirigió a Roma con su ejército y, ante tal amenaza, el Papa pidió una tregua, tiempo que aprovechó para que un ejército francés entrase en Italia hasta Nápoles. Pronto fue llamado a Francia el duque de Guisa, que mandaba las tropas francesas, pues se acababa de producir el descalabro de San Quintín y lo necesitaban allí. Las tropas papales fueron arrolladas por los españoles mandadas por el duque de Alba y entraron victoriosas en Roma en septiembre de 1557. Ante tal situación el Papa solicitó, una vez más, la paz, que le fue concedida.

En 1566 hubo revueltas y desórdenes sociopolíticos en los Países Bajos, imputados a los herejes calvinistas, que estaban deseosos de librarse de la ocupación española y contaban con el apoyo de otros enemigos de España. Para atajarlas, Felipe II envió al duque de Alba con un poderoso ejército que llegó a Bruselas el 22 de agosto de 1567. Pocos días después, el 5 de septiembre, ante la gravedad de la situación, estableció el Tribunal de Tumultos para juzgar a los responsables de los disturbios del año anterior. El Tribunal actuó como era habitual entonces y en ocasiones similares, con rigor, y fueron muchos los ajusticiados como medida para pacificar todo el territorio. El mantenimiento de las tropas en Flandes acarreaba cuantiosos gastos a la Corona por lo que el duque, al que no le gustaba mandar a una tropa descontenta por no pagarla, impuso nuevos tributos a la población, con la consiguiente oposición

Fresco renacentista de C. Passin en el castillo, sobre la batalla de Mülhberg.

local. Algunas ciudades, como Utrech, se negaron al pago del diezmo y se declararon en rebeldía. Este estado de cosas propició la intervención del insumiso Guillermo Nassau, príncipe de Orange, que contó con la inestimable ayuda de los hugonotes franceses para oponerse al emperador. Las acciones militares, acompañadas de una dura represión para someter a los rebeldes, fueron constantes y muy duras, sin que la situación mejorara.

Tal manera de actuar era la habitual, y más en aquellos años con la reforma protestante y en los que la violencia y la represión fueron duras por ambas partes. Por tales motivos, todavía se recuerda la actuación del duque de Alba en los Países Bajos con temor, respeto y admiración, pero no porque fuera más violenta que la de sus contrarios. Llevó a cabo un gobierno recto y exigente, se demostró buen político y gran estratega militar, y todo ello a pesar de la rebeldía protestante, acrecentada al cuajar en aquella gente dicha herejía y el odio a lo español. Pese a su importancia en la historia de España por los cargos que desempeñó, su eficacia en los mismos y los éxitos que logró, es poco conocida entre nosotros su verdadera imagen y predomina la injusta, errónea, falsa y tergiversada por la leyenda negra que escribieron sus enemigos y que los españoles hemos aceptado, sin rectificarla ni aclararla y escribiendo, por lo menos, nuestra versión de los mismos hechos. Afortunadamente, la serie de TV que acaba de emitirse ha sido bastante acertada en la presentación de personajes históricos y en la argumentación histórica, frente a lo que suele ser habitual en estos casos.

Ante este fracaso en Flandes, por la fuerte resistencia contraria, Felipe II relevó al duque de su misión y dispuso su retorno a España en 1573. Poco después ocurrieron unos hechos que no le gustaron al rey. El hijo y heredero del duque, Fadrique, había dado promesa de matrimonio a Magdalena de Guzmán, pero no la cumplió, lo que le costó el arresto en 1566. Al año siguiente fue puesto en libertad para que pudiera marchar con su padre a Flandes, y prestar servicio en el ejército. D. Fadrique, con el apoyo de su padre, se casó en secreto con María de Toledo, hija del marqués de Villafranca, virrey de Sicilia y primo del duque de Alba. Con el regreso del duque y de su hijo a Madrid en 1574, se conoció lo sucedido y el rey ordenó reabrir un proceso que concluyó en 1579 con la condena y prisión de D. Fadrique, el destierro de la corte dos años, y el exilio a Uceda, norte de Madrid, del propio duque de Alba, que volvería de forma muy peculiar a la corte, al ser solicitado tado con urgencia por el rey para que lo sacara de un apuro en Portugal, cosa que hizo. Acudió sin reparos, lo que enaltece la figura del duque, su integridad y su lealtad a la Corona.

El emperador Carlos V, Felipe II y el fiel y eficaz servidor de ambos, el Gran Duque de Alba. Tiziano.

Fue un personaje en el que se centraron las más acerbas críticas de los autores de la antiespañola e injusta leyenda negra urdida contra España por nuestros enemigos, sobre todo ingleses, holandeses y franceses, que sentían profunda envidia por el gran imperio que había creado España en Europa y América y la obra cultural y social realizada en el mismo. Estas se agudizaron con la reforma protestante que tuvo en Centroeuropa sus focos más activos y, sobre todo, antiespañoles. Como el Gran Duque fue uno de los que más contribuyó a cimentar nuestra influencia en Centroeuropa, recibió las críticas más duras e injustas, fundamentalmente por parte del príncipe protestante Guillermo de Orange. Contra esto apenas hemos hecho nada los españoles, aunque sabemos que es injusto y va contra nuestros intereses y buen nombre. Ha habido honrosas excepciones como la del Prof. Fernández Álvarez de la Universidad de Salamanca. Pero no han faltado quienes han apoyado tal postura contra este personaje, la historia de España y su buen nombre.

Sirvió a España 57 años en la corte de Carlos V y Felipe II, y les prestó relevantes servicios en escenarios clave como Portugal, Nápoles, Milán y Flandes. En este lugar solo estuvo siete años, y no los más importantes de su larga y brillante trayectoria, porque, obligado por las circunstancias, impulsado por la rebelión luterana, llevó a cabo una política de represión dura pero en muy poco o en nada diferente, o incluso más suave, en su actuación al modo en que se hacían las cosas entonces en situaciones similares y por los mismos que criticaban a los españoles. Centraron su valoración y crítica en la labor española y del Gran Duque en estos siete años, se olvidaron de su gran quehacer como gobernante en otros lugares, Nápoles, Milán y Portugal, que fue reconocido y valorado muy positivamente, como, en condiciones normales, debió serlo también la realizada en los Países Bajos. Es injusto que por esos siete años, valorados lo peor posible, sea juzgado tan negativamente, incluso por algunos españoles que han hecho muy poco para evitarlo, hasta en nuestros días, cuando ya hay perspectiva para juzgarlo más desapasionadamente. Aunque hoy atisbamos ya muchas facetas positivas en su labor, los españoles hemos hecho muy poco para reivindicarlo. Esto es algo que hemos hecho también con otros muchos personajes de nuestra historia en Hispanoamérica, como si tuviéramos que avergonzarnos por lo que hemos hecho, cuando hay muchos motivos para todo lo contrario, estar orgullosos de lo realizado. Hay españoles que valoran muy negativamente, cuando allí son mayoría los que opinan lo contrario. Quien no lo crea que recuerde la existencia de la OEI, las Cumbres Iberoamericanas en las que España tiene una destacada y reconocida posición por el papel que ha tenido en todo ello. Una vez más en nuestra historia podemos aplicar aquí el dicho: *Con estos amigos, no hacen falta enemigos.*

Han sido muchos los historiadores interesados por la trayectoria histórica de este personaje, dentro de los reinados de Carlos V y Felipe II. Uno de ellos ha sido el Prof. M. Fernández Álvarez, catedrático de Historia Moderna de la Universidad de Salamanca y especialista en los citados reinados. Dice así en una apretada síntesis de los principales acontecimientos de tan interesantes reinados en los que participó de manera brillante el Gran Duque: *Considerado como el mejor general de su época y entre los grandes de la historia. Se distinguió en la Jornada de Túnez, 1535, participando en la victoria de Carlos I sobre el pirata Barbarroja que devolvió el predominio de la Monarquía Hispánica sobre el occidente del Mar Mediterráneo. En la batalla de Mühlberg, 1547, el ejército del emperador venció a los príncipes protestantes alemanes y consolidó su presencia en Centroeuropa. Inmortalizó su memoria reprimiendo la rebelión de los Países Bajos, donde actuó con gran rigor, como era habitual entonces, castigando a los rebeldes, instituyendo el Tribunal de Tumultos y derrotando a las tropas rebeldes en varias batallas.*

Coronó su carrera ya anciano, solucionando la crisis sucesoria en Portugal de 1580, venciendo a las tropas portuguesas del pretendiente Antonio, prior de Crato, en la Batalla de Alcántara y conquistando ese reino para Felipe II. Gracias a su genio militar España logró la unificación de todos los reinos peninsulares, la consolidación en Centroeuropa y la consecuente ampliación de los territorios de ultramar. Trayectoria profesional difícilmente superable y más que merecedora de ser conocida y defendida por los españoles, sobre todo por los más allegados, los salmantinos.

Tan interesante trayectoria no solo suscitó recelos y odios en el extranjero, sino también profundas envidias entre gentes de su alcurnia en España que consiguieron enemistarlo con el rey por pequeños motivos, como el no haberle notificado el matrimonio de su hijo, motivo por el que lo desterró dos años de la corte y lo instaló en Uceda, de donde salió de forma un tanto singular y a requerimiento del rey, que antes lo había expulsado de la corte. Fue rehabilitado en 1580 por Felipe II, cuando optaba al trono de Portugal por ser nieto de D. Manuel I, que murió sin sucesor. Comprendió que era la persona adecuada para defender sus intereses en Portugal. Por eso lo mandó llamar del exilio en que estaba para encargarle tan difícil tarea, que cumplió a la perfección, como si antes no hubiera pasado nada, frente a las pretensiones monárquicas del prior de Crato. Venció al ejército y entró triunfante en Lisboa, y despejó el camino para la llegada de Felipe II. Obtuvo en recompensa el título de condestable de Portugal y el ser el primer virrey en dicho país, donde murió poco después en Tomar en 1582. Ante el éxito alcanzado en tal difícil misión, escribió a Felipe II una carta en la que demostraba su seguridad personal y valentía para decirle: *Sois un monarca afortunado ya que, uno de vuestros vasallos, vuelve del exilio para daros un gran Reino.* Además de eficaz, valiente y sin pelos en la lengua.

La importancia de su gestión ha llamado la atención de los historiadores, destaca entre ellos el experto en historia Moderna, catedrático de Historia de la Universidad de Salamanca, Prof. Fernández Álvarez, que recoge esta peculiar circunstancia de llamarlo del destierro para ponerlo al frente del ejército con la finalidad de unir Portugal a España, y lo destaca de esta manera: *El rey le encomendó al anciano duque, exiliado en Uceda, con 72 años y con enorme popularidad en el mando de la tropa, la misión de conquistar Portugal. Este accedió a la nueva encomienda de Felipe II, manifestándole que: Sois el monarca de la tierra que sacáis de la prisión a un general para daros otra Corona.* (¡¡??) Está fuera de dudas que era un gran personaje, eficaz y fiel servidor, pero también una persona íntegra que rechazaba lo que consideraba injusto, como fue el trato que le dio Felipe II en esta ocasión y se lo dice claramente. Era todo un personaje de los pies a la cabeza.

Busto del Gran Duque, por Pompeo Leoni.

Está fuera de duda que el Gran Duque desempeñó una importante y positi-va labor militar, política y cultural en donde intervino en sus 57 años de brillan-tes servicios en los reinados de Carlos V y Felipe II. De ahí que con rotundidad se le pueda considerar como uno de los personajes más importantes de dichos reyes que colocaron a España como primera potencia europea y, también, en el mundo de entonces. En su campo ha sido uno de los servidores de la Corona más eficaces de nuestra historia, que ha contribuido en buena medida al esplen-dor y auge de España en los reinados de los citados reyes y a la importancia que tuvo en Europa y en el mundo durante dichos reinados. El mapa europeo que aparece en las primeras páginas de este trabajo lo confirma.

Su destacada gestión como gobernante en Nápoles, Milán, Flandes y Portugal no impidió que llevara a cabo también una importante labor en tra-bajos de promoción cultural e impulsó el modelo renacentista cultural italia-no en su castillo ducal de Alba de Tormes, pues transformó la fortaleza mili-tar inicial en un palacio renacentista que, según cuentan, fue una de las joyas del plateresco salmantino, junto con la famosa fachada universitaria. Además fue un gran mecenas cultural y promotor de las artes y las letras en la corte renacentista que organizó en su palacio de Alba. Concebido como fortaleza, siguió conservando su aspecto militar, pero no su uso y acomodación interior. Efectuó reformas para incorporar la forma de estrella típica de las fortifica-ciones artilladas de su época. Pero también le practicó las modificaciones adecuadas a los usos y al estilo renacentista de su tiempo. Asumió la iden-tidad de los grandes generales triunfantes al servicio del imperio cristiano y el lenguaje artístico de la iconografía ducal. Embelleció el palacio con los servicios del arquitecto italiano Benvenuto Cellini y de los pintores Thomás de Florencia y Cristóforo Passini. Las galerías fueron adornadas con decoración plateresca en mármol de Carrara. Sus inmediatos sucesores mantuvieron criterios semejantes como mecenas de las artes y las letras, con las consiguientes y favorables repercusiones para el papel de Alba en el movimiento renacentista que tuvo a Salamanca como uno de los centros más importantes del mismo en España. Ya lo había hecho antes el II Duque de Alba, abuelo del Gran Duque y gran amigo de Garcilaso de la Vega, y también, continuará dicha trayectoria el IV Duque, amigo y protector de Sta. Teresa.

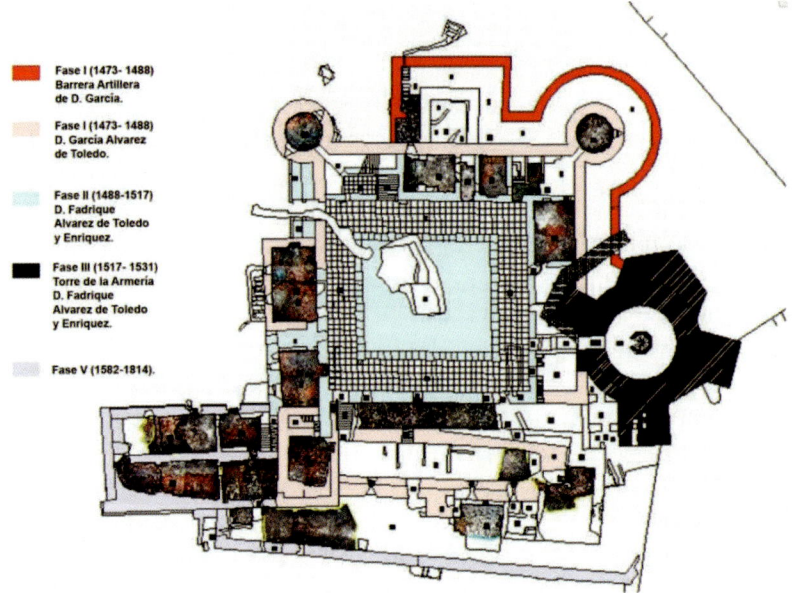

Reconstrucción de la planta del castillo-palacio de Alba tras las excavaciones hechas con tal fin.

El citado Prof. Fernández Álvarez nos resume alguna de sus muchas cualidades: *Ha sido uno de los personajes más importantes de nuestro Siglo de Oro, sobre todo, conocido por lo que hizo en Flandes, contado por sus enemigos que urdieron una leyenda negra contra su eficaz gestión al servicio de su rey, sin que hubiera quien saliera en su defensa. Considerado como el mejor general de Carlos V y Felipe II, durante los 57 años que los sirvió y uno de los mejores de nuestra historia. Murió en Lisboa en 1582, cumpliendo con éxito la última orden de su rey: conquistar Portugal. Consiguió la estima y admiración de muchos y el temor de otros, por su seriedad y ejemplo personal. En los muchos desplazamientos con sus ejércitos, supo evitar los desmanes que estos solían provocar entonces, tarea nada fácil y que, junto con lo anterior, le valió el respeto y la admiración de los suyos y sus enemigos. Entre las muchas medidas que aplicó para conseguir tan buenos resultados con sus tropas, está la siguiente frase que fue norma de conducta: «Con esfuerzo, ejemplo, disciplina y la paga regular a la tropa, he ganado más guerras que con las batallas campales». Además, fue un gran mecenas cultural con su corte renacentista en Alba, en la que trabajaron los mejores escritores de su tiempo, Juan del Encina, Garcilaso de la Vega, Juan Boscán, Lope de Vega, Cervantes y Calderón de la Barca, entre otros.* Gran síntesis hecha por un experto historiador y, como tantas páginas y personajes de nuestra historia, poco o nada conocida. Su biografía, como la de otros muchos españoles, debería formar parte de la historia que se enseñara en nuestras escuelas. Desgraciadamente se hace todo lo contrario, ignorancia y tergiversación.

Es una pena que un personaje tan extraordinario como este en la historia de España sea poco y mal conocido por los españoles y salmantinos y, por lo tanto, poco y mal valorado. Pero esto parece que forma parte de nuestra idiosincrasia, pues pasa igual con otros más. Confío que estas breves notas biográficas sobre el Gran Duque, D. Fernando Álvarez de Toledo, escritas con la mayor objetividad posible y admiración, sirvan para que, quien las lea, conozca más y mejor a tan brillante personaje español y albense, más conocido por lo que han dicho sus detractores, enemigos y envidiosos que por lo que realmente hizo, que fue muy favorable para los intereses españoles. Además, está estrechamente vinculado con Alba, lo que reforzó así su condición de villa ducal, nominación por la que es conocida actualmente, aunque con escasas ventajas, al no saber aprovechar tan feliz circunstancia. Ahora puede ser buen momento para reorientar e impulsar las relaciones de Alba con la casa ducal, al estar al frente de la misma un nuevo responsable.

De todo lo mucho que hicieron los duques en el tiempo que tuvieron su sede y residencia en Alba solo ha quedado el recuerdo y unos muy modestos testimonios, pues el palacio renacentista que levantaron, una de las joyas del plateresco salmantino, por causas diversas ha desaparecido con lo que tenía dentro. Pero su existencia ratifica el destacado papel que tuvo entonces Alba en la cultura española, gracias a la Casa de Alba en general, y en particular a este extraordinario personaje. Con dicho señor, Alba vivió la etapa más brillante de su interesante historia y se convirtió en destacada referencia en la de España, pese a ser un pequeño núcleo con escasa importancia económica y demográfica. Adquiere entonces su condición de villa ducal por antonomasia, como es conocida hasta hoy, aunque ahora esté a años luz de lo que fue entonces en España y sea solamente un grato recuerdo, en gran parte ignorado por la gente y apenas valorado y aprovechado como tantas cosas.

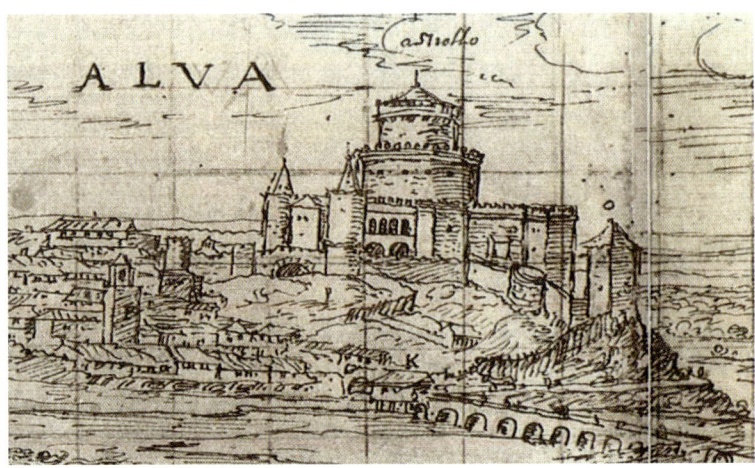

Castillo-palacio renacentista de los Duques de Alba. Dibujo de Van de Wyngaerde, 1570.

Son muchas las cosas que podrían contarse sobre las riquezas que atesoró este castillo-palacio, por la categoría y gusto de su propietario. Se cuenta que, cuando el Gran Duque cesó como virrey en Italia, envió por barco hasta Cartagena tantas obras de arte que necesitó 140 carretas de bueyes para traerlas desde dicho puerto hasta Alba. Dio al título y a Alba gran prestigio, auge artístico y cultural, y gran proyección exterior, además de trascendencia política y militar, al ser en todos estos campos uno de los personajes más importantes e influyentes de España en el periodo más brillante de nuestra historia, en el que que hubo muchos personajes muy famosos en diferentes campos pero que no le hicieron sombra. Fue el personaje más destacado en política exterior, sobre todo en lo militar, del reinado de Carlos V y Felipe II, y llegó a ser virrey de Nápoles y Portugal y gobernador de Milán y Países Bajos.

El citado Gran Duque estuvo involucrado con lo que ocurría en su tiempo no solo en lo militar, como gran estratega que fue, sino en lo cultural, en todo lo de los reinados de Carlos V y Felipe II. Su éxito en el campo de batalla se acrecentó por su eficaz gestión como gobernante y, además, desempeñó un gran papel como mecenas de la cultura renacentista, de cuya introducción y desarrollo en España fue un gran colaborador, como queda demostrado en la corte renacentista que mantuvo en su palacio de Alba de Tormes. En ella participaron los más destacado escritores y artistas del mundo cultural de la época, como E. Egas, J. Guas, J. de Álava, entre otros. Llevará a cabo importantes mejoras en su castillo de Alba, y lo convertirá en referencia arquitectónica, artística y cultural al transformarlo de fortaleza militar a residencia palaciega. Asimismo, impulsó otras construcciones que embellecieron y dieron empaque a Alba, como sede de la Casa nobiliaria más importante de

España entonces. Convirtió el castillo-palacio en una interesante muestra del platearesco salmantino y en un centro cultural de primera magnitud, pues tenía a su servicio a los mejores escritores del momento, solo estaba ensombrecido por el gran auge que tenía entonces la cercana Universidad de Salamanca.

La fortaleza militar medieval de Alba pasó a ser uno de los palacios renacentistas más suntuosos, pues fue ricamente decorado por los mejores artistas del momento. De todo ello solo queda una pequeña muestra en el actual Torreón, ya que desapareció lo realizado por los duques debido a su marcha, el abandono del mismo, los saqueos y el expolio en la Guerra de la Independencia. Posteriormente, pasó a ser cantera para Alba y la zona. A. Ponz, quien lo visito en 1772, dice así:

Dibujo del patio del palacio ducal. Siglo XVI.

Batalla de Mühlberg, G. Passini. Torre de la Armería.

En el patio principal hay galería alta y baxa, con catorce arcos cada una y columnas caprichosas en lo alto, figurando como cuerdas retorcidas entre istrias espirales desde la basa al capitel. Las columnas de la galería baxa son regulares; pero con capiteles también caprichosos: a este modo es el trepado de la coronación, el antepecho, los arcos de la escalera, el pasamano hasta la galería alta… Solo nos queda lamentarnos y recitar los conocidos versos de Quevedo que dicen: *Miré los muros de la patria mía, / si un tiempo fuertes ya desmoronados, / de la carrera de la edad cansados, / por quien caduca ya su valentía.* Pocos lugares son más apropiados que este para recordar y recitar los versos del conocido poema de R. Caro *A las ruinas de Itálica* y que dicen: *Estos, Fabio ¡ay dolor!, que ves ahora / campos de soledad, mustio collado, / fueron un tiempo Itálica famosa… / Todo desapareció, cambio la suerte / voces alegres en silencio mudo; / más aún el tiempo da en estos despojos / espectáculos fieros a los ojos, / y miran tan confusos lo presente / que voces de dolor el alma siente. / Aquí nació aquel rayo de la guerra, / padre de la Patria, honor de España, / pío, felice, triunfador Trajano...* Parece como si los hubiera escrito para este lugar.

Además de lo citado, que es mucho, conviene recordar otros aspectos de tan señalado personaje en el cumplimiento de sus destacados servicios a los reyes y a España, como del esplendor que registrará Alba por tal motivo. Conservó hasta el último momento sus grandes cualidades personales, que hicieron de él uno de los personajes más importantes de nuestra historia por su fidelidad, honradez, grandeza de espíritu, inteligencia y eficacia en los servicios prestados a la Corona y España. En una carta a Felipe II queda reflejada su integridad moral, lealtad y fidelidad al monarca cuando dice claramente al rey: *Tres cosas diré a Vuestra Majestad: 1.ª Que no se ofreció negócio vuestro, aunque fuese muy pequeño, que no lo antepusiese al mío, aunque fuese importante. 2.ª Que siempre tuve gran cuidado de mirar por vuestra hacienda más que por la mía y así no os soy cargo de un solo pan a Vos, ni a ninguno de vuestros vasallos. 3.ª Que nunca os propuse un nombre para cargo que no fuese el más eficiente de todos cuantos yo conocía para ello, pospuesta toda afición.* (¡¡??) Ya podían tomar nota de esto los políticos actuales y no habría tanto rechazo a dicha casta como el que ahora hay, ni tanta ineficacia y corrupción en su labor.

Pocos personajes de nuestra historia podrán decir lo mismo, afirmar no haberse aprovechado de su inmenso poder en beneficio propio o de las gentes de su entorno, en alguno de los muchos e importantes cargos que tuvo. Difícilmente encontraríamos hoy un político con semejantes cualidades. El Prof. Fernández Álvarez dice así, respecto a tan ilustre personaje: *Pese a la mezquindad del rey, el Duque de Alba le sirvió fielmente hasta el final. Quejándose, pero obedeciendo hasta, literalmente, el último aliento. Su labor permitió a Felipe II conservar los dominios italianos, quizá los flamencos y además, le ganó un imperio en cincuenta y dos días, Portugal. Fue uno de los grandes hombres de su época y uno entre los grandes en la historia de España.* Resulta sorprendente que, pese a servir eficazmente a la Corona durante 57 años con muy buenos resultados y solo pasar siete en los Países Bajos, donde cumplió con su deber e hizo las cosas que debía ante unos súbditos muy rebeldes y levantiscos impulsados por potencias extranjeras, haya quedado de él la imagen de personaje áspero y duro, difundida por los flamencos y protestantes, y que la hayamos aceptado sin más, aun sabiendo que era falsa e injusta.

El ambiente cultural y artístico de Alba en aquel momento era elevado, por el impulso que daba al mismo la casa ducal, en particular el *Gran Duque*, su predecesor y sucesores. También en lo arquitectónico, como lo ratifican, entre otros, el testimonio de A. Ponz sobre el palacio ducal, pese a que lo visitó mucho después de abandonarlo los duques, en 1788, pero antes de su abandono, destrucción y expolio a lo largo del fatídico siglo XIX, como ocurrió también en Salamanca y en otros muchos lugares de España. Cuando lo visitó dicho escritor, todavía conservaba muchos atractivos que tenía, si bien hacía ya algún tiempo que no vivían los duques, pues se habían marchado a Piedrahíta y se habían despreocupado de atender el palacio de Alba como se merecía. Después sufrió un incendio, al que seguirá la ocupación por los franceses que, tras su derrota en los Arapiles, lo saquearon, haciendo algo parecido los guerrilleros de Julián Sánchez, el Charro, con la disculpa de que no se aprovecharan de él los franceses si volvían. A esto lo siguió el abandono, el expolio y su conversión en cantera para la comarca, como en tantos otros casos similares. Por todo ello, desapareció la parte más importante del patrimonio histórico-monumental de Alba, el palacio de los duques, del que solo queda la *Torre del Homenaje o de la Armería* del primitivo castillo por su consistencia, levantada a comienzos del siglo XIV por D. Gutierre y restaurada recientemente.

Dibujo de G. Pérez de Villamil, 1842. Aún se ve el empaque del castillo-palacio, pese a los saqueos.

A. Ponz lo visitó a finales del siglo XVIII, mucho después de que dejaran de habitarlo los duques al haberse instalado ya en Madrid. Lo describe con admiración pues debía de ser una obra interesante; dice así de lo que vio: *Tenían buen gusto los antiguos señores al vivir en el referido palacio, situado en un alto que domina la Vega del Tormes. Es prueba del buen gusto que tuvieron en las Artes, por lo que aquí hicieron La portada del palacio tiene infinitas labores, semejantes a las de la portada principal de la Universidad de Salamanca Se sale a una espaciosa galería, al Mediodía, adornada de seis columnas de mármol y medallas con cabezas de la misma materia. Dentro se ven bustos de bronce sobre pedestales Hay porción de cuadros interesante, repartidos en las piezas de este palacio. También es digna de verse la Armería, por sus armas y armaduras y las pinturas que adornan las paredes, ejecutadas por artistas italianos. Se representan tres batallas, una de ellas la de Mühlberg, en la que fue general y vencedor el Gran Duque de Alba, D. Fernando Álvarez de Toledo.*

Contaba con importantes colecciones de armas, sobre todo las del Gran Duque, procedentes de sus importantes campañas militares por los Países Bajos, Italia y Portugal. Las primeras fueron colocadas en la torre más antigua del palacio, levantada por su primer señor, D. Gutierre, a comienzos del siglo XIV y única que ahora se conserva, llamada por tal motivo *Torre de la Armería*. La marcha de los duques a Piedrahíta y después a Madrid y el hecho de que se llevaran las colecciones de arte y las armas, y lo ocurrido después en Alba y al castillo, explican que solo se conserve una mínima parte del edificio inicial y las obras de arte que atesoraba, entre las que destacan algunos frescos recuperados en la paredes de dicha construcción. Se han conservado la citada Torre de la Armería, la más antigua y sólida del castillo-palacio. Estaba en claro estado de abandono hasta hace algún tiempo, pero ha sido recuperada y restaurada, junto con las pinturas que todavía tenía, escaso y triste recuerdo de lo que fue y tuvo este palacio en sus tiempos de esplendor como villa ducal albense.

Puente y ruinas del castillo. J. Parcerisa. 1865.

Fragmento de la batalla de Mühlberg, en el Torreón de la Armería.

Como tantos otros monumentos salmantinos contemporáneos, también este castillo-palacio sufrió las consecuencias del traslado de los duques a Piedrahíta y Madrid. Después los graves desperfectos y expolios con la Guerra de la Independencia por los franceses y por la guerrilla de Julián Sánchez, el Charro. Se pudo recuperar, pero el abandono y la desidia de sus propietarios hicieron lo contrario, por lo que se convirtió en cantera popular y no quedó más que la Torre del Homenaje, construida por D. Gutierre en 1429 y que sobresale por encima del actual caserío. Es la parte más sobria y menos artística del castillo, su imagen actual está restaurada pero da idea de cómo debió de ser en su conjunto esta destacada instalación palaciega renacentista, residencia de los duques durante tres siglos y símbolo de su poder e interés por el arte y la cultura. Esta progresiva destrucción del castillo debida al desinterés de sus propietarios y a la pérdida de importancia de estas instalaciones fue pareja a la evolución de Alba con menor dinamismo y relevancia que antes. Tras perder su condición de residencia ducal, se convirtió en un centro comarcal de escaso valor, con población estancada, pues no se instalaban en ella actividades que atrajeran población o retuvieran la que tenía.

Tras una larga y brillante trayectoria al servicio de la Corona durante 57 años y prestando su último servicio como virrey de Portugal, falleció en Tomar, Portugal, en 1582, cerca de Lisboa, el mismo año que la Santa, a los 75 años de edad, auxiliado por su buen amigo Fr. Luis de Granada. Sus restos fueron trasladados a Alba de Tormes y fue enterrado en el convento de San Leonardo, donde estaba entonces el panteón de la casa ducal. En dicho convento estaban los jerónimos, entre los que hubo algunos sobresalientes por su recorrido profesional, como Fr. Hernando de Talavera, catedrático de la Universidad de Salamanca, confesor de la Reina Católica, miembro del séquito real que acompañó a los RR. CC. en su entrada en Granada, de la que fue el primer arzobispo y presidente de la Comisión nombrada para escuchar a C. Colón sobre el proyecto de su viaje e informar a los RR. CC. También vivió en dicho convento Fr. J. de Ortega, autor de la popular novela picaresca *El Lazarillo de Tormes*, según el historiador P. Sigüenza, compañero suyo como estudiante en la Universidad de Salamanca. El citado autor no quiso figurar como tal, sino que prefirió guardar el anonimato, por las exacerbadas críticas que hacía de mucha gente en la novela.

En 1619 fueron trasladados los restos del Gran Duque al convento de los dominicos de Salamanca, la iglesia costeada por la casa ducal y en cuya construcción participó, como arquitecto, un miembro de la misma, dominico, Fr. Juan Álvarez de Toledo. Primero estuvo en el crucero de la iglesia, en un mausoleo neogótico, hasta que, en 1983, lo trasladaron a una capilla cercana donde reposan en un sencillo y clásico mausoleo proyectado por F. Chueca Goitia y costeado por la Diputación de Salamanca. Merecido lugar para quien tanto se esforzó en servir a sus reyes y a los intereses de España en los muchos e importantes cargos de gran responsabilidad que desempeñó a lo largo de su vida y con gran éxito. Sean las líneas de este modesto y sencillo trabajo un emotivo y merecido homenaje a tan singular personaje histórico por el que, como español y universitario salmantino, siempre he sentido mucha y merecida admiración.

Este interesante periodo de la historia albense, muy vinculado a la Casa de Alba y por el que adquirió su condición de villa ducal por antonomasia, empieza a no ser lo que era tras la muerte del Gran Duque en Tomar, en 1582, viejo y cansado, el mismo año que murió la Santa. A partir de entonces, según J. Moleiro, como si estas muertes tuvieran valor de epílogo, la estrella de Alba que ellos encumbraron, en buena medida y estrechamente relacionada con los Austrias, iniciará un progresivo declive hasta desaparecer del panorama social y cultural español. Esto se agudizará, en el caso de Alba, por el traslado de la casa ducal, primero a Piedrahíta, donde siglos antes había iniciado su andadura la Casa de Alba, y después a Madrid. Y con ello se olvidaron de Alba, con las consiguientes y negativas repercusiones para la villa ducal en todos los campos y hasta nuestros días. Ahora que hay un nuevo duque, es el momento de recuperar la verdadera historia del Gran Duque y revisar e impulsar la relación de la casa ducal con Alba. Sirva este modesto trabajo de reivindicación y estímulo para hacer estudios que den a conocer algo tan importante de nuestra historia, el papel de Alba en ella, su condición de villa ducal, las razones por las que consiguió tan distinguida nominación pues es de justicia hacerlo, y el papel que tuvo en la historia de España, que las conozca la gente para su orgullo y que sirvan de estímulo para mejorar la situación actual de Alba.

Convento de dominicos y mausoleo del Gran Duque de Alba en el mismo. Salamanca.

El título de Duque de Alba será el tronco principal del denso entramado de títulos que se fueron uniendo al mismo desde hace siglos y han llegado unidos hasta nuestros días en la persona de la recientemente fallecida XVIII Duquesa de Alba, D.ª M.ª del Rosario Cayetana Fitz-James Stuart y Silva, que los ha repartido entre sus seis hijos. Sucesor de la misma y titular del ducado de Alba es su hijo mayor, D. Carlos Fitz-James Stuart y Martínez de Irujo, que ocupa el lugar XIX en la genealogía de la Casa de Alba, y mantiene en primer lugar el apellido inglés en detrimento del Martínez de Irujo de su padre que debería ir el primero y del histórico de Álvarez de Toledo. Dicha señora ha sido la persona que ha reunido el mayor número de títulos en España, cuarenta y seis, y catorce veces Grande de España. Según algunos expertos, tenía más categoría en el campo nobiliario que la reina de Inglaterra, con la que estaba emparentada por

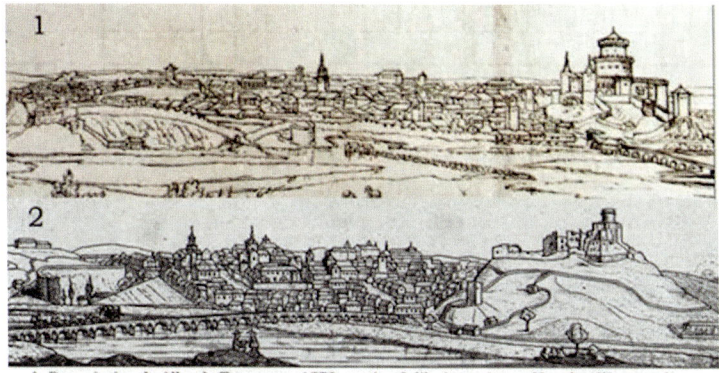

1. Panorámica de Alba de Tormes en 1570, según el dibujante Anton Van den Wyngaerde
2. Panorámica de Alba de Tormes en 1866, según el dibujante J. F. Hyde Hoys

Dibujos de Alba de Tormes, siglo XVI y XIX. Destaca la estrecha relación con el Tormes y el palacio ducal.

Medallón de D. Fernando Álvarez de Toledo, Gran Duque, en la Plaza Mayor.

D. Antonio Álvarez de Toledo, V Duque, contemporáneo, amigo y protector de Santa Teresa.

sus títulos ingleses. Hay varias anécdotas basadas en hechos reales que ratifican la categoría y alta alcurnia de dicha señora y la importancia de los títulos que ostentaba, entre ellos el más importante el de duquesa de Alba. También se ha dicho en plan jocoso que, de haber tenido que elegir una mujer para el papa del más alto linaje posible, la recientemente fallecida Cayetana de Alba hubiera sido, con diferencia, la mujer más adecuada para tal menester. El padre de la citada duquesa era uno de los pocos católicos que, por sus méritos reconocidos por la Iglesia católica, estaba liberado de descubrirse y arrodillarse ante el papa. Son noticias pintorescas y elucubraciones que ratifican la solemnidad y categoría de dicho título, iniciado en Alba hace casi seiscientos años y mantenido hasta nuestros días.

La historia albense y su importancia en la historia de España en el siglo XVI van unidas a dicho título nobiliario, en particular al *Gran Duque*, Fernando Álvarez de Toledo, del que recuerdo una vez más que fue uno de los personajes más destacados en los importantes reinados de Carlos V y Felipe II, como gran militar y político y mecenas cultural. También lo fueron varios de los primeros duques, su abuelo D. Fadrique Álvarez de Toledo, II Duque, hombre culto y militar destacado, al que su amigo Garcilaso de la Vega dedicó interesantes versos en su *Égloga II y* el V Duque, D. Antonio Álvarez de Toledo, contemporáneo de Sta. Teresa, interesado en que se cumpliera la voluntad de la Santa y de que sus restos permanecieran en Alba, y por eso evitó que se quedaran con ellos los de Ávila tras robarlos en 1584. Gracias a esta eficaz intervención se impidió que lo teresiano estuviera vinculado exclusivamente a Ávila, como ha sido siempre su deseo y contra toda justicia. Por todo ello, la condición teresiana de Alba se consolidó, hasta hoy.

También conviene recordar al respecto su eficaz participación para que Sta. Teresa fundara un convento reformado en Alba, cosa que nunca pensó, al no reunir la villa ducal las condiciones que en principio tenía en cuenta para llevarlo a cabo. El apoyo prestado por la Casa de Alba fue fundamental para que la Santa se decidiera en tal sentido. Algo similar ocurrió para que continuaran los restos de Sta. Teresa en Alba tras el robo sacrílego de los mismos por parte de los de Ávila en 1584. La Santa nunca pensó fundar este convento, porque Alba era un núcleo pequeño que no permitiría vivir de la limosna al nuevo convento, pues ya había otros tres. Pero cambió de opinión por diversas causas favorables a dicha fundación, como la predisposición favorable de la casa ducal en tal sentido. El que no hubiera oposición y sí gran deseo de tener un convento reformado la animó a cambiar de intención y llevarlo a cabo, cosa que de la que no se arrepentiría jamás. También se sabe que influyeron personas cercanas como su hermana Juana, varios amigos que gozaban del aprecio de la Santa, su confesor en aquel momento y, sobre todo, el interés de los duques, que veían con buenos ojos que la Santa fundara un convento en Alba por lo que esto suponía para el prestigio de la villa. Con todo esto a favor, cambió de opinión y decidió levantar el convento, el octavo de los que fundó la Santa y con el que más disfrutó, al no tener oposición alguna y sí muchos y eficaces promotores y apoyos. Este es el motivo por el que se alegró de su decisión, y esto explica de igual modo que este convento se convirtiera en uno de sus preferidos y no mostrara reparo alguno, al contrario, parecía satisfacerla, y quería que la enterraran en el mismo, siempre respondía así cuando le preguntaban dónde quería que lo hicieran cuando tal cosa ocurriera.

Los comentarios anteriores han puesto de manifiesto la gran importancia que tenía para Alba su sólida relación con el título nobiliario al que dio nombre y, sobre todo, el gran papel que tuvieron alguno de sus titulares en la historia de España en los siglos XV y XVI. También hay que señalar la destacada participación de los nobles en favor de la fundación del convento reformado y de que, ocurrida la muerte de Sta. Teresa en Alba, sus restos se quedaran en Alba, con la consiguiente, grande y beneficiosa repercusión en el ámbito teresiano y carmelita, y su decisiva intervención para recuperar los restos, robados por los de Ávila para enterrarla en el sepulcro que habían preparado mucho antes en el convento de S. José. La buena relación de la casa ducal con Alba desapareció con la marcha de los duques y casi ha sido nula hasta hace poco tiempo, cosa que es de lamentar.

Consideramos que es interesante para Alba que tales relaciones ya restablecidas en cierta medida se fortalezcan y acrecienten el interés de los de Alba, y de los salmantinos en general, por conocer mejor la historia de estos vínculos y la gran importancia que han tenido en ella algunos miembros de la casa ducal. Quizás sea ahora buen momento para impulsarlas, al haber un nuevo titular al frente de la casa ducal, D. Carlos Fitz-James Stuart y Martínez de Irujo. Parece una persona que ha demostrado gran sensibilidad por todo lo que contribuya a que se conozca mejor la verdadera historia de sus predecesores y no solo la que nos ha llegado a veces muy tergiversada, incompleta e injusta. En esta situación sería fácil iniciar una nueva etapa con tal fin y que sería ventajosa para ambas partes. Tanto Alba como la propia casa ducal y todos en conjunto, resultarían beneficiados por la reanudación mejorada de tales relaciones, por lo que hago votos para que se pongan los medios adecuados, por ambas partes, para conseguirlo. Este trabajo, encaminado a demostrar la importancia de Alba como una villa ducal y teresiana, tiene esto como uno de sus principales objetivos, que se conozca la verdadera historia de Alba en lo relacionado con las personas más importantes relacionadas con ella. Si se consiguiera algo en tal sentido, daría por muy bien empleado el esfuerzo realizado para realizar este trabajo. El bien de Alba, nuestra historia y el mejor conocimiento y consideración de la misma se lo merecen.

El duque de Alba actual y su madre.

A continuación he incluido una relación de todos los duques de Alba, título y años que ostentó cada uno tal categoría, desde la creación del ducado por Enrique IV, 1472, para contar con una nueva nobleza fiel, cosa que hicieron los de la Casa de Alba y así les fue de bien, con méritos por su parte. Dos de estos titulares han destacado sobre los demás en la historia de España, el II duque de Alba, D. Fadrique Álvarez de Toledo, 1488-1531, abuelo, predecesor y ejemplo de gobernante para su nieto, el conocido como Gran Duque, Fernando Álvarez, III duque de Alba, 1531-1582, el más famoso de todos y uno de los personajes más importantes de nuestra brillante historia. Los dos citados ocupan, de forma destacada, lugar preferente en ella, por su labor y servicio a la Corona y a España y la labor cultural que realizaron como impulsores del Renacimiento en España, en la corte renacentista creada en su palacio de Alba de Tormes, como otros nobles de su época, pero estos a mayor nivel. También por su larga pervivencia, puesto que solo entre los dos citados ocupan casi un siglo de historia, 1488-1582, que se corresponde con el periodo de mayor esplendor de España en el mundo, a lo que ambos contribuyeron de forma destacada y directa.

También merece mención especial Jacobo Fitz-James Stuart y Falcó, 1902-1953, abuelo del actual duque, por su eficaz contribución a que el aislamiento de España, tras la Guerra Civil, no fuera tan duro. Sirvan estos comentarios como homenaje sincero, merecido y justo para quien prestó un buen servicio a España, y tras haber sufrido uno de ellos, el Gran Duque, el escarnio de la leyenda negra, escrita por sus enemigos y tristemente aplaudida por algunos de aquí, como suele ocurrir muchas veces. Fue duro como los de su tiempo y cumplió con su obligación, que consistía en defender los intereses de España, como hacían los demás, incluso más suave que como lo hicieron después los que se enfrentaron a él en Centroeuropa con la reforma protestante y las guerras de religión. Parece que nos hemos olvidado olímpicamente de los cuarenta y cinco años que dicho personaje sirvió eficazmente a España en el Norte de África, Nápoles, Norte de Italia, Países Bajos y Portugal, país que ganó para Felipe II y donde fue el primer virrey. Además, también fue benefactor de Sta. Teresa, aunque en esto no tuvo un papel directo como en otros aspectos. Por todo ello y con sobrados méritos, es por lo que se lo conoce en la historia de España como el Gran Duque, nombre justo, merecido y ganado a pulso.

Relación de los duques de Alba: 1472-2016

	Titular	Periodo
I*	García Álvarez de Toledo y Carrillo de Toledo	1472-1488
II*	Fadrique Álvarez de Toledo y Enríquez	1488-1531
III*	Fernando Álvarez de Toledo y Pimentel, «Gran Duque de Alba»	1531-1582
IV*	Fadrique Álvarez de Toledo y Enríquez de Guzmán	1582-1585
V*	Antonio Álvarez de Toledo y Beaumont	1585-1639
VI*	Fernando Álvarez de Toledo y Mendoza	1639-1667
VII*	Antonio Álvarez de Toledo y Enríquez de Ribera	1667-1690
VIII*	Antonio Álvarez de Toledo y Fernández de Velasco	1690-1701
IX*	Antonio Álvarez de Toledo y Guzmán	1701-1711
X*	Francisco Álvarez de Toledo y Silva	1711-1739
XI*	María Teresa Álvarez de Toledo y Haro	1739-1755
XII**	Fernando de Silva y Álvarez de Toledo	1755-1778
XIII**	María del Pilar Teresa Cayetana de Silva Álvarez de Toledo	1778-1802
XIV***	Carlos Miguel Fitz-James Stuart y Silva	1802-1835
XV***	Jacobo Fitz-James Stuart y Ventimiglia	1835-1881
XVI***	Carlos María Fitz-James Stuart y Palafox	1881-1901
XVII***	*Jacobo Fitz-James Stuart y Falcó*	1902-1953
XVIII***	María del Rosario Cayetana Fitz-James Stuart y Silva	1953-2014
XIX***	Carlos Fitz-James Stuart y Martínez de Irujo	2015......

Familias que han dado nombre a la casa ducal de Alba y Duques que han pertenecido a cada una de ellas:

1.ª Álvarez de Toledo =*, 1472-1755. 2.ª Silva=**, 1755-1802. 3.ª Fitz-James Stuart =***, 1802-2016.

Escudo inicial de la Casa de Alba. Siglo XV.

Escudo actual, tras la incorporación de otros muchos títulos.

LA CORTE RENACENTISTA DE LOS DUQUES EN ALBA, MANIFESTACIÓN DE SU IMPORTANCIA HISTÓRICA Y CULTURAL EN ESPAÑA

Los comentarios anteriores, con carácter general, han puesto de manifiesto la importancia que ha tenido la casa ducal en la historia de Alba, el destacado papel de esta en la historia de España y el que Alba haya pasado a ser conocida como la villa ducal española por antonomasia, como Salamanca es Universitaria, Toledo Imperial, Córdoba Califal y Barcelona Condal, mal que les pese. Pero la influencia de la casa ducal en Alba se manifestó también en otros aspectos que alcanzaron destacado auge por el papel de los Duques en los mismos. Así, su impulso a la cultura renacentista, por el interés de algunos de sus miembros en impulsarla, para lo que se rodearon de escritores y artistas que convirtieron Alba en un centro cultural tan sublime y destacado entonces como desconocido y minusvalorado en nuestros días. Buena parte de que haya ocurrido esto se debe a la desidia de los propios albenses y salmantinos, y a su cercanía a Salamanca, cuya Universidad se encontraba en todo su esplendor del Siglo de Oro, y hacía que lo que ocurría en Alba, lamentablemente, pasara desapercibido o fuera subsumido, sin querer, por la citada institución salmantina.

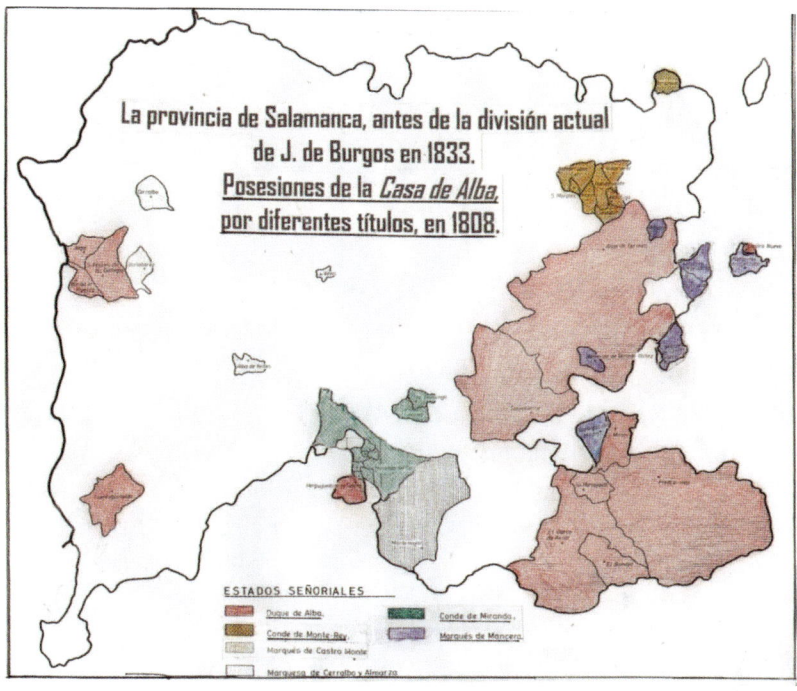

Posesiones de la Casa de Alba en la provincia de Salamanca, siglo XIX, prueba evidente de su gran importancia en ella.

Ya he comentado antes que, en la corte renacentista que crearon los duques en Alba, participaron los más importantes escritores de nuestro Siglo de Oro, quienes realizaron en ella una importante labor, encaminada a impulsar tal cultura y modelo de vida en España. Tal fue el caso de Juan del Encina, introductor del teatro moderno en España; J. Boscán y Garcilaso de la Vega, impulsores de la cultura renacentista; Luis Vives, Lope de Vega, Tirso de Molina, M. de Cervantes, Calderón de la Barca, como escritores;y también por este y otros motivos, Sta. Teresa. Todos ellos y otros que no menciono para no alargar la exposición, trabajaron para los duques, muchos residieron temporadas o años en Alba con tal fin, y contribuyeron a fomentar el papel de la villa ducal como un centro impulsor de la cultura renacentista en España, como lo hizo también Salamanca, a otro nivel, con su institución universitaria.

Representación de una obra
de J. del Encina. Alba de Tormes.

Biblia de Alba 1433.
Biblioteca Casa de Alba.

La importancia literaria y cultural de los personajes de la relación anterior está fuera de dudas, lo que avala y ratifica el destacado papel de Alba en esos momentos en la promoción y desarrollo cultural en España, que estaba entonces en pleno Siglo de Oro cultural y político. Recordemos que, entre los personajes citados, está Juan del Encina, salmantino, catedrático de la Universidad, considerado el iniciador del Teatro Renacentista y patriarca del Teatro español, y que tendrá después sus grandes exponentes en otros autores también citados antes, como Lope de Vega. Se sabe que en el palacio de los Duques, impulsado por Juan del Encina, entre otros, se llevaron a cabo las primeras representaciones teatrales de acuerdo con los nuevos modos culturales renacentistas. Allí se representaron las conocidas obras del citado autor *El Auto del Repelón* y la *Égloga de Plácida y Vitoriano*, entre otras. Por tal motivo, algunos autores, de forma un tanto subjetiva, consideran a Alba como la cuna o un lugar en el que el teatro moderno, renacentista, dio sus primeros pasos en España. Quizás no fuera para tanto, pero sí que influyó, y mucho.

Lope de Vega fue uno de los más célebres escritores de entre todos los que estuvieron en Alba al servicio de los Duques, y fue también el que más tiempo permaneció en ella, cinco años, entre 1591 y 1596. En un principio lo hizo forzado por las circunstancias, unos líos de faldas en Madrid con una actriz, razón por la que fue castigado a estar fuera de la corte algún tiempo, desterrado. El asunto debió de ser grave y las personas ofendidas, influyentes, dado el fuerte castigo impuesto a una persona que ya era bastante popular en la corte, cosa que no lo libró de tan severa sentencia, como se deduce del texto condenatorio: *Está condenado en vista a quatro años de destierro desta corte y cinco leguas, y en dos años de destierro del reyno, y en que de aquí adelante no haga sátiras ni versos contra ninguna persona de las contenidas en los dichos versos y a que no pase por la calle donde viven las dichas mugeres. Confirman la sentencia de vista en grado de revista, con que los quatro años de destierro desta corte y cinco leguas sean ocho, demás de los dos del reyno, y los salga a cumplir desde la cárcel los ocho de la corte y cinco leguas y los del reyno dentro de quince días.* La condena inicial era de cuatro años pero, al no hacer caso, fue condenado a cumplir el doble y, con tal rigor, que le fue imposible evadirse de ella pese a su influencia.

Esto explica que su estancia en Alba, en principio, no le fuera muy agradable, como lo refleja en sus versos: *Famosos muros de Alba, /¿por qué me tenéis preso, / sin alma el cuerpo / y sin razón el seso?* Pero poco después cambió su estado de ánimo y modo de ver las cosas e inició una etapa muy diferente, presidida por la paz, el sosiego, la producción literaria y el cuidado amoroso de su esposa Isabel de Urbina, que morirá en Alba, lo que le causará gran dolor, como lo pondrá de manifiesto en varias ocasiones y es comentado por Castro y Rennert: *Estos años fueron de paz, de descanso y de una relativa felicidad para su esposa, la cual, después de todos los sacrificios que había hecho, de todas las vicisitudes y desgracias por las que había pasado por el comportamiento de su marido iba, por fin, a gozar durante algún tiempo, la vida tranquila del campo, que tan bien sabía poetizar nuestro Lope.* En efecto así fue, y Lope de Vega lo puso de manifiesto en Alba.

Sorprende el que Lope de Vega no se interesara apenas, al menos no lo manifestó, por la actividad cultural existente en Salamanca, en pleno auge y que conoció bien, como lo recogió en varios escritos que constituyen el más encendido elogio que haya escrito nadie sobre la solemnidad universitaria y cultural de Salamanca entonces y realizada por un destacado contemporáneo. La estancia de Lope de Vega en Alba, 1591-1596, coincidió con el proceso de la beatificación de la Santa realizado poco después, 1614. Dada su popularidad, este singular acontecimiento se vivió con gran interés en Alba y Lope de Vega participó en el mismo con entusiasmo. Prueba de esto es que se hizo eco de dicho proceso y, con el deseo de contribuir a que llegara a feliz término, escribió el poema *La bienaventurada M. Teresa de Jesús*, en favor de dicha canonización. En dicho encomioso poema ensalza la gesta de la Santa de fundar diecisiete conventos contra viento y marea, acrecentado por ser mujer, con mucha oposición y obstáculos por parte de casi todos, además de los problemas de poner en marcha cada nuevo convento. Su estancia en Alba, como he señalado antes, fue intensa en el aspecto profesional, como lo demostró al escribir varias obras importantes.

Entre ellas están algunas muy conocidas y renombradas, como la novela pastoril *La Arcadia*, y obras de teatro y poemas. En uno de ellos dice así de la villa ducal: *Al pie de la ancha cava / que baña el caro Tormes, / de aquella Alba gloriosa, / por sus dueños famosa, / lloraban dos pastores, / tan conformes, que el llanto de Lisardo / duplicaba los ecos de Belardo.* En otra ocasión manifiesta la razón de su estancia en Alba y cita alguna de las obras que escribió: *Sirviendo al generoso Duque Albano / escribí de Arcadia los pastores / bucólicos amores / ocultos siempre en vano.* Es una lástima que no hayan conservado la casa donde la tradición dice que vivió Lope de Vega y que no hayan instalado en ella un centro relacionado con su estancia en Alba y en el que realizar actividades relacionadas con todo esto. Aunque no estuviera documentado que esa era la casa, tampoco había certeza de lo contrario. Muchos lugares, con menos evidencias y certezas, han montado cosas mucho más grandes, así Valladolid en relación con C. Colón, por ejemplo.

Dicha estancia en Alba le sirvió, además, para conocer Salamanca, que se encontraba en el culmen de su prestigio universitario y en pleno Siglo de Oro de la institución salmantina. Así lo manifiesta en *El Dómine Lucas* donde dice: *Aquí suelen venir / de Salamanca estudiantes / Qué estudiantes?/ Mendicantes / que vienen a Alba a pedir.* Su interés y conocimiento de la Universidad salmantina debió de ser grande, por razones obvias, y al encontrarse tan cerca de ella y en el momento en que dicha institución gozaba de gran esplendor y renombre. Lo acredita con un comentario en el que nos da su opinión sobre dicha institución. Es el mayor elogio que jamás se ha hecho de la Universidad de Salamanca y que tiene mucho más valor por su autor, persona con gran prestigio y objetividad, ya que no hubo relación alguna entre Lope de Vega y la institución salmantina, ni se sabe que tuviera interés en obtener de la misma beneficio alguno, al estar contento en Alba al servicio del duque. Un elogio como el que hace Lope de Vega de la Universidad de Salamanca siempre es interesante, pero lo es más cuando viene de tan ilustre pluma. Pese a ser tan elogioso para la institución, pocos son los salmantinos que lo conocen y, menos aún, los responsables de la institución o de Alba que se han hecho eco del mismo y lo han valorado como se merece. Si hubiera sido una crítica dura contra la Universidad, ya habría surgido el retorcido de turno para difundirla y cumplir con lo que ya hemos que se dice: *Si alguien habla mal de España, es español.* ¡Qué pena! En Salamanca, para no ser menos, ocurre lo mismo y en Alba, tal para cual. Somos incorregibles, y así nos va.

Dice el Fénix de los Ingenios, como era conocido Lope de Vega, al exponer su opinión sobre la actividad universitaria salmantina: *La más bella ciudad estás mirando / que el gallardo Pintor del cielo hermoso / repasa, todo el orbe iluminando. / Este es de Salamanca el firme asiento, / pozo de ciencia, fuente milagrosa, / que trae del cielo empíreo el firmamento. / Es madre general tan generosa, / que mil extraños hijos autoriza, / dotándoles de renta y ciencia honrosa. / La gran ciudad del mundo en nuestra España, / que parece se miran las almenas / en el ameno Tormes que las baña, / mirando con desprecio a las de Atenas.* (¡¡??) Incomparable, inigualable y extraordinario testimonio exaltando la actividad universitaria salmantina, como jamás lo ha hecho nadie, en el momento de su mayor esplendor, con conocimiento de causa y realizado por uno de nuestros más ilustres escritores, Lope de Vega. Se merece que la consideremos como la definición de lo que fue la Universidad de Salamanca en el Siglo de Oro, y que la conozcan todos los universitarios salmantinos, por lo que dice y por la categoría del autor. Desde aquí pido a quien corresponda que la den a conocer y coloquen dicho texto en el lugar más visible de la Universidad y también de la ciudad, sin temor ni vergüenza, pues lo avala el prestigio de su autor, que conocía de lo que hablaba y no buscaba sacar provecho alguno del mismo.

La actividad universitaria salmantina fue conocida por Lope de Vega y ensalzada por él como nadie.

Que nadie piense que es exagerado el anterior comentario de Lope de Vega sobre el ambiente universitario de Salamanca entonces. Unos sencillos datos nos dan una pista muy valiosa y disipan las dudas que pudiera haber al respecto. En el curso 1561-1562, poco antes de que Lope escribiera lo anterior, conocemos los alumnos matriculados en la Universidad por los *Libros de Registro*. En dicho curso figuran matriculados 7681 alumnos, con una población de la ciudad que no pasaría mucho de los 20000. Veinte años más tarde, curso 1584-1585, los matriculados eran 6778, cuantía nada despreciable. La importancia de la citada matrícula se acrecienta si tenemos en cuenta que se trataba de una sociedad con el 80% o más de analfabetos, y solamente eran varones los estudiantes, pues las mujeres no accedieron a la Universidad hasta el siglo XX. Además, la ciudad tenía poco mas de 20000 habs. Recordemos que, en nuestros días, cuando Salamanca es una ciudad universitaria, los estudiantes residentes en la ciudad oscilan en torno a 30000, la mitad o más son mujeres, y la población urbana es algo superior a los 140000 habitantes, por lo que la proporción actual alumnos-población es bastante menor a la de entonces. (¡¡??) Pero una vez más, despreciamos olímpicamente el que se reconozcan nuestros méritos. No faltará el que los ponga en duda o los minimice o ridiculice al enterarse de ellos.

Además del eterno agradecimiento a su autor, por tan elogioso reconocimiento a la monumentalidad y actividad universitaria, merecía estar escrito con letras de oro y colocado en el lugar más solemne y visible de Salamanca. Según mi modesta opinión, y fuera ya de bromas, dicho texto debería estar en una placa en un lugar digno y bien visible del Claustro bajo del Edificio Histórico, a la entrada del Paraninfo. Otro tanto deberían hacer en la ciudad, colocarlo en otra placa en la pilastra central de la fachada del Ayuntamiento, en la Plaza Mayor, bajo el reloj. Cuánto darían muchas ciudades españolas por tener un exégeta tan distinguido ensalzando la ciudad y su Universidad. Desearía que este comentario y propuesta no cayera en saco roto y se hiciera algo en tal sentido.

Lope de Vega tuvo una actividad profesional destacada en el tiempo que permaneció en Alba, 1591-1596, y escribió aquí varias conocidas obras de teatro: *El dómine Lucas*, *La serrana del Tormes*, *Las Batuecas del Duque de Alba*, *El maestro de danzar* y *El favor agradecido*, entre otras, así como su novela pastoril *La Arcadia*, además de ejercer como secretario del duque. También vivió en Alba varias desgracias familiares, como la muerte de su esposa Isabel de Urbina, *Belisa*, hija del pintor de Cámara de Felipe II, y una hija, enterradas ambas en la iglesia de Santiago. Al igual que con el comentario sobre el alto nivel de la actividad universitaria, también se debería hacer algo para recuperar y poner de manifiesto la presencia de Lope de Vega en Alba, pues no es algo baladí y sin importancia. Otros con muchos menos motivos han hecho mucho más en casos parecidos; recordemos Valladolid con relación a C. Colón, por ejemplo.

El dolor que le causó la muerte de su esposa lo manifestó en varias ocasiones y en sentidos versos como los siguientes: *Fértil ribera del Tormes, / yo me acuerdo que algún día / de mi venturoso empleo / fuiste testigo de vista. / Entre tu fresca arboleda / viste mil veces dormida / a la que yo ausente lloro, / y a la que la luna eclipsa*. Otras veces es más evidente, profundo y sincero, algo impensable si se recuerda la aventurada forma en que la conoció y se casó con ella, y el poco caso que la hizo el tiempo que vivieron en Madrid. Dice así llorando a su querida *Belisa*: *Ya vuelvo querido Tormes, / ya tornan las ansias mías, / a ver la pizarra helada / que cubre mi muerta*

Casa en la que vivió Lope de Vega, hoy destruida. (¡¡??)

Iglesia de Santiago, donde están enterradas su esposa e hija.

viva. / Castígame de esta ausencia / que de adorarte me priva / Alba de mi sol difunto / y noche de mi alegría. / Tu sola fuiste mi patria / y la que dejo enemiga, / porque no hay más tierra propia / que la que cubre a Belisa. / ¡Ay, claro Tormes, si llegase el día / que su muerte llorase con la mía! / Alba fue mi tierna noche, / murióseme en Alba el día; / no me consuela mi tierra / que está lejos de la mía. El sentimiento de profundo dolor que reflejan esta y otras muchas composiciones, con referencias al fatal desenlace, parece demostrar la sinceridad de Lope de Vega por la muerte de Belisa. Se ratifica lo anterior por el cuidado amoroso que tuvo con su esposa enferma, como recogen estos versos: *Desconocida zagala, / a quien tristezas hicieron / perder el color de rosa, / en el abril de su tiempo. / Toda la Villa murmura / tan melancólico*

Alba a finales del siglo XIX, similar a la que conoció Lope de Vega tres siglos antes.

extremo / y dicen que tanto mal / es del alma y no del cuerpo. Tales muestras de dolor no parecen un mero recurso literario, sino la manifestación del amor sincero que tenía por ella.

Las manifestaciones del dolor que le causó esta muerte son expresivas e intensas en el poema escrito al cumplirse el primer aniversario. En él muestra, además, el dolor que le causó la muerte de la hija poco después: *Belisa, señora mía, / hoy se cumple justo un año / que de tu temprana muerte / gusté aquel potaje amargo. / Un año te serví enferma, / ¡ójalá fueron mil años! / Que así enferma te quisiera, / continuo amargando el pago. /Solo yo te acompañé / cuando todos te dejaron / porque te quise en la vida, / y muerta te adoro y amo. / ¡Y sabe el Cielo piadoso, / a quien fiel testigo hago, / si te querrá también muerta / quien viva te quiso tanto! / Dejásteme en tu cabaña, / por guarda de tu rebaño / con aquella dulce prenda / que me dejaste del parto; / que por ser hechura tuya / me consolaba algún tanto, / cuando en su divino rostro / contemplaba tu retrato; / pero durome tan poco, / que el Cielo, por mis pecados, / quiso que también siguiese / muerta tus divinos pasos.* No parece un recurso literario, sino muy claras demostraciones de su dolor por tal terrible pérdida.

Aprovecho estas manifestaciones del dolor de Lope de Vega que muestran la relación del escritor con Alba, para expresar mi pesar por la indiferencia, el desinterés y desconocimiento ante la estancia del Fénix de los Ingenios en la villa ducal, pese a que fue larga, humana en acontecimientos y fructífera en creación literaria. Jamás se ha hecho nada, ni unas simples Jornadas Literarias en tal sentido. Tampoco para recordar a su esposa Belisa ni guardarle recuerdo, aun sabiendo que está enterrada en la iglesia de Santiago. Nada se ha hecho al respecto, ni siquiera colocar una sencilla placa en dicha iglesia, para recordar al visitante tan interesante acontecimiento. Pero ¿qué podemos esperar cuando, en los años setenta del pasado siglo, tiraron la casa en la que, según fundada tradición, había vivido Lope de Vega? Se cumple aquello de que: *Dios le da nueces al que no tiene dientes.*

Las estrechas relaciones profesionales y familiares de Lope de Vega con Alba están fuera de toda duda, pero no se ha hecho nada para recordarlas y que fueran una referencia cultural destacada en la villa, por tratarse de una interesante página de su brillante historia. En otros lugares con muchos menos motivos montan unos tinglados tremendos. Me viene a la memoria lo que han hecho en Burgos con Atapuerca, yacimiento descubierto hace más de un siglo al trazar el ferrocarril y olvidarlo después, lo que hace pensar que no sería muy interesante. Todo ha cambiado radicalmente desde hace unos años en que, aprovechando la prodigalidad de la Junta de Castilla y León por la procedencia burgalesa del presidente, lo han reabierto a todo tren, nunca mejor dicho, sin reparar en costes, y han montado un espectacular museo de la evolución humana, (¡¡??) hasta el punto de que parece que en dicho yacimiento está el comienzo de la vida humana sobre la Tierra.

En Alba han actuado de forma totalmente contraria. Se han tomado decisiones que han borrado las huellas y los recuerdos de Lope de Vega que todavía existían en Alba, y no se ha hecho nada para recordarlo y seguro que la mayor parte de los albenses no tienen ni idea de tan estrecha e importante relación. No hace mucho tiempo, el 14 de junio de 2004, el Ayuntamiento permitió derruir una casa, n.º 2 de la plaza del Barrio Nuevo, en la que, se decía, había residido Lope durante su estancia en Alba. En cualquier otro lugar, a la menor sospecha de una cosa así, habrían hecho lo contrario, conservarla y darle alguna función cultural que guardara relación con Lope de Vega, su vida y obra, y hubieran convertido la casa en un museo y hubieran realizado todos los años actividades culturales diversas con tal motivo. Me agradaría que este trabajo fuera motivo para reflexionar sobre esta y otras cuestiones similares, y que se cambiara algo en lo relacionado con nuestra historia, aunque hay cosas que ya no tienen remedio. Según esto, en esta cuestión ha podido influir el interés de algunos por que Alba solo fuera un Centro Teresiano, procurando que se olvidara su condición anterior y también su papel como villa ducal y lugar con una importante historia que no debemos desconocer y menos marginar. Todavía se pueden remediar algunas cosas. Por lo tanto, si hay alguien que todavía piense así, que recuerde nuestro refranero popular que dice: *Nunca es tarde si la dicha es buena.* Hagamos algo para recuperar la presencia de Lope de Vega en Alba y enmendar en lo que se pueda los yerros cometidos en esto hasta ahora.

La estancia de tan ilustre personaje y de otros muchos escritores apenas ha tenido repercusión en Alba, ni la conoce la gente, en detrimento de las ventajas que podía tener para la villa ducal esta relación con personajes tan importantes de nuestras letras, por ejemplo, un mayor auge del turismo cultural y religioso, con tanta importancia actualmente en España y Castilla y León. La estancia de Lope de Vega en Alba, 1591-1596, coincidió con el proceso de beatificación de la Santa que se llevaría a cabo un cuarto de siglo después, 1614. Es de suponer, dada la popularidad de Sta. Teresa, que esto se viviera con gran interés en Alba, dentro de lo que cabe. Prueba de ello es que el propio Lope de Vega se hace eco de dicho proceso y, con el deseo de contribuir a que llegara a feliz término, escribió el poema *La bienaventurada M. Teresa de Jesús*, en el que, como ya dijimos, ensalza la proeza de fundar diecisiete conventos, más con tanta oposición y obstáculos por ser mujer la que lo hacía, al margen de los problemas propios de poner en marcha un nuevo convento.

Dice así en el citado poema: *En Ávila fundé el primer convento, / que es la primera piedra en que me fundo, / porque fue mi primero fundamento.*

/ En Medina del Campo fue el segundo, / en Malagón fundé luego el terce-ro, / y el cuarto en la mejor villa del mundo, / que es en Valladolid, del cual espero / que al cielo han de ofrecer mis luces bellas, / causando envidia a su mayor lucero. / La quinta fundación, y mejor de ellas, / hice en Toledo, cuyas torres altas / quieren ganar al cielo las estrellas. / La sexta fue en Pastrana, adonde esmaltas, / ¡gran Dios!, de caridad las mis hijuelas, / ricas de amor y de riquezas faltas. / Aquí, donde florecen las escuelas, / la séptima fundé, en que me recreo, / a pesar del demonio y sus cautelas. / La octava en Alba, junto al Tormes veo, / y en la ilustre Segovia la novena, / y fue para mi Dios un grande empleo. / En la villa de Beas la decena, / y la oncena fue allá en Sevilla, / que está de santidad y gloria llena. / La duodécima fue en la ilustre villa / de Caravaca y Orden de Santiago, / que pone cruz en pecho a maravi-lla. / La trecena, primera que a Dios pago, / en Villanueva de la Jara ha sido, / donde pasé de penas más de un trago. / La cuatorcena fue, si no me olvido, / en Palencia; la quincena en Soria, / de mi virgen ganado sacro ejido. / De la décima sexta haya memoria, / que en Granada fundé, dando a mi Cristo / mil nuevas gracias de su nueva gloria. / La postrera fundación que hasta hoy he visto, / en Burgos fue, donde las hijas mías, / rasgando el pecho están con amor listo. / Diez y siete de monjas, en mis días, / y diez de frailes, hemos ya jurado / la santa Regla del profeta Elías. Distinguido cronista para una no menos excelente obra.

El autor, conocedor en primera persona de lo que narra, se convierte en cronista de la gesta realizada por la Santa, fue una pena para esta no haber tenido a alguien de su categoría cuando estaba en plena fundación de conventos, un cuarto de siglo antes. Lo hace de forma sencilla y elogiosa para la Santa, aunque sin poner de manifiesto las muchas dificultades y problemas a los que tuvo que enfrentarse en la fundación de los mismos, porque habían desaparecido cuando Lope de Vega escribió este poema. De esta forma se convierte en una especie de cronista de lujo de la indudable gesta de Sta. Teresa como gran reformadora. Además, ha dedicado grandes elogios a la labor de la institución universitaria que se hallaba entonces en su Siglo de Oro, al igual que España. Dicho periodo se inició con los RR. CC., que pusieron las bases políticas, sociales y culturales sobre las que se va a alzar España como primera potencia mundial hasta finales del reinado de Felipe III, 1630. Dentro de este esquema, la Universidad de Salamanca, además de centro que abastece al Imperio de gente preparada, es la proyección e imagen cultural del mismo, pues también dentro de ella participó lo más granado de nuestros representantes culturales del momento.

Lope de Vega y Calderón de la Barca trabajaron varios años en Alba para el Duque como secretarios del mismo, al tiempo que continuaron escribiendo como lo habían hecho antes y continuarán después. El primero de

Mapa con las diecisiete fundaciones de la Santa y cantadas por Lope de Vega. Predominio en Castilla y León.

ellos, sobre todo, hace frecuentes referencias al ambiente de Alba y escribió varias obras teatrales con temática albense y teresiana, prueba evidente de conformidad con su situación. A veces no es muy elogiosa la referencia al ambiente estudiantil salmantino, como en *El Dómine Lucas* en el que dice: *Aquí suelen venir / de Salamanca estudiantes. / ¿Qué estudiantes? / Mendicantes / que vienen a Alba a pedir.* No creo que esto fuera real y que lo único que llegase a Alba desde Salamanca fueran los capigorrones, sino que también iba gente de otro nivel social, cultural y forma de vida muy diferente para trabajar en la casa ducal. Prueba de ello era la presencia de tantos y tan buenos escritores en Alba. También Cervantes participó y quiso trabajar en Alba sin conseguirlo, por lo que lo hizo con el duque de Béjar, al que le dedicó la 1.ª parte de *El Quijote*. Pero en Alba logró su primer premio literario en 1614, con un trabajo sobre la Santa.

No ocurre lo mismo cuando los escritores residentes en Alba se refieren a Salamanca, cosa que hace en varias ocasiones Lope de Vega y de manera muy elogiosa siempre. Lo hace destacando su alto nivel cultural y loando su interesante papel en el mundo universitario y cultural, de la manera más elogiosa y favorable que jamás haya hecho nadie para la imagen e intereses de Salamanca. Pero, como tantas otras cosas de nuestra historia, no se ha difundido y es conocida solo por unos pocos entre los que me cuento y hacemos lo posible por difundirla, pues merece la pena. Tampoco la conocen los que tienen la obligación de velar por el buen nombre e imagen de Salamanca, ni tampoco se ha sabido aprovechar ni mostrar a los demás la imagen positiva que nos ofrece el citado escritor, en favor de la institución salmantina. Solo se han hecho eco de las alabanzas de Cervantes en su novela *El Licenciado Vidriera* en la que se dice aquello de: *Advierte hija mía que estás en Salamanca, que es llamada en todo el mundo Madre de todas las ciencias...* Mucho más elogiosas para la labor cultural y el prestigio universitario de Salamanca son las referencias a la Institución universitaria salmantina realizadas por Lope de Vega y que expongo en otro lugar.

Pero sí hemos aceptado o callado, con la consiguiente responsabilidad del que calla otorga, la tergiversación de nuestra historia, la cual ofrece una imagen lamentable y nos hace quedar muy mal, cosa que no es cierta. Basta recordar la leyenda negra que nuestros envidiosos enemigos han difundido en torno a nuestra colonización americana, con sombras como toda obra humana, pero con muchas más luces que no quieren ver, y nosotros no sabemos mostrarles la realidad y contrarrestar lo que han dicho, incluso parece como si tuviéramos vergüenza en hacerlo, hay hasta algunos que les ríen las gracias. Frente a esto recordemos la epopeya que han montado los anglosajones con la suya. Se han inventado una ocupación modélica del territorio, y han mostrado la aniquilación de los indios como medida ejemplar, en lugar de respetarlos. Recordemos la epopeya de las películas del Oeste en las que no dejan un indio vivo, consideran que el mejor indio es el indio muerto, y fomentan y se aprovechan de la esclavitud, lejos de considerarlos iguales a los conquistadores, como hizo España con sus Leyes de Indias y la aplicación de la ley de los Derechos Humanos, explicados por el P. Vitoria en la Universidad de Salamanca. A otro nivel pero algo parecido, está lo que ha ocurrido con la difusión de la brillante historia de Alba, que apenas es conocida por los que tienen la obligación de hacerlo y que los demás hagan otro tanto.

Otro gran escritor del Siglo de Oro, M. de Cervantes, también tuvo relación con Alba. No llegó a trabajar para los duques, aunque buscara su patrocinio como Lope de Vega. Pero logró el del duque de Béjar, al que le dedicó la 1.ª parte de *El Quijote* y la 2.ª al duque de Lemos. También tuvo relación con Alba por su condición de escritor. Fue a partir de su participación en los Juegos Florales de 1614, con motivo de la canonización de Sta. Teresa, donde consiguió el 1.er premio. Lo ganó con su poema *Los éxtasis de Sta. Teresa*, en el que resalta la relación de Alba con la Santa; dice algo muy interesante: *Aunque naciste en Ávila, / se puede decir que en Alba fue donde naciste; / pues allí nace, donde muere el justo. / Desde Alba, ¡oh Madre! al cielo te partiste, / Alba pura, hermosa, a quien sucede / el claro día del inmenso gusto.* Es posible que Cervantes deseara entrar al servicio de los Duques de Alba por las ventajas y la seguridad laboral que esto suponía, pero vemos que eran muchos los que optaban a lo mismo y lo adelantaron.

Otro reconocido escritor que también estuvo varios años en Alba al servicio de los duques fue *P. Calderón de la Barca*. Vino a la villa ducal por necesidad, tras quedarse sin trabajo como escritor teatral por la grave crisis del sector en Madrid, y después de haberse cerrado varios teatros a causa del luto oficial impuesto por la muerte de la reina Isabel y el príncipe Baltasar Carlos. Residió en Alba desde 1646 hasta 1649 y, al igual que Lope de Vega y otros autores que estuvieron en Alba, para prestar sus servicios como autor teatral de los duques y representar sus obras en palacio, donde el interés por este aspecto cultural era grande. Durante ese periodo escribió obras en Alba,

Lope de Vega y M. de Cervantes también estuvieron en la corte renacentista de Alba, sobre todo el primero.

Garcilaso de la Vega y Calderón de la Barca, otros dos ilustres huéspedes de la casa ducal en Alba.

como *El secreto a voces*, *Guárdate del agua mansa*, *La segunda esposa* o «*El jardín de Falerina*, considerada la primera zarzuela escrita y representada en España. Se sabe que mantuvo relaciones con una desconocida con la que tuvo un hijo al que reconoció años más tarde, cuando Calderón ya se había ordenado sacerdote, cosa que ocurrió en 1651. Por este motivo, parece que se produjo un importante cambió en su vida como escritor, pues ya solo escribió *Autos Sacramentales* y llevó una vida muy ordenada y tranquila. Aunque estaba tan cerca de Salamanca y la conocía por haber estudiado en su Universidad, no hace mención alguna de ella. La causa pudo ser el mal recuerdo que le debió quedar de su estancia en Salamanca, al haber pasado unos días en la cárcel cuando se incorporó al curso un año, por haber dejado a deber una deuda en la *casa de estudiantes* donde había estado el año anterior. Esto debió causarle gran disgusto y desafecto hacia Salamanca, pues nunca hizo referencia al hecho de haber estudiado en ella, ni se hizo eco del gran prestigio que tenía entonces, ni se interesó apenas por dicha ciudad y su conocida institución, como sí hicieron otros.

Resulta sorprendente el escaso provecho que ha sacado Alba de esta importancia histórica y cultural, y de la presencia de tanta gente importante, como los Duques y los citados escritores. También que algo tan interesante como lo expuesto en este trabajo, aunque sea de manera sucinta, sea tan poco conocido, incluso por los albenses y salmantinos. Pero somos así. Los comentarios anteriores han demostrado el destacado papel de Alba en la historia y cultura españolas, vinculado al importante papel de la casa ducal que tenía aquí su sede y residencia y la de las personas que trabajaron a sus órdenes en la corte renacentista que organizaron en la villa ducal, dado su interés por la promoción cultural.

Pese a ser muy importante todo lo comentado antes, no acaba con ello la relación de Alba con el mundo literario, sino que hay otros muchos autores interesantes de nuestra Literatura también relacionados con la villa ducal. Tal es el caso del popular Lazarillo de Tormes y la genial obra picaresca de la que este es destacado protagonista. Como es sabido, se considera que es de autor anónimo, pero hay más que fundados motivos para considerar autor de la misma a Fr. Juan de Ortega, fraile jerónimo y prior del monasterio de dicha Orden en Alba de Tormes. No hay documentación escrita que lo ratifique, pero sí sólidos argumentos a favor de dicha tesis.

Un compañero de Fr. Juan, estudiante como él en Salamanca e historiador, Fr. José de Sigüenza, le atribuye la autoría de la obra, por haberle visto un borrador de la misma en su celda y escrito por dicho autor. Las razones del anonimato fueron la crítica y sátira que hace contra el clero, cosa frecuente entonces por parte de algunos frailes y a la inversa en otras ocasiones. También contra las órdenes religiosas, ciertas instituciones y la sociedad en general, motivo por el que fue una obra que agradó a mucha gente por su calidad literaria y narrativa, la singularidad, el ingenio y la aventura, pero también desagradó a otros muchos y a instituciones importantes. Por tal razón, pensó que esto le acarrearía muchos quebraderos de cabeza y serios disgustos, por lo que prefirió guardar el anonimato. Esta fue la causa por la que no hizo pasar a los citados personajes por Alba de Tormes, pese a que estaba en el camino más apropiado y lógico para ir de Salamanca a Toledo, y aunque lo hicieran, como he puesto de manifiesto en un trabajo que he realizado sobre esta temática. Esto molestó mucho al Duque de Alba y, más aún, porque, en cambio, sí cita a las villas de Maqueda y Escalona, cuyos señores se alegraron por ello, cosa que molestó mucho al de Alba, al no decir nada de ella. Por esto lo obligó a rectificar y justificar dicho olvido, si no quería tener serios problemas.

En la novela, Lázaro dice algo que ayuda a establecer el camino seguido por la singular pareja entre Salamanca y S. Martín de Valdeiglesias, primer lugar citado tras el conocido incidente de la pareja en el Puente Romano de Salamanca. Lo dice cuando menciona las razones por las que lo contrató el ciego para ir a Toledo, por ser ciudad mucho más favorable que Salamanca para prestar ciertos servicios y practicar la mendicidad; dice así: *Y vinimos a este camino por los mejores lugares. Donde hallábamos buena acogida y ganancia, deteníamonos, donde no, al tercer día hacíamos S. Juan.* Según esto, parece lógico que, para ir desde Salamanca hasta S. Martín, fueran por Alba y Peñaranda, dos núcleos de cierta importancia entonces y cabeceras de dos títulos nobiliarios, sobre todo la primera y, por ello, lugares propicios para las actividades y el modo de vida del ciego. No ocurría lo mismo si el camino elegido era el de Ávila, sin ningún núcleo importante entre esta ciudad y Salamanca. Otra pista en el mismo sentido es que la primera aventura que le ocurre a la famosa pareja con el toro tiene lugar en el Puente Romano que está en la salida hacia Alba y no en la que entonces enlazaba Salamanca con Ávila y que está al noreste de la ciudad, por donde salía el que se llamaba el Camino de Madrid, sin tener que pasar el río, y que es la misma ruta que hoy sigue la línea de ferrocarril Salamanca-Madrid.

El no citar a Alba en la novela, aunque es evidente que pasaron por ella, molestó al duque y provocó un problema que pudo acabar con el anonimato de su autor, y es posible que muchos lo averiguaran por tal motivo. Según el Prof. González López, la popularidad de la novela suscitó una polémica entre los duques de Escalona y Alba, al vanagloriarse el primero porque aparecía su pueblo, mientras que de Alba no decía nada. Esto enfadó mucho al todopoderoso duque de Alba, que lo consideró un menosprecio y ofensa, y reclamó a su autor, al que conocía por haber sido prior de S. Jerónimo, para que manifestara, explícitamente, que la singular pareja también había pasado por la villa ducal. Dice así el autor en carta escrita por tal motivo: *Cuando vi por primera vez la villa, llenáronseme los ojos de lágrimas, por tener tanta relación y semejanza con Salamanca... Y pues se me pide expresa noticia de mi paso por este lugar, digo que Alba está muy bien cercada de muros y torres muy espesas y sobre un collado, junto al Tormes. Digo más, hay un oficio artesano muy propio de los albanos, el de alfarero Y se alegrará Vd. si le digo que hay en Alba tantas iglesias, conventos y monasterios que parecía que todos los santos hubieran caído del cielo para juntarse en este sitio... Y digo esto pues desean, por todas las cosas, que mi estancia en Alba venga a noticia de muchos y no se entierre en la sepultura del olvido.* De esta forma el autor daba cumplida satisfacción al Duque de Alba, y ratificaba que la pareja había pasado por la villa ducal al igual que por Escalona y Maqueda.

Lázaro y el ciego, de A. Casillas, junto al Puente Romano en Salamanca, saliendo para Alba.

Los comentarios anteriores ponen de manifiesto que la importancia de Alba ha estado relacionada, sobre todo por su estrecha vinculación con el título nobiliario al que da nombre y del que fue cabecera y sede del mismo durante varios siglos, hasta que se marcharon a Piedrahíta y después a Madrid, y se olvidaron por completo de sus orígenes. La misma importancia de Alba, como centro teresiano, tiene mucha relación con la Casa de Alba, ya que, sin su presencia e influencia, no hubiera existido en ella un convento y, en el caso de haberlo fundado, no hubiera tenido tanta importancia como el actual, ni sus restos estarían hoy en Alba, pues no los hubieran recuperado tras el robo realizado por los de Ávila.

Pero hay algún otro acontecimiento o personaje histórico importante en la zona que también ha contribuido al interés de Alba en nuestra historia, sin que tuviera relación alguna con sus duques ni con Sta. Teresa, pues fue bastante anterior. Tal ha sido el caso de un personaje medieval, importante en nuestra historia y literatura, cuya historia se desarrolló vinculada a un pequeño pueblecito cercano a Alba que le dio nombre, Carpio, muy anterior a que surgiera dicha casa ducal y a que se incorporara la Santa a la historia de Alba. Me refiero a Bernardo del Carpio, uno de los personajes más citados en el Romancero junto con el Cid Campeador y al que podría haber igualado si hubiera sido castellano y hubiera tenido a alguien que contara su aventurada vida en un largo e interesante romance o Poema como le hicieron al Cid Campeador. Tuvo una biografía bastante accidentada, pese a ser sobrino del rey, pero hijo de un padre no deseado por su tío, como se deduce de los siguientes versos del Romancero: *Bastardo me llaman, rey, / siendo hijo de tu hermana; / tú y los tuyos lo dicen, / que ningún otro lo osara; / cualquiera que dé tal dicho / ha mentido por la barba / que ni mi padre es traidor / ni mala mujer tu hermana, / que cuando yo fui nacido, / ya mi madre era casada...*

Arapil, cerro amesetado frente a Alba, con restos del castillo de Bernardo del Carpio.

En otro lugar se narra su intento de enfrentamiento con los moros desde su castillo del Carpio, situado frente a Alba, sobre un Arapil, al otro lado del Tormes; dice así: *Bernardo estaba en el Carpio / el moro en el Arapil, / como el Tormes va por medio, / no podían combatir.* El interés histórico y literario de este personaje, con un medallón en la Plaza Mayor de Salamanca como el Cid Campeador, merece un comentario más extenso que haré más adelante en la Ruta Turística correspondiente. Hago esta referencia para llamar la atención sobre este peculiar personaje tan popular en su época como desconocido hoy, salvo para los que conocemos la historia de estas tierras y nos interesamos por ella y sus personajes.

Por último, recordar que las tierras cercanas a Alba, acrecentaron su importancia y presencia en la historia de España, por lo ocurrido en el entorno de los Arapiles, dos cerros amesetados, frecuentes en estas tierras, y en los que tuvo lugar la conocida Batalla de los Arapiles, 1812. Fue la más importante de la guerra de la Independencia, entre las tropas francesas y las hispano-luso-inglesas. Tuvo muchas y muy negativas repercusiones para los franceses que perdieron el control definitivo de Portugal, al estar en la ruta para ir a ese país, las tropas francesas se replegaron de Andalucía, José I abandonó Madrid y se marchó a Valencia y Napoleón tuvo que poner orden en la Península, al tiempo que veía cómo, desde ese momento, su estrella empezaba a declinar en Europa. Para Alba, como para Salamanca, supuso la pérdida de una parte importante de su monumentalidad, destruida parte de ella por tal motivo, y otra quedó seriamente afectada, y terminó por desaparecer al no ser reconstruida, darle un uso muy diferente al anterior o convertirse en canteras para los lugares en los que estaban.

Monolito conmemorativo de la batalla sobre el Arapil Grande,
con el Chico y Salamanca al fondo.

CAPÍTULO IV
ALBA DE TORMES, CENTRO TERESIANO DESTACADO POR LA ESTRECHA RELACIÓN ENTRE LA SANTA Y LA VILLA DUCAL

En el apartado anterior se ha puesto de manifiesto que la nominación de Alba como la villa ducal por excelencia no es exagerada, sino que la merece con toda justicia y méritos. La importancia histórica y cultural de Alba, su papel en la historia de España, el apasionante patrimonio monumental y el interés histórico, cultural y turístico de todo ello no se limitan solo al destacado papel de los Duques de Alba en la historia de España, que fue mucho, en su relación con Alba, al residir en ella cuando más importantes

Lo esencial de la imagen de Alba no ha cambiado desde hace tiempo: río, puente, castillo e iglesias.

fueron y dado su interés por embellecerla. También debe buena parte de su renombre, y ahora mucho más que antes por el olvido de su faceta ducal, a su estrecha relación con la santa reformadora del Carmelo, Teresa de Jesús, personaje con gran importancia literaria, entre los grandes escritores del Siglo de Oro, razón por la que la Universidad de Salamanca la nombró doctora honoris causa en 1922, primera con tal distinción en la multisecular historia de la institución salmantina. Fue Unamuno, vicerrector y presidente de la Comisión, quien hizo dicha propuesta.

Si el Gran Duque ha sido uno de nuestros grandes personajes históricos por su faceta como estratega, político, mecenas cultural y gran colaborador de la Corona española en los tiempos de mayor esplendor de la misma a nivel mundial, no es menor la importancia de Sta. Teresa de Jesús en nuestra historia, por otros interesantes motivos, como reformadora religiosa, escritora y pionera y destacada feminista. Al igual que el Gran Duque, también Sta. Teresa destacó a gran altura en los campos citados. Fue una de las personas más influyentes en la Iglesia católica, pese a ser mujer, como gran reformadora del Carmelo y modelo para otras, hasta el punto de considerarla algunos como la mujer más importante en la Iglesia católica después de la Virgen María. Algo de cierto tiene que haber en ello, cuando ha sido la primera mujer en ser reconocida como Doctora de la Iglesia, tras muchas negativas al respecto, por el hecho de ser mujer.

Otra segunda faceta en la que destacó fue como escritora, y ratifica esto el hecho de ser la primera persona a la que la prestigiosa Universidad de Salamanca le concedió el doctorado honoris causa, antes que a cualquier hombre, y han sido muchos los que lo han logrado después. Además, para que no haya dudas al respecto sobre los méritos de la Santa, la Comisión que se lo concedió estaba presidida por D. Miguel de Unamuno, quien, además, había hecho la propuesta. En tercer lugar, hay que reconocerle sus grandes méritos como defensora de los derechos de la mujer en unos tiempos y con unas condiciones en que esto era dificilísimo. Recordemos que, a las muchas peticiones de reconocerle sus méritos por parte de la Iglesia católica desde el Vaticano, respondían que no era posible a causa de ser mujer, y no lo consiguió hasta 1970. Sabemos que buena parte de la oposición que tuvo en su faceta reformadora se debió precisamente a que era una mujer la que la llevaba a cabo; no hubiera ocurrido lo mismo de haber sido hombre el que la hacía.

Tal reconocimiento no obedece a ninguna razón ajena a su calidad literaria, pese a que la mayor parte de su obra, sobre todo la escrita en prosa, varios libros y miles de cartas, la escribió por obediencia, sin intereses personales de por medio, sin pretender ni necesitar vivir de la literatura, por mandato o a petición de sus superiores o confesores que conocían sus dotes y consideraban que sería muy interesante que las aprovechara para contar su vida y obras, estas no menos interesantes. Dice Menéndez Pidal que la Santa no escribió, sino que hablaba por escrito, con los descuidos propios de hacerlo así y con la ausencia de todo recurso literario, propio de los profesionales de la pluma. De ahí la vivacidad espontánea de sus escritos. El hecho de escribir por obediencia hace que su estilo esté exento de todo artificio literario, no buscaba ganarse al lector ni congraciarse con él. J. García López dice que creía que un lenguaje sencillo, llano y natural era el más adecuado para una religiosa como ella y una persona con recio carácter pero muy sensible. Coincidía en esto con otro de nuestros grandes escritores, Cervantes, cuando D. Quijote aconsejaba a Sancho para su gobierno en la Isla Barataria: *Llaneza, muchacho, que toda afectación es mala.*

Su dominio de la lengua y su alto nivel expresivo se manifiestan en la plasticidad de ciertas imágenes, en el tono cordial y afectuoso de sus expresiones y en la gracia de rasgos de humor, no exentos de realismo. Lo más importante está en prosa, aunque la parte poética, corta en amplitud, es grande en calidad. Según dicho autor, es una poesía llena de color y musicalidad, destaca la cálida emoción, el vigor intelectual, la emocionada ternura, la misteriosa sugestión, la pasión abrasadora, el lirismo de sus imágenes y la intensidad expresiva. Su dominio de la lengua, el desarrollo de sus escritos, se manifiesta en la plasticidad de ciertas imágenes y en el tono cordial, afectuoso de sus expresiones, ratificado, entre otros, en los versos de su conocido poema *Vivo sin vivir en mí*, que dicen así: *Esta divina prisión / del amor con que yo vivo, / ha hecho a Dios mi cautivo / y libre mi corazón, / y causa en mí tal pasión / ver a Dios mi prisionero / que muero porque no muero.*

Retrato de Sta. Teresa, por Juan de Miseria, muy representativo de la Santa.

El interés de los responsables del ducado durante el periodo más destacado de su interesante trayectoria en la historia de España y la importancia de lo que fueron y realizaron, mientras Alba fue la sede del ducado, lo ratifican. Estrechamente relacionado con lo anterior está la importancia de Alba en el mundo de la cultura debido a la presencia en ella de muchos e importantes escritores del Siglo de Oro de la Literatura española, que estaban en Alba al servicio de los duques, interesados en promover la cultura y relacionarse con los mejores escritores. A ello se unió la aportación que realizará Sta. Teresa en el mismo sentido ya que, además de su faceta como reformadora y feminista, fue también una escritora de primer nivel sin proponérselo, como así reconoció la Universidad de Salamanca en 1922. Todo esto hace que la villa ducal ocupe, con toda razón y merecimiento, un lugar destacado en la cultura española del Siglo de Oro, en gran parte gracias a Sta. Teresa. Pero como en lo relativo al Duque de Alba, también esto es poco o nada conocido, y quizás por eso apenas han sabido sacarle provecho para que todos pusieran a Alba en el lugar que por esto se merece.

La importancia teresiana de Alba ha ido creciendo y hoy es su principal seña de identidad, nexo de unión más fuerte entre los albenses, sean o no creyentes, al estar enraizada en sus vivencias y raíces culturales profundas. Está muy por encima de su vinculación con la casa ducal, con la que le ha ocurrido lo contrario, al ir distanciándose los titulares del ducado de las relaciones con Alba, primero al trasladarse a Piedrahíta y después a Madrid, desde donde las relaciones con Alba han sido escasas y sin apenas importancia, pese a que deben su nombre y parte del prestigio de la institución nobiliaria a la villa del Tormes. Sería interesante para Alba recuperar esta relación e incrementar las relaciones entre Alba y la casa ducal, buscando para ello la forma más adecuada para ambas.

Con el paso del tiempo, el cambio de las cosas y el comportamiento de sus titulares, esto ha ido perdiendo fuerza e interés para los albenses, lo contrario de lo acendrado y generalizado del espíritu teresiano en Alba. Así, los dos conventos carmelitas que hay en ella y que realizan muchas actividades, su inacabada gran basílica, y la reacción que tienen cuando vislumbran algún peligro u ofensa para su Santa, como sucedió hace unos años cuando el falso papa Clemente del Palmar de Troya vino a Alba para ganar popularidad y no se le ocurrió otra cosa que mofarse de la Santa. Se salvó de que lo tiraran al Tormes de casualidad. Lo contrario ocurrió en 1982, cuando S. Juan Pablo II, gran devoto de la Santa, visitó Alba. Fue como el reconocimiento del acendrado espíritu teresiano de los albenses. El broche de oro de este interés por su Santa está en la ampliación del museo teresiano y en la celebración del V centenario que han dado nuevo impulso a lo teresiano en Alba.

La vinculación de Sta. Teresa con Alba no se debe a su condición de escritora, ni su relación con los Duques fue por este motivo, como los escritores citados, sino por su condición de fundadora de un nuevo convento, por el que la casa ducal tuvo gran interés hasta conseguirlo. Dicha relación, Sta. Teresa-casa ducal-Alba no acabó con esto, pese a ser importante, sino que se acrecentó aún más con su interés y decisiva intervención para que Alba fuera el lugar para el descanso definitivo de la Santa, como así lo manifestó ella poco antes de morir. Gracias a este interés fracasó el proyecto de los abulenses para que fuera su ciudad la que guardara los restos de la Santa y así poder tener Ávila la exclusividad de lo teresiano, como ha sido siempre su obsesivo deseo. Lo intentaron por todos los medios, y para ello no dudaron en robar el cadáver y depositarlo en el sepulcro que habían preparado en el convento de S. José antes de morir la Santa, clara demostración de que solo ellos deberían mantener latente el espíritu teresiano y ser los protagonistas exclusivos de lo que se hiciera en relación con la Santa, sin importarles que fuera injusto contra Alba y contra la historia. En el mismo sentido está lo que han hecho algunos en nuestros días, como si fueran catalanes, denominar a la Santa Teresa de Ávila para apropiársela. Y se han quedado tan anchos.

S. Juan Pablo II ante el sepulcro de la Santa en Alba.

Es sabido que el convento de la Anunciación de Alba es hoy, junto con el de S. José de Ávila, el centro más importante en el mundo carmelitano y relacionado con Sta. Teresa. La causa principal de la importancia de este convento se debe al interés que tuvo por él tras su fundación, pues antes nunca entró en sus cálculos el levantarlo en Alba, donde ya había otros tres y era un núcleo pequeño. Contribuyeron a que tuviera tal opinión al respecto las personas que influyeron para que lo fundara y, sobre todo, el hecho de que pudo llevarlo a cabo sin la oposición y el rechazo que tuvo en todos los demás. Lo fundó por el gran interés que mostraron los Duques; su hermana pequeña, Juana, y su esposo, que ya la habían ayudado en el de S. José, y otras gentes devotas. Por eso sintió siempre gran interés por él, y su solemnidad destacó dentro de la Orden al haber fallecido la Santa en él y ser enterrada sin que hubiera existido antes nada al respecto, sino solo para dar satisfacción a la Santa, que mostró su deseo de ser enterrada en este convento poco antes de morir. Con ello echó por tierra el proyecto abulense que ya tenía preparado mucho antes un sepulcro en el convento de S. José con tal fin. Nunca han asumido el que no sea Ávila el lugar en el que reposen los restos de la Santa. Pero ya antes de que ocurriera esto, en vida de la Santa, esta sentía enorme predilección por este convento de Alba, como así lo puso de manifiesto en varias ocasiones, por las razones citadas antes que influyeron en la fundación del mismo, de lo que no se arrepentirá después, al contrario, mostró siempre su satisfacción por haberlo llevado a cabo.

Conventos de las Isabeles y MM. Benedictinas, anteriores al fundado por Sta. Teresa, 1571.

La coincidencia de varias causas contrarias excluían a Alba de estar entre los posibles lugares para levantar un convento reformado. Pero la existencia de otras favorables la hicieron cambiar de intención y proceder a su fundación, de la que se alegró mucho después. Ya he citado las principales causas que impulsaron a la Santa a hacer la fundación en Alba y que explican su interés por la mismo. Además de las personas citadas, su hermana, los duques, influyó también su confesor, el P. Báñez. En su libro *Las Fundaciones* deja bien claro este aspecto: *No hacía dos meses que había tomado la posesión, el día de Todos Santos, en la casa de Salamanca, cuando de parte del contador del Duque de Alba y su mujer, fui importunada que, en aquella Villa, hiciese una fundación. Yo no lo había mucha gana, a causa que, por ser lugar pequeño, era menester que tuviese renta, que mi inclinación era a que ninguna tuviese. El padre maestro, fray Domingo Bañez, que era mi confesor, de quien traté al principio de las fundaciones, me riñó y dijo que, pues el Concilio daba licencia para tener renta, que no sería bien dejase de hacer un monasterio por eso.*

Es evidente que para la fundación de Alba de Tormes Sta. Teresa contó con muchos y claros apoyos que la hicieron cambiar del proyecto inicial de no fundar en lugares pequeños en los que les fuera muy difícil sobrevivir. A esto se unía el que, en la villa ducal, ya había otros dos conventos femeninos por lo que la competencia era evidente. Además, fundar en tales lugares iba contra el principio general que tenía establecido de no hacerlo con recursos propios, renta, para el mantenimiento del convento, por lo difícil que era conseguir tales recursos; lo deja claro en su libro *Las Fundaciones*, en el que dice: *Yo siempre he pretendido que los monasterios que fundaba con renta la tuviesen tan bastante, que no hayan menester las monjas a sus deudos ni a ninguno, sino que de comer y vestir les den todo lo necesario en la casa, y las enfermas muy bien curadas; porque de faltarles lo necesario vienen muchos inconvenientes. Y para hacer muchos monasterios de pobreza sin renta, nunca me falta corazón y confianza, con certidumbre que no les ha Dios de faltar. Y para hacerlos de renta y con poca, todo me falta. Por mejor tengo que no se funden. En fin, vinieron a ponerse en razón y dar bastante renta, lo que les tuve en mucho, que dejaron su propia casa para dárnosla y se fueron a otra harto ruin.* Está claro su planteamiento al respecto y, sin embargo, en el caso de Alba no lo cumple, al ser tan importantes y convincentes las causas

Espíritu de pobreza y viajera, imágenes de Sta. Teresa por Castilla
como fundadora de nuevos conventos.

que le hacen cambiar de opinión y que, después, no se arrepintiera de la decisión tomada, al contrario, se sintiera satisfecha de ella.

En efecto, lo que acabó de vencer su resistencia a tal tipo de fundación y su inmediata puesta en marcha fue la eficaz colaboración del matrimonio D. Francisco Velázquez, contador de los duques, y su esposa Teresa de Layz, mujer un tanto singular, naturales de Tordillos, sin hijos y con recursos que costearon la construcción de forma rápida y sin problemas, cosa a las que no estaba acostumbrada la Santa, por su experiencia con las que fundó en otros lugares. Con tales apoyos y ayudas y sin apenas oposición, frente a lo que había ocurrido antes en casi todas las fundaciones, Sta. Teresa lo levantó con gran complacencia, disfrutará después con él y, por otras causas, quedará estrechamente vinculada a él hasta hoy. Los albenses han correspondido a tal afecto de la Santa y se han manifestado siempre como grandes devotos de la misma, y consideran su condición de villa teresiana, como principal seña de identidad colectiva, demostrada en reiteradas ocasiones.

Al igual que con otros conventos, la Santa cuenta en su libro *Las Fundaciones* cómo hizo la fundación del de Alba, poco después de fundar el de Salamanca, pese a que no entraba en los cálculos iniciales de la Santa, por ser un núcleo pequeño, cercano a Salamanca y donde ya había otros dos conventos femeninos, por lo que le resultaría más difícil salir adelante. Fiel a su estilo sobrio, conciso y claro, la Santa cuenta el proceso previo a la fundación del convento de Alba, y deja claro que no era de su agrado levantarlo, y menos si iba a tener problemas por ser lugar pequeño. Pero, por las causas citadas antes, cambiará de opinión y pronto se volcó en el mismo, y no dejó de mostrar la satisfacción que esta nueva fundación le producía. El hecho de que fueran tantas y tan importantes las personas e instituciones interesadas en la fundación de este convento pudo influir en que no hubiera la oposición y el rechazo que tuvo en otras fundaciones que hizo. La conjunción de tales personas frenó el que surgieran otras en contra, como era habitual cuando decidía fundar un convento en cualquier lugar. Aquí sorprendentemente no fue así y este convento, el octavo de los fundados por la Santa, gozó de una especial simpatía y predilección por su parte.

Este cambio de opinión respecto a la fundación del convento de Alba no supuso que lo fuera hacer también respecto al modo de vida de las religiosas que lo iban a ocupar. Aplicará los mismos criterios de rigor y austeridad de las nuevas reglas del Carmelo, que tanta oposición levantaron en sus propios compañeros ya que no deseaban tal rigidez, y que habían convertido muchos conventos en una especie de residencias para jóvenes y mujeres solas o deseosas de una vida tranquila. Como era habitual desde el comienzo de la reforma, también en este dormirían en jergones de paja, llevarían sandalias de cuero, madera y esparto, dedicarían ocho meses al ayuno y se abstendrían

La devoción a la Santa siempre ha sido y es una destacada
seña de identidad de los albenses.

de carne. Pero lo esencial de la reforma no estaba en lo exterior, solo en sacrificios materiales, como el ayuno y la abstinencia y una vida más rigurosa, sino en un actitud interna muy diferente, y de la que lo exterior debía ser reflejo. En el centro de la citada reforma colocó como preferente una mayor dedicación a la oración, clausura más rigurosa y más vida contemplativa y comunitaria. Además, estas normas obligaban por igual a toda la comunidad, sin diferencias entre ellas, como sí ocurría antes y de forma muy notoria. No habría más excepción que por causa de salud o edad.

Zapatillas de cáñamo, otro símbolo más de la disciplina carmelitana reformista.

Algo parecido les ocurrió a los albenses que, aunque ya tenían otros dos conventos de monjas, este gozará de su simpatía y agrado desde el comienzo, y mucho más después por las grandes cualidades que adornaban a su fundadora y lo popular que se hizo. Lo que ocurrirá después en él será como el broche de oro para que se convierta en una de las referencias de la Orden del Carmelo a nivel mundial, junto con el de S. José de Ávila. Como era norma en los nuevos conventos fundados por la Santa, la comunidad religiosa era pequeña, lejos del elevado número de monjas y servicio que tenían antes algunos, entre ellos el de la Encarnación de Ávila, donde vivió la Santa 29 años. La comunidad albense inicial estaba formada por Sta. Teresa y cinco compañeras: sor Juana del Espíritu Santo, M.ª del Santísimo Sacramento, M.ª de S. Francisco, Guiomar de Jesús y Tomasina Bautista. Como en los otros que fundó, mostró su sentido común y su realismo de estar con los pies en el suelo, y hacer que figuraran en las Capitulaciones garantías para que no faltaran a la comunidad recursos para atender sus necesidades básicas, como casa digna, alimentos, vestidos y medicinas. Era una muestra más de la responsabilidad, el pragmatismo y el sentido común que la caracterizó en todas las fundaciones que llevó a cabo.

Convento de la Anunciación, Carmelitas Descalzas de Alba, 1571.

Lejos estaba la Santa de imaginar la importancia que este convento iba a tener en su biografía y culto, hasta convertirse en uno de los más importantes en la espiritualidad carmelitana y el mundo teresiano. El que no hubiera oposición, ni siquiera la de ciertos grupos que aparecieron en casi todos los que fundó, y los importantes apoyos que tuvo desde su propuesta de fundarlo, la agradó mucho y no tardó en mostrar su satisfacción por este convento, como dice del mismo: *Y tengo una ermita que se ve el río y también donde duermo, que estando en la cama puedo gozar de él, que es alta recreación para mí.* Así fue como empezó a funcionar, a partir del 25-I-1571, el convento de la Anunciación de Alba, octavo *palomarcito* de los fundados por la Santa y que, por diversas razones, será uno de los más importantes en su vida y obra y, en nuestros días, destacado centro de devoción teresiana y de espiritualidad carmelitana.

La satisfacción que le produjo la fundación del convento de Alba en 1571, poco después del de Salamanca, donde ocurrió algo parecido por la serie de circunstancias favorables que concurrieron en la fundación de ambos, en el de Salamanca sí tuvo algunos incidentes ajenos a la fundación propiamente dicha, se verá contrarrestada por los muchos sinsabores que sufrirá en los años siguientes, al tener muchos y fuertes ataques, críticas, oposición y rechazo total de la reforma desde muy diversos frentes y personas. Así en 1572, al año de fundar el convento de Alba, se recrudecieron severamente las desavenencias dentro de la Orden, entre los partidarios de la reforma y los opuestos a ella, y no de cualquier forma, sino de forma violenta y recurriendo a todos los medios y artimañas por parte de los opositores para frenarla e, incluso, anular lo realizado. Como era lógico esperar, no faltó la denuncia a la Inquisición, instándola a que actuara con rapidez, para que le impidiera fundar nuevos conventos y cerrara los que ya había abierto.

Esto cambiaría algo, al menos en las formas violentas y directas en 1575, al celebrarse un Capítulo General de la Orden del Carmelo en Plasencia y llegarse al acuerdo de separarse en dos ramas, *Descalzos* los reformados y *Calzados* los contrarios a ella. Pero, al mismo tiempo, critican y condenan a los Descalzos por extralimitarse en sus fundaciones y por las exigencias de la reforma, con las que nunca han estado de acuerdo. El biógrafo de la Santa, el carmelita P. Sanz, dice así: *El 22 de junio de 1580 se consigue la ansiada separación de los Descalzos en Provincia independiente, mediante un breve Papal que les concede que puedan elegir Provincial, fundar casas, darse leyes y tener libre acceso a la Santa Sede, sin contar con el General de la Orden. Es la solución a los graves conflictos que amenazaban a la obra de Sta. Teresa que, poco después, dirá: Ahora estamos en paz, Calzados y Descalzos, no nos estorba nadie para servir a Nuestro Señor.* Por fin, consiguen lo que llevaban persiguiendo casi veinte años: hacer fundaciones de acuerdo con la Reglas establecidas en la reforma realizada por Santa Teresa. Es tanto lo que han sufrido por esto que les parecía mentira lo conseguido. Pero el cese total de la violencia de los Calzados tardaría varios años en producirse, antes de pasar a la indiferencia, al olvido y dejarles hacer. Como ocurrió con otros muchos casos, el hecho de ser mujer la que establecía las normas para los nuevos conventos e impulsaba su fundación añadía un importante plus de violencia a todo ello. Es sabido que muchos de los opositores lo fueron y exacerbaron sus críticas por ser mujer la que hacía la reforma, como el nuncio papal y un catedrático dominico de la Universidad de Salamanca, entre otros.

También en esos años, 1574, fundó un convento en Segovia, al que trasladó a las monjas que estaban en el que había fundado en Pastrana, pero que lo tuvo que cerrar por el enfrentamiento con la intrigante Ana de Mendoza de la Cerda, la conocida princesa de Éboli, que había logrado convencer a Sta.

Convento de carmelitas descalzas, Segovia, fundado en un momento
muy crítico para la Santa. 1574.

Teresa para que lo fundara, como un capricho más de los muchos que tuvo en su forma de vida alegre. El cierre del convento, contra el deseo de su mecenas, la citada Princesa, le supuso el enfrentamiento y odio de tan intrigante e influyente señora, que la denunció a la Inquisición por el *Libro de su vida* e hizo cuanto pudo, y podía mucho, por amargarle la vida. A estas denuncias al Santo Tribunal se unieron otras, algunas de carmelitas descalzos que habían renegado de ello, lo que hacía más duro su proceder para la Santa y que fuera más dolorosa su oposición.

A estos y otros carmelitas calzados, dos de ellos desertores de la reforma, Miguel de la Columna y Baltasar de Jesús, no les gustaba que fuera una mujer la que hiciera tales cosas y, menos aún, que lo hiciera para recuperar la exigente regla primitiva del Carmelo, cosa con la que no estaban de acuerdo, y mucho menos tras conocerla por haber sido algún tiempo carmelitas descalzos. Para quitársela de en medio, nada mejor que acusarla de alumbrada, farsante, o ambas cosas, y denunciarla a la Inquisición, seguros de que los escucharían. Afortunadamente la Inquisición, que la investigó varias veces, nunca encontró en su actividad reformadora ni en sus múltiples escritos nada reprobable y la dejó actuar, pese a lo rigurosa que era entonces dicha institución. Fueron sus superiores, no los inquisidores, los que en 1575 le prohíben fundar más conventos y la obligan a retirarse a un monasterio; las órdenes le vienen del padre Juan B. Rossi, prior general del Carmelo. Simultáneamente, en Sevilla, un antiguo confesor de la Santa delató a la Inquisición las supuestas faltas de la priora de las descalzas y de Santa Teresa, y se originó un ruidoso expediente que puso en claro la inocencia de ambas. Por ventura, cuando el P. Rossi conoció mejor la reforma de la Santa, cambió de opinión y se volvió un gran admirador de la misma y la animó a que continuara con ella. Se cumplía así lo de que: *No hay mal que por bien no venga*.

Este ambiente enrarecido y opuesto a la actividad reformadora de la Santa llegó también al provincial de los carmelitas en Castilla y León, P. Salazar, que le prohibió hacer más fundaciones y le dijo que se retirase a un convento, S. José, y no saliera del mismo. No acabaron con esto las medidas para parar las fundaciones, pues alguna persona influyente llegó a proponer que la Santa se marchara a América, cerraran los conventos abiertos y así quedarían en paz. Incluso buscaron el apoyo de Felipe II para que este tomara cartas en el asunto contra la Santa. Llegados a este extremo, Teresa decidió presentarse ante Felipe II y, tras escucharla, la opinión del rey respecto a la Santa fue contraria a los deseos de sus opositores y favorable a Sta. Teresa, hasta el punto de que, cuando murió, Felipe II instó a Fr. Luis de León para que publicara sus obras, cosa que hizo en 1588. Las monjas de la Encarnación, para reforzar la posición de la Santa, la eligieron priora en 1577, a pesar de las censuras del superior, P. Valdemoro, que las amenazó con la excomunión por hacer tal cosa. En este tiempo tan adverso, uno de los periodos más duros de su vida como reformadora, escribió por sugerencia del P. Ripalda, jesuita, autor del conocido y popular *Catecismo de la Doctrina Cristiana*, y que siempre le fue favorable, el libro de su vida. Esto constituyó gran alivio para la Santa, justo en el mal momento por el que estaba pasando, por la gran oposición que hubo entonces contra su obra reformadora.

Las cosas mejoraron en los años siguientes y desaparecieron algunos de los problemas citados, pero surgieron o arreciaron otros, como los que no estaban de acuerdo con lo que hacía y escribía la Santa, y además la importancia de todo esto se acrecentaba por ser una mujer la promotora. Al año siguiente, en 1578, polemizó por sus escritos nada menos que con el P. Suárez, provincial de los jesuitas, sucesor de S. Ignacio al frente de la Compañía y conocido por sus méritos como el Dr. Eximio, catedrático de la Universidad de Salamanca y un personaje muy influyente en su tiempo y dentro de la recién creada y ya poderosa S. J.

Todo esto contribuyó a que los opositores de la Santa se crecieran de nuevo y ganaran para su causa, nada menos, que al nuncio papal, Felipe Sega, quien redobló su persecución, hasta el punto de pretender destruir la reforma, desterrando a los principales descalzos y confinando a Teresa en Toledo. Un testimonio de cuál era su opinión respecto a la Santa y su reforma, y el alto grado de rechazo a la misma lo tenemos en la siguiente cita, que muestra su radical oposición a la reforma y, más aún, a la persona impulsora de la misma. Es claramente machista, como ocurrió con otros muchos opositores y era habitual entonces en todos los ámbitos. La famosa frase referida a Sta. Teresa, *fémina inquieta y andariega*, un tanto graciosa y simpática, tiene una segunda parte, que es todo lo contrario, y la dijo el citado personaje, F. Sega, que fue de los más duros y siniestros de cuantos se opusieron a su reforma; dice así: *Fémina inquieta y andariega, desobediente y contumaz que, a título de devoción, inventa malas doctrinas, andando fuera de clausura contra la orden del Concilio Tridentino y de los prelados, enseñando como maestra, contra lo que S. Pablo enseñó, mandando que las mujeres no enseñasen.* (¡¡??) Tenía que ser duro oír esto de tan alto personaje.

El comentario anterior no tiene desperdicio por su machismo y desprecio a la Santa por ser mujer, y el deseo que transmite de poner a la Santa a la altura del betún. Del mismo estilo es el comentario de Fr. Bartolomé de Talavera, dominico y catedrático de la Universidad de Salamanca, cuando fundó el convento de dicha ciudad: *Más le valía que, como mujer y monja, se quedara en el convento hilando y fregando.* Tales descalificaciones muestran claramente cómo pensaban de ella y de la reforma personajes muy significativos e influyentes en su tiempo, y demuestran el machismo imperante en todos ellos. Esto revaloriza la importancia de lo realizado pues, a las dificultades económicas y sociales que suponía poner en marcha un nuevo convento, se unía esta mucho más grave, que era desprestigiarla y menospreciarla por ser mujer. A pesar de todo, siguió adelante, y se enfrentó a los que se oponían a todo lo que realizaba, lo que da más valor a todo lo que hizo.

La actuación de tan importante personaje, el nuncio, no se limitó a expresar su radical oposición a la Santa, sino que hizo cuanto pudo para destruir la reforma o, por lo menos, para que la Santa no continuara con ella. Así, desterró a sus principales colabores y confinó a la Santa en Toledo y le aconsejó que se fuera a América. También la denunció a la Inquisición un antiguo confesor de la Santa, lo que inició un ruidoso expediente que dejó en claro su inocencia, aunque tuvo que sufrir mucho por tal motivo. Todo esto, tan contrario a lo vivido con la fundación de Alba, hizo que le tomara a este convento gran aprecio y cariño, acrecentado por el interés que tenían en el mismo su hermana pequeña, Juana, y sus amigos los duques. Estos, además de su inestimable apoyo para la fundación, fueron los causantes de la vinculación perpetua de la Santa con Alba, al ser los que provocaron el viaje de la Santa desde Burgos, donde estaba haciendo otra fundación, la última, hasta Alba, para acompañar a la nuera de la duquesa en el parto, y murió allí poco después. Alguien ha dicho que *Dios escribe derecho con líneas torcidas*, y así fue en este caso, en el que, sin pretenderlo ni buscarlo, Alba se vio estrechamente vinculada a una de las mujeres más importantes en la historia de España y, como dicen algunos con los que estoy de acuerdo, en la Iglesia católica. Según estos, ha sido la mujer más destacada en el mundo cristiano después de la Virgen María, cosa que no parece exagerada cuando se conoce su biografía. Ya lo dice el refrán: *Cuando el río suena, agua lleva.*

P. Suárez, superior de los jesuitas y catedrático de Salamanca.

Sta. Teresa: *Fémina inquieta, andariega y fundadora.*

El interés que mostró Sta. Teresa por el convento de Alba se acrecentó hasta niveles insospechados por lo ocurrido a la Santa en los últimos días de su vida, en los que dicho convento jugará un destacado papel que se ha mantenido hasta hoy. En marzo de 1582, viajó a Burgos para fundar un nuevo convento, el decimoséptimo de la serie, una vez que logró unificar los apoyos que le prestaban varias personas interesadas por dicha fundación. Antes de lograr esto, había tenido que sufrir disgustos similares a los de las primeras fundaciones, lo que, unido a su delicado estado de salud, le hizo más difícil y costoso sacarlo adelante. Entre las que la apoyaron, decidida y eficazmente, estaba Dña. Catalina de Tolosa, viuda con recursos y cuatro hijas carmelitas, monjas profesas en diferentes conventos fundados por la Santa. Contó con el apoyo, muy variable, del arzobispo, recién venido de Canarias, que la apoyaba por carta, pero dilataba autorizar la fundación sin darle explicaciones. Tuvo que sufrir la oposición de los jesuitas y de otras órdenes que estaban esperando la autorización para fundar también en Burgos y vieron como Sta. Teresa se adelantaba a todos ellos, cosa que no les gustó, máxime, por ser mujer. También fue evidente cierto rechazo popular, quizás incitados por otros, como le ocurrió en Burgos, donde una mujer la empujó a un charco cuando iba un día por la calle, al tiempo que le decía: *Esto para la santularia.*

Al fin logró ponerlo en marcha, superados otros inconvenientes, como el alojamiento temporal en un hospital que tuvieron que abandonar *por sus malos olores y muchos ratones.* Todos estos sinsabores se acrecentaron por el empeoramiento de su salud, muy quebrantada ya cuando vino a fundar el

Convento de las carmelitas de Burgos, última fundación de la Santa. 1582.

convento; sufrió un amago de parálisis y úlceras en garganta y boca que le impedían comer. Logrado ya el objetivo de fundar el decimoséptimo convento reformado y finalizado en Burgos el libro escrito sobre esta temática, *Las Fundaciones*, el 26-VII decidió regresar a su querido convento de S. José, del que era la priora y en el que esperaba recuperar fuerzas o, por lo menos, sentirse más tranquila y cuidada. Su delicado estado de salud había empeorado en Burgos, y se acrecentó su deseo y necesidad de regresar a Ávila. En tales condiciones salió de Burgos el 26-VII-1582 para volver a S. José y en él descansar y poder reponerse. Pasó por los conventos carmelitas de Valladolid y Medina del Campo, cuyas prioras la despreciaron y humillaron sin motivo alguno, pese a ser quien era y cómo se encontraba y que una de ellas, además, era sobrina de la Santa. (¡¡??)

Convento de carmelitas de Medina del Campo, del que salió la Santa para el de Alba, donde murió.

La fundación de Burgos, para no variar, fue como muchas anteriores, con serios problemas y oposición de gente importante a la que no le gustaba, y menos el que fuera una mujer la que la llevara a cabo. Tras recibir la autorización del arzobispo, este mismo se la denegó sin explicación alguna. Algo parecido hicieron otras personas pero, con todo, siguió adelante hasta conseguir lo proyectado. Además, lo hizo en unas condiciones personales muy lamentables, pues se encontraba muy enferma, como dice su amiga y acompañante Ana de S. Bartolomé. De igual opinión era un médico de Burgos que la atendió, conoció y se convirtió en un gran admirador de ella, A. Aguilar. Dice así de la Santa, con motivo de su estancia en Burgos: *Conocí a dicha Santa que decía ser de sesenta y siete años, tan desencuadernada y desencajados los huesos, que fuera lástima que se le debía tener... que tenía convulsiones, desmayos, destilaciones, vómitos y otra inmensidad de males. Llevábalos con tanta paciencia que era cosa de admirar, sin quejarse ni enfadada.*

La fundación de Burgos, solo veinte años después de fundar el convento de S. José de Ávila, muestra algo que parecía impensable entonces. Esto pone de manifiesto que no fue una decisión improvisada, sino pensada y realizada con convicción y teniendo las ideas claras al respecto, cosa nada fácil al tratarse de algo tan complejo y que, desde el comienzo, tuvo tantos y tan diversos opositores, muchos de ellos poderosos e influyentes en su tiempo, pero que se estrellaron contra la firme voluntad de Sta. Teresa. Su biógrafo, el carmelita P. Sanz dice a este respecto: *Sta. Teresa de Jesús fue consciente de la importancia de los acontecimientos de su tiempo. Sorprende la cantidad de referencias en sus obras al Concilio de Trento, guerras de religión, revueltas de los moriscos, enfrentamientos con Francia, Portugal y Flandes, conquista americana, donde fueron varios hermanos, abundancia e importancia de los productos que llegaban de allí, los procesos de la Inquisición e Índice de Libros Prohibidos, por lo que esto afectaba a los que ella escribió. Además, fue persona bien relacionada con personas representativas de su tiempo, sorprendente si recordamos que era monja de clausura. Se relacionó con S. Pedro de Alcántara, S. Juan de Ávila, S. Juan de la Cruz, S. Francisco de Borja, S. Juan de la Cruz y los P. jesuitas, Suárez y Ripalda, entre otros. Demuestra así que era una mujer despierta, abierta, inteligente, muy sociable e involucrada con todo lo mucho importante que ocurrió en su tiempo.* Es evidente que no se trataba de una persona cualquiera.

No consiguió todo lo que hizo, y que fue mucho y en muchos y diferentes campos, de manera casual, fortuita, sino contando con una inteligencia natural nada común y convencida de que la idea que quería llevar a cabo, en este caso la reforma de los Carmelitas, era una obra que merecía todo su esfuerzo, dedicación y sacrificios. Y a esta tarea entrega su vida desde que decide iniciarla en

1562. No solo se preocupa de los aspectos importantes, como la parte material de los conventos, instalaciones y recursos para que puedan vivir las monjas en ellos, sino también de ganar para su causa a gente poderosa e influyente y conseguir los permisos necesarios, además de llegar hasta los últimos detalles en la organización de la vida conventual. Dice así el citado biógrafo P. Sanz: *Teresa cambia de nombre como signo de que inicia una nueva vida, Teresa de Jesús en vez de Teresa de Cepeda. Sus compañeras también cambian los apellidos civiles por otros religiosos. Entre ellas no es importante la familia de procedencia. Aunque otras órdenes pedían a sus candidatas un certificado de limpieza de sangre, ella no permitió introducir esa norma en sus constituciones... No se admiten legas ni criadas en el convento, como era frecuente antes, ni tratamientos que indiquen la pertenencia a un estado superior... Todas vivirán del trabajo de sus manos, independientemente del cargo que ocupen, se turnarán en los servicios necesarios del convento: cocina, lavadero, limpieza, huerta y atención a la portería. Cada una se alimente y reciba ayuda según su necesidad, independiente de su cargo y edad. La austeridad y la ascesis, que deben existir en la vida conventual, se harán con suavidad. Todo esto va encaminado a que se sientan miembros de una familia en la que las virtudes humanas, que favorecen la convivencia, sean también el fundamento de la consagración religiosa: afabilidad, educación, gratitud, laboriosidad, higiene, colaboración Además, introduce en la vida de las monjas una hora por la mañana y otra por la tarde a la convivencia activa y distendida, conocida como «recreación».* Esta nueva forma de vida conventual que introduce la Santa con su reforma, está a años luz de cómo vivían entonces en los conventos, ahora están muy vinculados a la sociedad de entonces y que ella conoció.

Pese a encontrarse tan mal, cansada y ya mayor, pues tenía 67 años, bastante edad para aquellos tiempos, siguió con su idea de hacer una fundación en Madrid, tras conseguir la de Burgos. Era un proyecto al que le venía dando vueltas pues le agradaba, y para el que ya tenía apoyos y, como no podía ser menos, fuerte oposición como siempre. La misma Sta. Teresa era consciente de su mala salud, de que se aproximaba su final y de que difícilmente podría llevar a cabo otra fundación. Cuando consideró que su estancia en Burgos no era necesaria, decidió volverse a Ávila, a S. José, convento del que era priora, para descansar y recuperarse, pensaba ella. Pero por circunstancias diversas no fue así. Estando en Medina, donde la superiora, al igual que la de Valladolid, también la recibió con cajas destempladas, el provincial le ordenó que se dirigiera a Alba para asistir a la elección de priora y, sobre todo, acompañar a la Duquesa de Alba, cuya nuera iba a dar a luz. Todo esto desalentó a la Santa, que se encontraba mal y ansiaba volver a S. José para recuperarse, pero ella, para quien la obediencia era prioritaria, aceptó sin rechistar, cambió de rumbo y se dirigió a Alba.

Último viaje de la Santa desde Burgos a Alba de Tormes.1582… camino de su muerte.

Conocemos tal situación por el testimonio de su compañera y amiga Ana de S. Bartolomé, que la acompañaba y nos dice en qué lamentable estado se encontraba en aquellos momentos: *Llevó el camino con tan gran trabajo que, cuando llegamos a un lugarcito cerca de Peñaranda, iba la Santa con tantos dolores y flaqueza, que le dio allí un desmayo y a todos nos hizo harta lástima verla así; y para esto, no llevábamos cosa que poder dar, si no eran unos higos y con eso se quedó aquella noche. Consolábame ella diciendo que no tuviese pena, que demasiado buenos eran, que muchos pobres no tendrían tanto regalo.* Dada su penosa situación no es de extrañar que dicha compañera afirmara cuando llegaron a Alba que Sta. Teresa: *Estaba enferma del mal de muerte.*

Poco después, al agravarse su estado de salud, el médico ordenó que la llevaran de nuevo a la celda de la planta baja. El día 3 por la tarde recibió, con gran unción, el viático y la extremaunción por la noche. El P. Ribera, jesuita, admirador de la Santa y autor de una biografía publicada poco después, cuenta lo ocurrido en sus últimos momentos: *Pidió la extremaunción y recibióla, con gran reverencia y recogimiento, a las nueve de la noche, víspera de S. Francisco…* Poco después, a las nueve de la noche del día 4 de octubre de 1582, con un crucifijo en las manos, expiró Sta. Teresa de Jesús. Mientras, en el palacio de los Duques, se celebraba alegremente el bautizo de su recién nacido nieto.

Reconstrucción de la celda en la que murió Sta. Teresa.

También cuenta dicho autor cómo manifestó la Santa su deseo de ser enterrada en Alba, cosa que sentaría muy mal a los de Ávila, que ya tenían preparado el sepulcro en el convento de S. José; dice así: *Después, le preguntó Fr. Antonio de Jesús si quería que llevasen su cuerpo a Ávila o se quedase en Alba. Respondió la Santa, dando a entender con el rostro que le molestaba la pregunta, y dijo: ¿Tengo yo de tener cosa propia? ¿Aquí no me darán un poco de tierra?* De esta forma tan sencilla y sin haberlo planteado antes nadie en Alba, solo para cumplir el deseo de la Santa, este convento se convirtió en el lugar para el reposo definitivo de Sta. Teresa. Poco después procedieron a enterrarla de la forma más segura posible, para evitar que pudieran llevársela y como si ya previeran que alguien pudiera intentarlo como así fue. Dice Sor Ana de S. Bartolomé: *Al día siguiente la enterraron con la solemnidad que pudo hacerse en aquel lugar. Pusieron su cuerpo en un ataúd, cargaron sobre él tanta piedra, cal y ladrillo que se quebró el ataúd y se entró dentro todo. Esto hizo la que dotó aquella Casa, Teresa de Layz, no bastando nadie a impedírselo, pareciéndole que, por cargar tanto, la tendría más segura y que nadie la sacase de allí.* (¡¡??) Ante tantas medidas de seguridad es evidente que ya temían lo que ocurrió poco después, que los de Ávila deseaban darle uso al sepulcro que habían preparado mucho antes y, para ello, robaron el cadáver. Los de Alba habían tomado medidas contra esto pero resultaron insuficientes y no pudieron evitarlo, pero sí que los de Ávila se quedaran con él.

Murió el mismo día en que el papa Gregorio XIII aplicó la reforma del calendario juliano al gregoriano, reforma en la que habían tenido una destacada intervención profesores de la Universidad de Salamanca y que marcaba la supresión de diez días, por lo que el 4 de octubre pasó a ser el 15, día en que se celebra su muerte. Vivió sesenta y siete años que para la Santa fueron, según lo definió ella misma con una de sus tantas expresivas frases: *Como una mala noche en una mala posada.* Tras su muerte encontraron en el hábito el popular poema: *Nada te turbe; / nada te espante; / todo se pasa; / Dios no se muda, / la paciencia / todo lo alcanza./ Quien a Dios tiene, / nada le falta. / Solo Dios basta./* Entre los muchos escritos de la Santa, sin duda alguna, este breve poema está entre los más conocidos y populares.

Así fue y por eso la enterraron en Alba, para cumplir su última voluntad, y sin nada preparado anteriormente, pues nunca pensaron que podría ocurrir tal cosa en el convento. No sucedió lo mismo en Ávila, donde no gustó que tal acontecimiento ocurriera en otro lugar y que no fuera en dicha ciudad donde reposaran sus restos. A tal efecto, ya tenían preparado un sepulcro en el convento de S. José, junto al del obispo A. de Mendoza, que autorizó la fundación del mismo. Para lograr sus deseos actuaron en consecuencia y, dos años después, se llevaron el cadáver de la Santa, contra la voluntad de la comunidad de Alba y de los duques, que pronto harán cuanto esté a su alcance para recuperarlo, cosa que conseguirán, con el disgusto de los de Ávila. Su eficaz intervención consiguió del Papa un Decreto por el que obligaban a los de Ávila a devolverlo y el mandato de que nunca más volvieran a intentarlo, cosa que no cumplieron. En efecto, con motivo de la celebración del III centenario de la beatificación en 1914, los carmelitas de Ávila, con el consentimiento de los de Alba y la disculpa de que aquí no se interesaban por la Santa, a pesar de que estaban construyendo la basílica, intentaron llevársela de nuevo, cosa que tampoco consiguieron, al producirse una revuelta popular para impedirlo, cosa que lograron.

Convento de S. José, donde tenían preparado un sepulcro para la Santa.

Poema encontrado en su hábito cuando murió.

De esta manera tan fortuita como inesperada, Alba se convertiría en uno de los centros teresianos y de espiritualidad carmelitana más importante en la Orden, al tener el honor de guardar los restos de la Santa y, por tal motivo, ser uno de los principales centros de peregrinación teresiana, junto con Ávila, aunque los de esta ciudad hagan todo lo posible para restarle protagonismo a Alba en algo tan evidente como es su importancia dentro del mundo teresiano. Se demostró, una vez más, en la celebración del Día del turismo regional sobre tema teresiano en 2014. Se celebraría en ambas ciudades conjuntamente y sin diferencias, en teoría, entre las dos sedes, pero no fue así. Constaba de cuatro actos, tres de ellos, los más importantes, se celebraron en Ávila por la mañana y contaron con la asistencia de autoridades regionales. En Alba solo se celebró el cuarto, carente de interés, y sin asistencia de ningún representante. Doy fe de ello porque estuve presente en todos.

Otro tanto ha ocurrido con las Edades del Hombre. Han tenido cuatro capítulos y sedes, los tres primeros y más importantes han estado en Ávila, en tres sedes y, solo el cuarto, bastante menos interesante, en Alba. Está fuera de duda la desigualdad entre ambos lugares, con clara diferencia en favor de Ávila, al igual que el número y la calidad de las actividades, para Alba solo quedó una pequeña cantidad. Esta es la impresión que produce en cuantos visitan *Las Edades del Hombre* con objetividad y sin anteojeras, como el periodista J. M.ª Escribano que dice: *Así como en Ávila ofrecen 206 piezas que vienen de toda España, obras de una calidad excepcional y ejecutadas por artistas de fama universal como Zurbarán, Martínez Montañés, Salzillo, Juan de Juni, Alonso Cano, Lucas Jordán, Ribera, Gregorio Fernández, Luis Salvador Carmona o Goya, en Alba de Tormes el elenco artístico que exponen es bastante reducido y con escaso interés.* Lo mismo puede decirse con el reparto del presupuesto para actividades con motivo del V centenario Teresiano, con clara ventaja para las celebradas en Ávila.

Se han salvado, en parte, estas diferencias en *Las Edades del Hombre* gracias al montaje de una pequeña pero interesantísima exposición con catorce esculturas religiosas de Venancio Blanco en la iglesia de S. Juan, realizadas todas en bronce fundido a la cera perdida. Destacan un *Calvario*, un *Apostolado*, en claro contraste con el románico que hay en la iglesia, y su última obra, *Cristo vuelve al Padre*, con la escultura de un Cristo de gran tamaño, saliendo del sepulcro, ingrávido, como si estuviera iniciando la ascensión. Estas esculturas son el broche de oro de unas *Edades del Hombre* sobre tema teresiano muy interesantes, con obras de toda España, no solo de Castilla y León, como en las fases anteriores. El interés de esta pequeña pero interesante muestra de V. Blanco es grande, acrecentado por el de la iglesia en la que están y, solo por ver lo que hay en dicha iglesia, merece la pena visitar Alba. Ocurriría igual con lo demás, si los de Ávila no quisieran todo el protagonismo sobre el tema teresiano solo para ellos.

Muestra de V. Blanco en la iglesia de S. Juan, junto con otras obras que hay en ella.

Los comentarios anteriores, de carácter general, ratifican la fuerte personalidad y los grandes méritos de Sta. Teresa, puestos de manifiesto en muchas ocasiones, una de las cuales, y no pequeña, fue fundar diecisiete conventos reformados femeninos y quince masculinos en solo veinte años, con gran oposición de gente muy poderosa e influyente, en gran parte por ser mujer la que lo hacía y porque no era bien vista por los que les afectaba. Entre ellos había muchos carmelitas que no cejaron hasta desgajar la Orden en dos ramas en 1575, Calzados, los tradicionales, y Descalzos, los seguidores de la Santa. Los enfrentamientos surgieron desde el mismo momento en que puso en marcha la erección del primer convento reformado, S. José en Ávila en 1562, con el que manifestaron no estar de acuerdo muchas carmelitas, oposición que irá en aumento, entre otras razones, por ser una mujer la que lo llevaba a cabo. Tal enfrentamiento se agudizará hasta el punto de celebrar un capítulo general de la Orden en Plasencia en 1575, con la finalidad de encontrar alguna solución que para algunos estaba en la supresión de la reforma sin más, cosa que otros no aceptaban y por eso seguían adelante con ella. Contra viento y marea, tras muchas dificultades, enfrentamientos y problemas entre los favorables a la reforma y los que estaban contra ella, llegaron a un acuerdo, y crearon las dos ramas citadas, Descalzos los seguidores de la reforma, y Calzados los que desean continuar sin reforma. Está recogido en la siguiente cita ya conocida que dice así: *El 22 de junio de 1580 se consigue, al fin, la ansiada separación de los descalzos en provincia independiente, mediante un breve papal, que concede a estos que puedan elegir provincial, fundar casas, darse leyes y tener libre acceso a la Santa Sede, aún sin contar con el General. Es la solución a los graves conflictos que amenazaban la obra de Teresa. Poco después, escribirá ella: «Ahora estamos en paz calzados y descalzos, no nos estorba nadie a servir a Nuestro Señor...».* Para llegar a esta situación tuvo que sufrir muchos desprecios y ataques por parte de sus hermanos de Orden y de ahí que se alegre por el acuerdo alcanzado y el reconocimiento de su obra.

Apostolado románico y *Santa Cena* de V. Blanco,
frente a frente en la iglesia de S. Juan (¡¡!!).

Aunque sea de manera resumida, conviene recordar alguna de las cualidades de Sta. Teresa para valorar adecuadamente su gran tarea, realizada contra viento y marea y con muchos e influyentes contrarios a su obra. Su labor como reformadora-fundadora del Carmelo está considerada como obra modélica en su género en la Iglesia católica y que sirvió de orientación y estímulo para otras similares. Al tiempo, ha sido una de las grandes escritoras del Siglo de Oro, como reconoció la Universidad de Salamanca al otorgarle el primer doctorado Honoris Causa de tan prestigiosa institución en 1922, por una Comisión presidida por D. Miguel de Unamuno. Escribía por obediencia y no por considerarlo fundamental para la reforma que estaba haciendo, y de ahí que no se preocupara por el estilo y otras menudencias para agradar a los lectores, sino que su fin era lograr los objetivos que buscaban los que le mandaban escribir. Gracias a sus escritos conocemos mejor todo lo que hizo, al narrarlo en primera persona, con todo detalle y sin artificios literarios. Además, fue una destacada pionera en la defensa de los derechos de la mujer, demostró que podían hacer las cosas tan bien o mejor que los hombres, y todo a pesar de la mucha oposición que sufrió por tal motivo.

Los comentarios anteriores han puesto de manifiesto la importancia de Alba dentro del mundo teresiano y los méritos que tiene para ser nominada villa teresiana por excelencia. Esto comenzó desde que decidió fundar el octavo convento en 1571 y este se convirtió en uno de sus preferidos, dadas las circunstancias favorables concurrentes en el mismo. Desde entonces no hizo más que incrementar su importancia y presencia en tal aspecto, y esto ha de ser reconocido por propios y extraños, salvo que porten unas grandes anteojeras de burro de feria. Esta relación se incrementó considerablemente al producirse su muerte en Alba y quedar aquí sus restos. Dada la popularidad que ya tenía en vida, esto hizo que Alba se convirtiera en una destacada referencia de lo teresiano, tanto o más que el considerado lugar de nacimiento u otros relacionados con las fundaciones que llevó a cabo. Sabemos que, dada la gran popularidad que tenía en vida como fundadora y escritora, poco después de su muerte se iniciaron los trámites para su beatificación y canonización, y se lograron ambas cosas poco después y en poco tiempo para lo que era habitual. En efecto, lo primero lo llevó a cabo Paulo VI en 1614 y la canonización ocurrió muy poco después, en 1622, por el papa Gregorio XV, junto con otros santos, tres españoles y un italiano muy populares, S. Ignacio, S. Francisco Javier, S. Isidro y S. Felipe Neri. La importancia de estas canonizaciones fue grande en su época, por la popularidad de los cuatro santos citados en ambientes y medios muy diferentes.

La importancia de Sta. Teresa en vida, pese a que fue muy discutida su obra, se acrecentará mucho y rápido tras su muerte, al valorarse en su justa medida su compleja, variada, intensa e interesante vida y obra, como reformadora de la Orden y modelo para otras, escritora de primer nivel en las letras españolas del Siglo de Oro y destacada pionera feminista en una sociedad machista que le tocó vivir y sufrir, incluso después de muerta, por parte de la Iglesia. Una forma de valorar esto, en líneas generales, es teniendo presentes los muchos y destacados *reconocimientos* de importantes instituciones que ha tenido después, pese a lo discutida que fue su obra en vida y lo mucho que ha tardado la Iglesia en reconocérselo, 1970. Lejos de pasar al olvido con el tiempo, se ha ido acrecentando su importancia, si bien su vida y obra no son todo lo conocidas que merecen. Su intensa actividad en tan importantes campos hizo que, ya en vida, muchos le reconocieran sus méritos, cosa que se acelerará tras de su muerte.

La canonización ha sido una de las más rápidas en la historia de la Iglesia, hasta la de S. Juan Pablo. Solo nueve años después, D. Jerónimo Manrique, obispo de Salamanca, inició los trámites en medio de un gran fervor y creciente devoción teresiana, como lo acredita la rapidez con que se llevó a cabo. Fue beatificada en 1614 y canonizada solo ocho años después, en 1622, en un acto de claro sabor hispano, junto con cuatro santos, tres españoles muy populares, S. Isidro Labrador, S. Ignacio de Loyola y S. Francisco Javier. Esta rapidez en el reconocimiento de su faceta religiosa se hizo al tiempo que el de la difusión de su obra literaria que contó con un editor excepcional, Fr. Luis de León, en 1588, por mandato del rey Felipe II que le pidió se hiciera cargo de la misma. En 1626 fue nombrada Copatrona de España, junto con Santiago Apóstol, pero los partidarios de este sintieron celos y lograron que se revocara el acuerdo para que no le hiciera competencia, reconociéndoselo más tarde.

Sta. Teresa de Jesús, S. Ignacio, S. Francisco de Borja y S. Isidro Labrador, canonizados juntos, 1622.

Tales reconocimientos se reanudaron en el siglo XX en diferentes aspectos y de forma destacada. En 1922, una Comisión de la Universidad de Salamanca, presidida por Unamuno como experto y vicerrector, reconoció los extraordinarios méritos literarios de Sta. Teresa y le concedió el primer doctorado Honoris Causa de la citada y prestigiosa institución universitaria, pese a su condición femenina, sin que apenas hubiera entonces mujeres en la Universidad y siendo la primera, antes que a ningún hombre, que se la distinguía con tal galardón académico. Al acto de entrega de los símbolos del doctorado asistieron los reyes, Alfonso XIII y su esposa, en un claro reconocimiento de sus méritos. Su venida a Salamanca coincidió con la celebración del III centenario de su canonización y su obra en Alba de Tormes. También para dar un impulso a las lentas obras de la basílica que se estaba construyendo en su honor, con escaso éxito. Todavía no se ha terminado y seguro que nunca se logrará ya. Todo es prueba evidente del interés que seguía suscitando Sta. Teresa.

En 1965 fue nombrada patrona de los escritores católicos. A comienzos de dicho siglo XX, proponen nombrarla doctora de la Iglesia, pero tienen que hacerlo en repetidas ocasiones, porque los responsables no querían reconocerle su magisterio y méritos y siempre daban la misma respuesta, *obstat sexus*, esto es, no era posible por ser mujer. (¡¡??) Por fin y tras varios intentos, Pablo VI superó todos los obstáculos y la nombró doctora de la Iglesia en 1970, con Sta. Catalina de Siena, que fueron las dos primeras mujeres en recibir tan alta distinción. Esto hizo que otras instituciones se unieran al reconocimiento de los méritos de la Santa. Recientemente, en 2015, la

Vítor de Sta. Teresa por su doctorado honoris causa en Salamanca.

Birrete, símbolo de su doctorado honoris causa.

Pergamino del doctorado honoris causa a Sta. Teresa.

Escudo del Carmen Descalzo.

Universidad Católica de Ávila, también, le ha concedido el doctorado *honoris causa*. Antes de todos estos reconocimientos se había producido una clara recuperación de la devoción y la admiración por la variada e interesante biografía de la Santa.

Este reconocimiento de los méritos de Sta. Teresa en dos de las tres facetas en las que destacó, entusiasta y eficaz reformadora religiosa y gran escritora en su doble faceta como literata y religiosa, ha sido ratificado en nuestros días por destacadas instituciones y personalidades como Juan Pablo II, que han mostrado su devoción por Sta. Teresa. Así lo cuenta el carmelita P. Diego en su artículo «Papas peregrinos al Sepulcro de Sta. Teresa: Benedicto XV», 1886, en el que hace referencia a la devoción de varios papas por la Santa, aspecto que no se recatan en difundir. Alguno de ellos, como san Juan Pablo II, además era experto en su obra, al haber realizado estudios sobre la misma. Por eso fue uno de los lugares que incluyó en su primera visita a España en 1982.

Benedicto XV visitó Alba antes
de ser papa,1886.

P. Cámara, obispo de Salamanca.
Impulsor de la basílica de la Santa.

Otro tanto ha ocurrido con Benedicto XV. Como secretario de la nunciatura en Madrid, acompañó al nuncio en su visita a Alba con motivo de la concesión del patronato de Sta. Teresa sobre la provincia eclesiástica de Valladolid que incluía los obispados de Castilla la Vieja. La comitiva estuvo tres días en Alba, lo que ratifica el interés existente por lo teresiano. De esta visita, el futuro Benedicto XV guardó grato recuerdo a la vez que puso de manifiesto su devoción por Sta. Teresa. Lo demostraría más tarde, en 1922, cuando organizó el III centenario del nacimiento de la Santa.

Alfonso XIII y D.ª Victoria en Alba.
Homenaje a la Santa, 1922.

Juan XXIII visitando Alba,
como cardenal, 1954.

El citado autor P. Amable Diego destaca, al referirse a dicho personaje, su fervor y devoción para con la Santa y cuenta detalles singulares de la misma; dice así: *Cuando llegaron al camarín donde está expuesto el arcón que guarda los restos de la Santa, causó edificante asombro el fervor con que el*

S. Juan Pablo II en el convento carmelita de Alba, 1982.

Francisco I ha prometido venir a Alba.

futuro Benedicto XV oró junto a aquellas inapreciables reliquias. Al retornar a Salamanca, alguien le preguntó sus impresiones, y se limitó a decir: «Doy por bien empleado el frío que pasé en Medina, por los buenos ratos que he pasado en Alba, tan mimado por una Santa con la grandeza espiritual de la reformadora del Carmelo». El mismo autor cuenta que, cuando ya era papa, no se había olvidado de su estancia en Alba y de las monjas carmelitas que los atendieron, y recordaba la costumbre que tenían de rezar por las personalidades de la Iglesia y les pide que lo incluyan en la misma: *La comunidad de Madres Carmelitas de Alba de Tormes tiene la santa costumbre de nombrar todos los años a una de sus religiosas, «capellana» de ciertas personalidades, en cuyo obsequio ofrece a diario muy fervientes oraciones. Al cardenal Rampolla, el nuncio, le nombraron la suya.*

Benedicto XV conoció esta santa costumbre y no la olvidó, pues, al recibir en audiencia al P. Clemente, general de la Orden Carmelitana, le manifestó lo quejosillo que estaba porque a él no le habían nombrado una *capellana* y la reclamó con paternal interés. Desde entonces el sumo pontífice tiene otra vez en el convento de Alba su capellana. Por eso, se entiende que durante el pontificado de este papa, Benedicto XV, siempre que recibía a algún obispo y si sabía que este viajaría a Alba, le encargaba especialmente que bendijera a las monjas de su parte y, sobre todo, a la capellana del año. Este interés mostrado por Alba lo tuvo también con Sta. Teresa, ya que tuvo un especial empeño en organizar el III centenario del nacimiento, 1922, y beatificar a la compañera y enfermera de la Santa, la beata Ana de San Bartolomé, en cuyos brazos murió la Santa en el convento de Alba de Tormes en 1582.

No sé cómo habrá evolucionado esta relación del convento de las Madres Carmelitas de Alba con el Vaticano, pero no debe de haberse cortado, como lo demuestra el que en 1954 visitara el sepulcro de la Santa el entonces cardenal de Venecia y futuro Juan XXIII, y en 1982 hizo lo propio S. Juan Pablo II, quien demostró en reiteradas ocasiones su fervor por Sta. Teresa y su interés por sus doctrinas, ya que realizó su tesis doctoral sobre S. Juan de la Cruz, muy estrechamente relacionado con Sta. Teresa. El papa Francisco I también mostró su interés por Sta. Teresa poco después de su nombramiento. Así se lo hizo saber, por carta enviada al obispo de Ávila en 2014. Hizo intenciones de venir a Ávila y Alba, pero por lo apretado de su agenda lo ha dejado para otro momento. En ella, el Papa daba gracias a Dios «por el don de esta gran mujer», al tiempo que invitaba a todos los abulenses y al conjunto de los españoles a seguir las huellas de la Santa, leer sus obras y recorrer los caminos de la vida de su mano.

Entre las visitas de Juan XXIII como cardenal y S. Juan Pablo II ha habido otros importantes reconocimientos a sus méritos como escritora de temas religiosos. Así lo hicieron, al fin y tras muchos rechazos, al nombrarla 1.ª doctora de la Iglesia católica en 1970 por Pablo VI, después de muchas negativas a otras tantas peticiones solo por el hecho de ser mujer. En nuestros días tales reconocimientos han continuado con la celebración del V centenario del nacimiento, destinado a recordarnos su interesante biografía y obra, así como los muchos méritos de Sta. Teresa en las facetas señaladas antes y con la celebración de un año teresiano y una interesante fase de las *Edades del Hombre* con tema teresiano. Además de la importancia de lo anterior, como reformadora y escritora destacada, está su actividad como pionera en defensa de los derechos de la mujer en unos tiempos y una sociedad donde defender tales cosas era una heroicidad, demostrado en su caso con hechos fehacientes, obras, no palabra y demagogia, como hacen ahora muchas de las que se dicen ser feministas y defensoras de los derechos de la mujer y que, en muchas ocasiones, es falso o una simple tapadera para obtener pingües beneficios y rentabilidad personal por ello. Todas estas celebraciones en relación con la vida y obra de Sta. Teresa, hechas por instituciones diversas al más alto nivel, ratifican, una vez más, la importancia y pervivencia de la Santa hoy y su interesante, variada e importante obra en los tres citados campos.

Los comentarios anteriores sobre la evolución histórica de Alba, han ratificado lo comentado antes, que se trata de un núcleo, centro principal de una pequeña comarca agrícola, Tierra de Alba, perteneciente a las campiñas sedimentarias del noreste provincial y que ocupan toda la zona central de la cuenca del Duero, y aportan al paisaje, economía y a la historia de estas tierras sus principales características. En lo referente a lo histórico, Alba destaca por haber tenido un núcleo importante en varios aspectos durante nuestro Siglo de Oro, como sede de la casa ducal de su nombre y por dar acogida a los restos de Sta. Teresa y ser, por tal motivo, uno de los dos centros más destacados en el mundo teresiano y carmelitano, junto con Ávila. Su importancia en la historia de España, en la de la Iglesia y en la literatura española rebasa ampliamente lo que correspondería a su tamaño e importancia demográfica y económica. El traslado de la casa ducal a Madrid y la pérdida de interés de la casa ducal por el lugar en el que tuvo sus orígenes y mayor esplendor, ha hecho que Alba solo tenga hoy la importancia que corresponde al centro de una pequeña comarca que sufre las consecuencias de su proximidad a la capital de cuya área metropolitana, de manera clara, no forma parte. Pero, como suele ocurrir, no ha desaparecido totalmente su importancia en la cultura española, y se cumple aquello que dice: *Quien tuvo, retuvo*, y esto es lo que ocurre en Alba. Y esta presencia en la cultura española y en el modo de vida albense sería mucho mayor si hubiera voluntad de hacerlo y pusieran en marcha acciones fáciles de hacer cuando se tiene tanto como Alba.

Además, se ha mantenido la tradición cultural albense también en nuestros días, como la ratifica la existencia de destacados especialistas, con talla internacional en algunos campos. Tal es el caso de Dr. Eloíno Nácar Fúster, sacerdote, canónigo de la Catedral de Salamanca, catedrático de la Universidad Pontificia en Lenguas Clásicas y experto en estudios bíblicos. Junto con el P. Colunga, dominico, también catedrático de Sagrada Escritura en la citada Universidad, han sido los coautores de la traducción de la Biblia del hebreo, arameo y griego al español, en 1944. Ha sido una de las traducciones que más difusión ha tenido en la Iglesia católica, con treinta ediciones, la última en 2010, por el elevado número de católicos que hablan español. Ha sido realizada por la Biblioteca de Autores Cristianos, BAC, y ha tenido gran difusión, popularidad y aceptación. En otro orden de cosas pero en la misma dirección, está la gran labor llevada a cabo por el P. Belda, redentorista, que ha realizado una importante labor investigadora en la prehistoria y arqueología salmantina y en otros lugares fuera de la provincia. Fruto de esta interesante tarea ha sido el montaje de un magnífico museo arqueológico en el monasterio de S. Leonardo, restaurado para las actividades de su Orden como seminario, y para sede del citado museo.

Además, sirvió de panteón para los primeros señores de Alba, varios de los cuales están enterrados en la iglesia, como el primer señor de Alba, D. Gutierre Álvarez de Toledo, el primer conde y el 2.º duque, D. Fadrique Álvarez de Toledo, abuelo y responsable de la formación de su nieto, Fernando Álvarez de Toledo, el Gran Duque. El propio D. Fadrique fue un destacado personaje con los RR. CC. y permaneció fiel a Fernando el Católico, al que abandonaron muchos nobles al morir la reina Isabel. El duque estaba al mando del ejército que expulsó a los franceses de Navarra, 1512, que incorporó dicho reino a la Corona de Castilla, y fue este el comienzo de la unidad de España hasta hoy. Continuó al servicio de Carlos V, que lo nombró asesor personal y le concedió el Toisón de Oro, y dejó así la puerta abierta a su nieto, quien mantendrá la misma trayectoria.

Los comentarios anteriores sobre diferentes aspectos de la historia de Alba, no concluyen con lo ocurrido en tiempos del auge de la casa ducal, por su importancia en la historia de España y su estrecha vinculación al residir en Alba. Todo ello se acrecentó por la vinculación de Sta. Teresa con Alba, al fundar un convento reformado, ocurrir en ella su fallecimiento y ser enterrada en el convento que había fundado. Por tal motivo, Alba se convirtió en uno de los dos centros teresianos por excelencia, aunque los abulenses lleven muy mal el tener que compartirlo. Esto motivó la presencia de muchos personajes importantes en Alba, aspecto que ha llegado hasta nuestros días como he puesto de manifiesto en los últimos comentarios realizados. Por todo ello, deberíamos volcarnos en dar a conocer la historia de Alba, para que ocupe el lugar que se merece, por su importancia en la historia, en la literatura y en lo religioso en España.

Biblia traducida por
Nácar-Colunga, 1962.

Instalaciones del Museo P. Belda,
monasterio de S. Leonardo.

Méritos de Sta. Teresa, reconocidos por el Ayuntamiento de Alba, al nombrarla patrona de la villa pocos días después de su canonización, 5-X-1614. Fue el primer lugar de España en hacer tal cosa.

La primera villa o ciudad que tras la beatificación escogió a Santa Teresa como patrona fue Alba de Tormes. En los festejos organizados para su primera fiesta, 5-X-1614, se materializó de forma jurídica este patronato, y se hizo el voto de considerar como festivo y no laborable ese día en la villa y su territorio. Tal acto solemne se hizo por las autoridades civiles y religiosas de la villa, en la iglesia del sepulcro de la nueva beata, MM. Carmelitas, y ante el obispo de Salamanca, que confirmó tal decisión. Esto ocurrió en la octava de las fiestas de octubre, día 7 de 1614. Desde entonces, así se ha considerado y observado siempre hasta nuestros días. Este voto solemne está en el origen de las fiestas teresianas de octubre de Alba de Tormes. Las viejas crónicas de la Orden del Carmen recogen así este gesto: *Juntó Alba, el clero con su Abad, el Regimiento secular con su gobernador, a siete días del mes de Octubre, en que se celebraba la fiesta de la Octava y, en nombre suyo y de toda la provincia ferió su día, y la votó por Patrona, haciendo juramento, en manos del Señor, Don Luis Fernández de Córdoba, obispo de Salamanca, que se hallaba visitando el sepulcro y autorizando la solemnidad de su devota Santa Teresa. Reforma de los descalzos de N. Señora del Carmen*, IV, Madrid, 1684.

50 Aniversario **Santa Teresa Alcaldesa de Honor** de Alba de Tormes

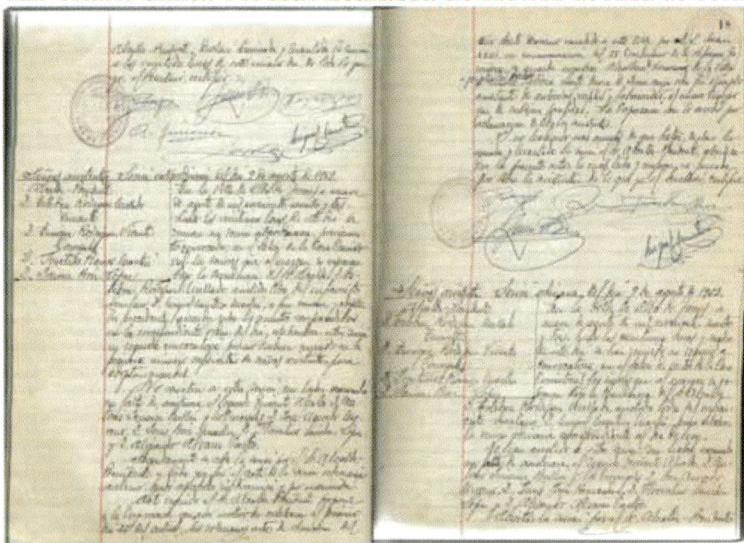

A nivel local se dio un reconocimiento oficial a Santa Teresa que reforzó aún más, si cabe, la tradicional relación de la Santa con la villa, en línea y como continuación del antiguo Voto de la Villa de 1614. Esto fue la concesión del título de **"Alcaldesa de honor"** de Alba de Tormes a Santa Teresa, acordada en sesión extraordinaria del consistorio (9.8.1963). El pergamino que atesta tal título y que se conserva enmarcado actualmente en el museo de las reliquias de la iglesia del sepulcro, reza así:

Documentos del nombramiento de Sta. Teresa como *Alcaldesa de Honor* de Alba de Tormes en 1963.

CAPÍTULO V
ASPECTOS GEOGRÁFICOS DE ALBA, NÚCLEO SEMIURBANO Y CENTRO COMARCAL

Los comentarios anteriores sobre la evolución histórica de Alba, sus líneas generales y, sobre todo, su importancia en la historia de España, pese a su escasa población siempre, llaman la atención. Sorprende aún más hoy por nuestra mentalidad urbana y por la escasa importancia que tiene en nuestra sociedad actual lo que ocurre en el mundo rural, excepto la emigración, el envejecimiento de su población y la despoblación que amenaza a muchos de sus núcleos o la que ya se ha producido en otros y el que cada vez tenga menos importancia este tipo de poblamiento, su modo de vida y economía. La situación era muy diferente en tiempos de Sta. Teresa, cuando no había tantas diferencias entre el mundo rural y el urbano, entre las gentes que vivían en ellos, cada uno con su propio modo de vida, y sin ventaja para los de la ciudad como ha ocurrido después. Entonces era frecuente que gentes destacadas en la sociedad, como era el caso del todopoderoso duque de Alba, tuvieran su residencia en un núcleo mediano y modesto, como era entonces Alba de Tormes.

Esto era debido a varias causas, como la escasa importancia, proyección exterior e influencia de las actividades urbanas, al tiempo que eran más variadas, tenían mucha más importancia que hoy y les prestaban mejores servicios las existentes en el mundo rural. El modo de vida urbano no tenía entonces el atractivo que empezará a tener con la Ilustración y, sobre todo, con la Revolución Industrial en el siglo XIX, que tendrá en las ciudades el espacio preferido para su instalación y desarrollo, con las consiguientes y positivas repercusiones económicas y demográficas, en detrimento del mundo rural, donde tales actividades apenas tuvieron desarrollo, y las tradicionales del mismo, sector primario y servicios básicos, perdieron importancia económica y demográfica en general y respecto a lo urbano.

Estos aspectos explican la importancia de Alba, desde finales del siglo XV a comienzos del XVII, esto es, desde que se crea el ducado de Alba hasta que los duques se marchan, primero a Piedrahíta y poco después a Madrid, con las consiguientes y negativas repercusiones para Alba. La relación con Sta. Teresa ha sido otro acontecimiento destacado de la importancia de Alba en nuestra historia y cultura, pero estuvo muy relacionado con el anterior, por lo que puede considerarse como una consecuencia directa del mismo. Como ya he indicado antes, sin la intervención favorable de los duques, la Santa es posible que no hubiera fundado un convento en Alba ni que se hubiera interesado tanto por el que fundó y, cuando los abulenses robaron sus restos, seguro que no los hubieran recuperado sin la pronta y eficaz intervención de los duques. Las favorables condiciones que presentaba el lugar elegido como emplazamiento inicial de Alba explican su desarrollo posterior y el que, desde sus comienzos, fuera el núcleo más importante en la zona.

Además, gracias al río, se aseguraba el agua para el consumo humano y los regadíos en sus orillas con las fértiles vegas, que han aportado siempre importantes recursos. Todo lo anterior explica el atractivo de Alba para las gentes de estas tierras, y se ha visto acrecentado, además, por estar en zona de transición, entre las campiñas del noreste, el Campo Charro y las Vegas, con economías diferentes y complementarias que favorecían a los núcleos situados en las zonas de transición como Alba. Además, el vado-puente del río ha atraído los caminos y cañadas que, desde antiguo, han convertido a Alba en un interesante cruce de caminos, con las consiguientes y positivas repercusiones para las actividades que se instalaban en la villa ducal, cosa que no ocurría en los pueblos del entorno. En gran medida, esto explica que se convirtiera, ya en la Edad Media, en el núcleo más importante de estas tierras y centro de ellas, con la creación del señorío y la interesante evolución histórica comentada antes.

Importancia y relación de los factores naturales y humanos en el desarrollo de Alba. Imagen actual.

Alba ha sido siempre un núcleo de población destacado en el NE provincial, por los citados factores, aunque, desde hace tiempo, saca poco provecho de ello. Cuando la influencia de algunos factores humanos fue grande, como la presencia de los duques y la estrecha relación con Sta. Teresa, la importancia de Alba, su proyección exterior y su participación en la historia y cultura españolas fue grande y notoria, como ha quedado de manifiesto en los comentarios anteriores. Además, sirvieron para que Alba adquiriera su doble condición de villa ducal y teresiana por méritos propios. Hoy está lejos de tal situación, si bien en lo teresiano mantiene un interés e importancia grande, pero esta podría ser mucho mayor, al igual que los beneficios derivados de su aprovechamiento del turismo cultural y religioso, variedad en plena expansión, si se aprovechara todo mejor.

Alba, nudo de comunicaciones estrechamente relacionado con el Tormes.

EVOLUCIÓN DEMOGRÁFICA DE ALBA. ESCASO INCREMENTO DESDE HACE UN SIGLO POR SU ESTANCAMIENTO ECONÓMICO

Antes de proceder a comentar, de forma general, los aspectos más destacados de la evolucion demográfica de Alba y cómo se ha llegado hasta la situación demográfica actual, conviene conocer, aunque sea de manera sintética, los principales aspectos históricos y territoriales de Alba y su entorno, antes partido de Alba y, actualmente, la comarca Tierra de Alba. Aunque tiene orígenes anteriores, lo más importante corresponde a lo ocurrido desde la repoblación medieval por Raimundo de Borgoña al empezar el siglo XII. El

4 de julio de 1140, Alfonso VII, el emperador, otorga en Salamanca el Fuero al Concejo de Alba, con jurisdicción sobre un amplio marco territorial, conocido como Villa y Tierra de Alba. La Villa pronto quedará configurada por el núcleo y varios pequeños anejos cercanos, las Huertas, Palomares, Tejares, Torrejón y Aldehuela. La Tierra de Alba se organizaba en tres cuartos: Allende el Río, Río Almar y Cantalverque, que extendía el dominio del concejo hasta los límites de Peñaranda de Bracamonte, Salamanca y Salvatierra. La copia del fuero, conservado en el Archivo Municipal, corresponde a la revalidación regia de Alfonso X, fechada el 6 de diciembre de 1279 en Sevilla. A la muerte de Alfonso VII en 1157, Alba de Tormes pasó al rey Fernando II. Ante el vacío demográfico dejado por las guerras entre leoneses y castellanos, Alfonso IX, hijo de Fernando II, repobló de nuevo estas tierras, y sus sucesores, Alfonso X y Sancho IV, se preocuparon de dotar a la villa de instituciones para su gobierno e impulsar su desarrollo, aprovechando su situación geográfica y el puente existente sobre el Tormes, en el que confluían caminos, cañadas y cordeles que cruzaban estas tierras y se dirigían, desde el centro de la cuenca del Duero, a los puertos del Sistema Central.

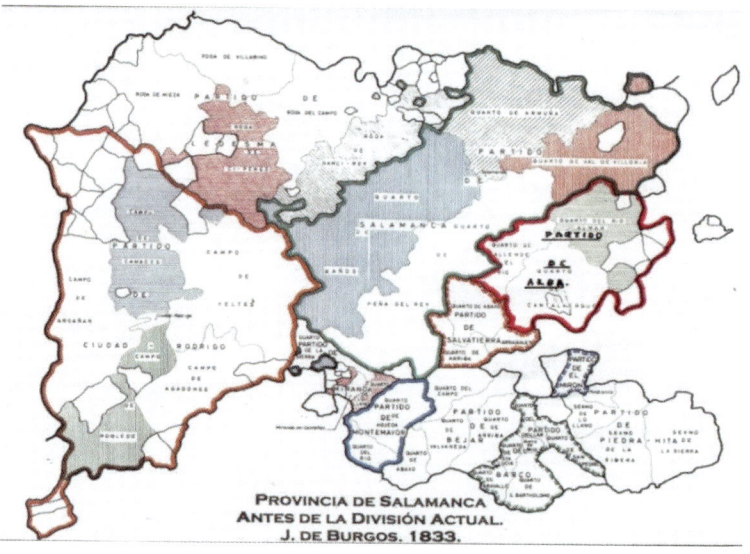

La provincia antes de la división en 1833, con el partido de Alba, uno de los importantes de la misma.

La evolución de la población absoluta de Alba, en diferentes fechas de su dilatada e interesante historia, ha cambiado bastante, al hacerlo también su importancia histórica, económica y social. El conocimiento de los datos de población de Alba, aunque sea de forma general, permite conocer también cuándo ha sido más importante y destacada la participación de Alba en la historia y cultura españolas, al estar esto en relación con su cuantía demográfica. La primera fecha con datos es de 1534, censo de T. González, cuando Alba estaba ya en pleno auge dentro del periodo más importante de su historia, relacionado con la Casa de Alba, y que comprende desde finales del siglo XV a mediados del siglo XVII. Tenía entonces 481 vecinos, unos 2000 habitantes, según las estimaciones más veraces de hbs./vec. para aquellos tiempos. Salamanca, que también estaba en plena expansión de su actividad universitaria, como lo refleja el que acababa de erigir su famosa fachada plateresca, tenía unos 22 000 habitantes sin contar los estudiantes, 7681, en el curso 1561-62, grupo muy significativo. Las diferencias demográficas entre Alba y Salamanca eran bastante menores que las actuales, prueba evidente de una mayor importancia relativa de Alba en la zona entonces. A comienzos del XVI, 1604-1626, en el libro de los lugares se había incrementado la población albense, que pasó a unos 2450 hbs, debido a que todavía residían los duques en ella. Esta tendencia demográfica alcista cambiará al marcharse los duques a Piedrahíta poco después y olvidarse del lugar donde habían residido antes, Alba, y en el que habían tenido su mayor auge dentro de la cultura e historia de España, con las repercusiones demográficas, económicas y sociales que

Puente y restos del castillo. Parcerisa, 1865.

dicho olvido trajo con él. En efecto, según el *c*atastro del marqués de la Ensenada de 1754, Alba había bajado otra vez de los 2000 habitantes, cuantía parecida a la del censo de T. González de 1534, casi dos siglos anterior.

La importante y estrecha relación de Alba con Sta. Teresa, sobre todo después de su muerte, 1582, no tuvo tanta influencia en la población albense como la presencia de los duques con su pequeña corte y los servicios que esta demandaba. En efecto, con dicha relación albense-teresiana la villa ducal vuelve a tener protagonismo en el ámbito nacional, pero por otros motivos y sin apenas repercusiones económicas y demográficas, como ocurrió antes con la casa ducal. Pero sí fueron importantes en el aspecto social-religioso y cultural, dada la trascendencia e influencia de Sta. Teresa en dichos campos. Por eso, la población de Alba apenas variará, hasta poco después de hacerse la división provincial de Javier de Burgos, 1833, al no contar con ningún factor favorable para impulsar la economía e incrementar su población. Así lo ratifica el censo de Floridablanca de 1787, según el cual Alba tenía unos dos mil habitantes y el *Diccionario geográfico-estadístico de España* de Miñano, 1826, que ratifica una cuantía demográfica similar.

Es interesante destacar que, en esas fechas, había en Alba de Tormes seis conventos, tres de varones y otros tantos de monjas, con 71 miembros los primeros y 93 los de monjas. Dos eran de carmelitas. Esto refleja la importancia de la actividad religiosa en Alba, como en toda España, en este caso más por su estrecha relación con Sta. Teresa y la importancia de Alba entre los carmelitas y en general como destacado centro de espiritualidad y de peregrinación teresianas ya en aquellos tiempos. Consecuencia de esto es que las carmelitas tuvieron que ampliar ya la iglesia construida inicialmente como consecuencia del fervor creciente existente en torno a la Santa.

Como ya he señalado antes, el siglo XIX fue un siglo con una trayectoria muy negativa en la evolución económica y demográfica de estas tierras, no solo en las de Alba, sino en las de toda la provincia y particularmente en la capital. La primera de las causas en tal sentido fue la Guerra de la Independencia, que tuvo muchas y negativas repercusiones en ambos aspectos en Salamanca y provincia, al haberse producido importantes acontecimientos relacionados con la citada contienda en estas tierras. En efecto, este hecho bélico afectó a toda España, pero particularmente a algunas zonas y ciudades, y fue Salamanca una o la más perjudicada de España. Esto se debió a que se encuentra en la ruta que de norte a sur cruza España, desde Asturias a Sevilla, la antigua Calzada de la Plata, hoy carretera importante. Por Salamanca pasa también la carretera París-Lisboa, seguida por los ejércitos franceses para apoderarse de Portugal, y es la última ciudad española antes de la frontera. Por tal motivo, los franceses la convirtieron en plaza fuerte para asegurar el control de la citada ruta desde Valladolid hasta la frontera hispano-portuguesa. Esta fue la causa también por la que cerca de Salamanca tuvo lugar la batalla más importante que los franceses libraron en España, la de Arapiles, con cuya derrota empezó a declinar, sin remisión, la estrella napoleónica en Europa. Salamanca y, en menor medida, Alba y Ciudad Rodrigo sufrieron las consecuencias de tal contienda en su patrimonio, economía y población, y perdieron parte del 1.º y de la 2.ª y frenaron su crecimiento demográfico.

Las pérdidas directas ocasionadas por la Guerra de la Independencia se acrecentaron por las derivadas repercusiones muy diversas que la misma tenía en la población, con clara incidencia en la evolución demográfica, de forma directa o indirecta. J. Nadal, que ha estudiado esta temática en su conocido libro *La población española en el siglo XIX*, se hace eco de estas repercusiones indirectas pero muy importantes de la guerra de la Independencia en la población española y, sobre todo, en los lugares y territorios afectados directa e intensamente por ella; dice así: *La campaña militar de 1809 produjo los peores estragos en las poblaciones afectadas. Unas veces los pobladores huyeron, otras se quedaron, otras opusieron resistencia. Sin embargo nadie pudo evitar los graves daños materiales, los temores, fatigas, penalidades y penurias, causas de enfermedades por mala asistencia y, en último término, de muerte, que se incrementaba mucho por tales motivos. El precio del grano escaló cimas excepcionales. Y estas crisis de subsistencias desataron, otra vez, una también muy grave demográfica y, con ella, la mortalidad catastrófica.*

El castillo-palacio destruido, al terminar la guerra de la Independencia, antes del expolio.

La influencia de la escasez de subsistencias, por la citada guerra y sus consecuencias, seguirá manifestándose hasta mucho después, al igual que sus repercusiones demográficas, con incremento de la mortalidad. Esto se agudizará en territorios como el de Salamanca, afectado en gran medida por su condición de frontera con Portugal y por el atraso que ya tenía por tal motivo y que se acrecentará después. Otro conocido historiador, N. Sánchez Albornoz, estudia, en su libro *España hace un siglo. Una economía dual*, las importantes y prolongadas repercusiones demográficas de estas crisis, registradas en la primera mitad del siglo XIX en España, sobre todo, en provincias como Salamanca; en dicho libro dice: *Toda alza extraordinaria en el precio de las subsistencias, se traducía en el aumento de la morbilidad, mortalidad y otras repercusiones que tenían también repercusión demográfica, tales como retraso de los matrimonios, incremento de las prácticas malthusianas y reducción de los nacimientos. El ritmo de la vida se alteraba y esto afectaba también a todo lo relacionado con la dinámica demográfica. Aunque desapareciera la crisis de alimentos, no ocurría igual con las repercusiones citadas antes, que perduraban larvadas durante algún tiempo, con las mismas consecuencias demográficas. El despoblamiento de las altiplanicies cerealistas centrales, desde comienzos del siglo XIX, se explica a la luz de los fenómenos antes comentados.* Esto que se produjo en toda España, tuvo en la provincia de Salamanca más incidencia y repercusiones más fuertes y notorias en su población.

Poco después de finalizada la guerra de la Independencia, se pone en marcha la nueva división provincial que habían iniciado los franceses durante su ocupación. Tiene como finalidad adecuar la ordenación territorial a las nuevas exigencias administrativas, que no podrían aplicarse en lo existente entonces en ambos aspectos, consecuencia de una compleja y caótica evolución histórica. En el mapa histórico expuesto antes en el trabajo, se muestra cuál era el territorio que comprendía la provincia de Salamanca a comienzos del siglo XIX y la división administrativa interna. La complejidad en este aspecto era grande, recordamos la actual o cómo puede verse comparándola con una actual, aunque Salamanca era de las provincia que entonces tenía una división administrativa y un mapa provincial menos complejo, por lo que será de las que menos cambiará con la división provincial de J. de Burgos. La realizará dicho señor de forma rápida, sencilla y práctica en 1833 y, gracias a ello, pudo llevarla a cabo, con extraordinarios resultados, como lo confirma el que apenas se ha tocado después, pese a que en algunas provincias se realizaron cambios importantes, como en la de Burgos y Valladolid entre las cercanas, desaparecieron algunas, como la de Toro, o creó otras nuevas, como las de Logroño y Santander a costa de las de Burgos y Soria.

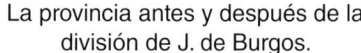

La provincia antes y después de la división de J. de Burgos.

Partido de Alba según T. López, 1801.

Pero esta provincia no ha sido de las más afectadas por dicha división, ni en su superficie ni en el territorio que tenía antes y después. Lo más importante fue la pérdida de los partidos de Barco de Ávila, Piedrahíta y el Mirón en favor de Ávila, pero ganó parte de la comarca de la Sierra de Francia y algunos municipios en el este, entre ellos Peñaranda. Pierde o incorpora algún municipio para regular el trazado o reunir núcleos por razones históricas. A la comarca Tierra de Alba sí le afectó en lo territorial la citada división de J. de Burgos, como puede verse en el mapa en el que se recoge este aspecto, pero en escasa medida, buscando ofrecer una línea fronteriza interprovincial más regular, racional y sin enclaves o entrantes y salientes de unas provincias en las vecinas, como era muy frecuente en la división anterior. En cambio sí fueron importantes, como en toda España, los cambios en divisiones territoriales internas. Antes eran muchas, variadas y complejas, consecuencia de una larga y compleja historia que fue dejando términos y divisiones territoriales. En la nueva división provincial solo existe una nueva, el municipio, y todos ellos eran muy regulares y, por lo general, con un solo territorio, como las provincias. Con esto buscaba adecuarse a las nuevas exigencias y dejar como única base territorial el municipio, y suprimir otras superficies históricas como quartos y sexmos. En el mapa de la provincia antes de la división provincial, vemos que Alba era cabecera de un territorio más extenso que la actual comarca, y tenía sobre el mismo mayor incidencia que la que tiene ahora sobre su comarca Tierra de Alba. Es consecuencia de que algunas funciones las ha absorbido Salamanca como capital provincial y Alba ha perdido importancia por tal motivo.

Alba registró cierta regresión demográfica o mantuvo el estancamiento como en épocas pasadas, al no recibir actividad alguna que impulsara su economía o que hiciera que Alba resultara atractiva y que su población no tuviera que marcharse o que regresaran algunos que lo habían hecho antes.

Tal situación continuó a lo largo del primer tercio del siglo XIX, y se registró después, hasta 1910, un constante aunque poco intenso incremento de su población absoluta, como lo ratifican los datos de población correspondientes a 1842 y 1910, con 2107 y 3499 habitantes respectivamente. En el primer censo moderno, 1857, realizada ya la división provincial de J. de Burgos, 1833, Alba registra una leve recuperación, 2674 habitantes, con un 30% de incremento, al contrario que antes, al convertirse en capital del partido judicial y cabecera de la comarca de su nombre. Por tales motivos, recibe ciertos servicios que incrementan las actividades y se levantan algunas construcciones como el Teatro del Hospital y la Plaza de Toros, y se pone en marcha el ambicioso proyecto para construir la gran basílica teresiana, que no llegará a terminarse por su elevado coste y falta de fondos e impulsores de la misma. En estos años, último cuarto del siglo XIX, Alba recibe otra importante mejora, pero que apenas tendrá influencia en su desarrollo económico y demográfico, por el escaso interés que le prestaron desde el primer momento. Se trata de la llegada del ferrocarril o, más bien, del paso del ferrocarril por sus cercanías, al no hacer nada para que pasara por la villa ducal, lo que hubiera tenido repercusiones positivas, cosa que no ha ocurrido con la forma como se hizo, lejos de ella y sin prestarle atención, como hicieron otros lugares, Guijuelo, con gran repercusión económica.

La pequeña, lejana, con escasas ventajas para Alba y hoy abandonada estación de ferrocarril.

Pese a la importancia de este medio de transporte, el tiempo que ha estado funcionando apenas ha tenido influencia positiva en la economía y demografía albense, para las que casi ha pasado desapercibido, como ha ocurrido en otros pueblos de la provincia por causas similares, por colocar las estaciones lejos de los pueblos, como si fuera algo detestable en vez de un interesante factor para la economía y el bienestar de su población. El que apenas tuviera incidencia en la economía local, como sí ocurrió en Guijuelo, se debió a que la estación estaba lejos de Alba, como si no tuvieran interés alguno por ella. Por tal motivo, su influencia en el desarrollo local, con la posible instalación de actividades económicas, fue escasa, por no decir nula. Por eso, cuando se cerró el ferrocarril ruta de la Plata, 1985, tampoco tuvo apenas repercusión alguna negativa en Alba. La diferencia respecto a pueblos con la estación en el pueblo, como Guijuelo y Gomecello, es evidente, pues la llegada del ferrocarril supuso el cambio radical para el desarrollo de la economía local y su evolución demográfica, con acelerado incremento en ambas, sobre todo por tal motivo.

En otros lugares de la provincia ha ocurrido como en Alba que, al no querer o no hacer nada para que el ferrocarril pasara por el pueblo, ni siquiera cerca del mismo, como en Candelario, ellos mismos echaron por tierra su secular industria chacinera. La tradicional, secular y boyante economía de la villa serrana, que ya sufría un prolongado estancamiento a mediados del siglo XIX, entró en franca regresión hasta casi desaparecer, y fue el no tener ferrocarril, medio moderno de transporte para sus materias primas y la comercialización de sus productos, una de las principales causas y el comienzo de su declinar. En Guijuelo ocurrió lo contrario, recibieron con alborozo el ferrocarril e hicieron lo posible para que la estación estuviera en el pueblo y aprovecharla al máximo. La relación entre estos hechos y el auge de su industria chacinera a partir de ese momento es evidente como en Candelario, pero en sentido contrario. Así se escribe la historia. En Alba pasó algo parecido a lo de Candelario y el ferrocarril apenas supuso ventaja alguna para su economía.

Como es sabido, la reordenación territorial realizada por J. de Burgos en 1833, conocida como división provincial y que ha llegado hasta hoy, lo que la acredita como adecuada, razonable y eficaz, cosa que no sucede con la actual de las comunidades autónomas, aportó muchas novedades, en gran medida positivas, alguna de las cuales beneficiaron también a núcleos medianos, semiurbanos como Alba, que incrementará su población por tal motivo. Perdió su condición de centro principal del partido histórico que apenas tenía ya repercusiones socioeconómicas para Alba, al no generar servicios. Pero pasó a ser capital del partido judicial de su nombre, con más actividad y algunos funcionarios, a la vez que influyó en la mejora del comercio y servicios para atender a los pueblos del entorno, con las consiguientes, aunque pequeñas, repercusiones demográficas. La cercanía a Salamanca, negativa en este aspecto en nuestros días, como lo confirma el que ha absorbido dicho partido judicial y no favorece el mantenimiento de algunos servicios en Alba, entonces no lo era tanto, pues las comunicaciones no eran tan fluidas y fáciles como ahora. Además, ha reforzado algo su condición de cabecera comarcal de Tierra de Alba. Esto explica que, en el primer censo de población moderno de España, 1857, tuviera 2675 habitantes, casi un 30% más que recién acabada la Guerra de la Independencia. Desde hacía más de dos siglos no había tenido un incremento similar.

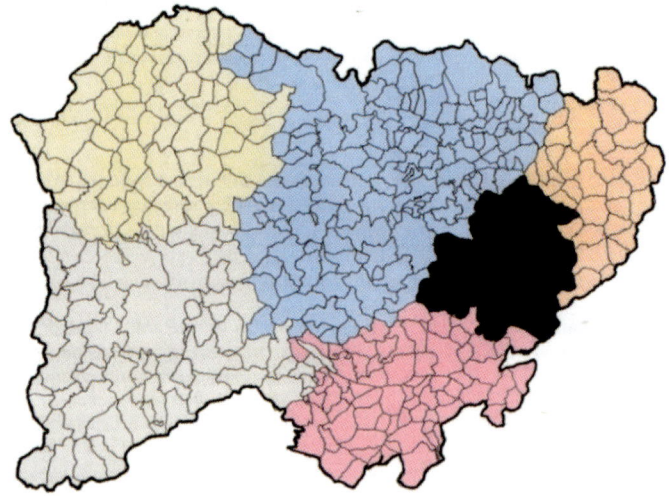

Partido judicial de Alba de Tormes. Supuso cierto impulso para su desarrollo demográfico y urbano.

Esta nueva y positiva situación socioeconómica y demográfica de Alba es el comienzo de una nueva etapa en la que registrará un constante y ligero aumento hasta nuestros días, con la excepción de los censos de 1920 y 1930, en los que Alba sufrió las consecuencias del incremento de la emigración que afectó entonces a muchos lugares y comarcas rurales, con claro predominio de una economía agropecuaria poco desarrollada, como la albense. Los datos del gráfico siguiente, referidos al periodo 1842-2014, lo ponen de manifiesto. Después de 1940 comienza una nueva etapa en la que, con la única excepción de la década 1970-1981, la población albense mantiene un constante y mayor incremento que en la etapa anterior. Contaba con 3431 habitantes en el citado censo, 1940, y pasarán a 5338 en 2011, la cifra más alta que ha tenido hasta la fecha Alba. Esto supuso un incremento de casi dos mil habitantes, un 60 %

en poco más de medio siglo. Es evidente el incremento registrado por la población de Alba en dicho periodo, pero es menor que el de la media de la población española en igual periodo y, con mayor diferencia aún, respecto a la población de los núcleos medianos, grupo al que pertenece Alba de Tormes.

El desarrollo socioeconómico que registra la economía española a finales del siglo XIX apenas llegó a Salamanca y, menos aún a Alba, por lo que el incremento demográfico en ellas fue escaso, sobre todo en la segunda mitad, al no poder aprovechar las mejoras que pudo traerle el ferrocarril y el desarrollo industrial de España. Por tales motivos, continúa su lenta recuperación, que encubre una endémica emigración, al ser menor su incremento real que su crecimiento natural. La emigración, endémica en Castilla y León casi desde el descubrimiento de América, continúa provocando estragos en la población de estas tierras, con predominio de lo rural, y tan representativa de lo castellano en todo.

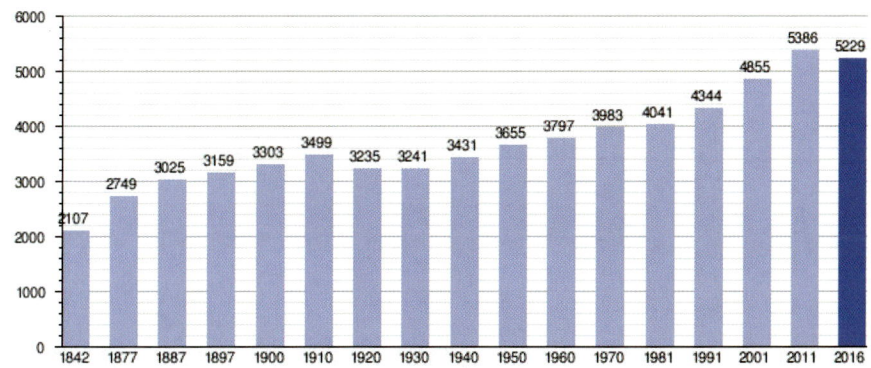

Evolución de la población de Alba entre 1842-2016, con ascenso entre 1981-2011 y regresión posterior.

La evolución que registra Alba a lo largo del siglo XX muestra cierto estancamiento en la primera mitad, al pasar de 3321 habitantes en 1900 a 3368 en 1950, con un incremento solo del 10%, bastante inferior al de su crecimiento natural y al que registraron la población española, provincial y de la capital en el mismo periodo. Los cambios socioeconómicos posteriores, desde los años cincuenta hasta hoy, con intenso éxodo rural hacia la capital, hacen que los núcleos semiurbanos cercanos a ella y centros comarcales como Alba tengan cierto incremento, mientras que los núcleos rurales, casi todos, sufren fuertes pérdidas por emigración y crecimiento natural negativo. Por esto, Alba incrementó su población en 2151 habitantes entre 1920, fecha con su menor cuantía en el siglo XX, 3235, hasta el 2011, cuando tuvo la cifra más alta desde entonces, 5386, pasando de 3668 a 5341, con un incremento del 76%, cifra importante pero menor a la media española, era muy inferior a la de los núcleos urbanos y parecida a la de Castilla y León y la provincia de Salamanca, con escaso dinamismo económico y regresiva evolución demográfica. Hay que destacar su carácter positivo en todo el citado periodo, cosa que no ha ocurrido a escala provincial, con bastantes menos efectivos en 2016 que en 1950, porque ha continuado la emigración provincial y el crecimiento natural negativo, consecuencia de su acentuado envejecimiento. Solo se ha salvado el área metropolitana salmantina, que ha tenido una evolución claramente positiva hasta el momento presente. Alba está en el límite de esta y por eso no se ha beneficiado apenas de la recuperación y del incremento demográfico que han tenido todos los núcleos pertenecientes a la misma.

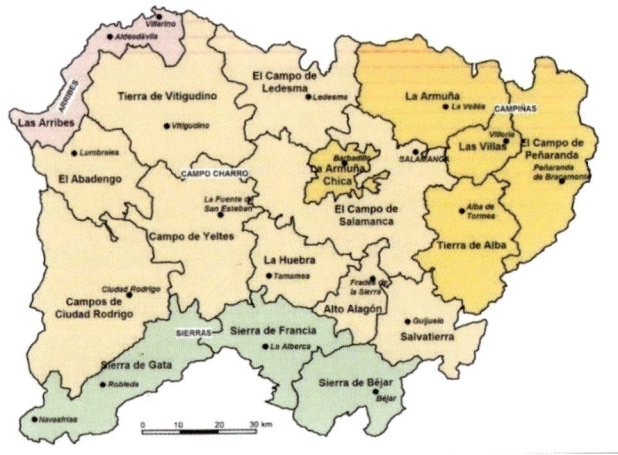

Alba también es cabecera de la comarca de su nombre, *Tierra de Alba*, con pocas ventajas por ello.

En esta ocasión, el comportamiento de Alba difiere de la media provincial y de otros núcleos urbanos provinciales, Béjar y Ciudad Rodrigo, y de los rurales del entorno de la capital que hoy forman el área metropolitana de la misma. Han visto disminuir su población absoluta en los últimos años, al no crearse actividades económicas que la retengan, y tampoco han atraído a gente de fuera ni a salmantinos del mundo rural, que se marchan a otros lugares y a la capital, pero no a los lugares citados y a Alba. Tampoco ha tenido repercusión demográfica positiva el que Alba continúe siendo el centro comarcal de la Tierra de Alba, al haber perdido importancia los centros comarcales cercanos a la capital provincial, que presta muchos servicios que le correspondería a Alba hacerlo, si estuviera más lejos.

Frente a la regresión demográfica, casi generalizada en el mundo rural, por la emigración, envejecimiento y crecimiento natural negativo hace varias décadas, Alba ha tenido cierto incremento en el mismo periodo, pero muy por debajo del que han tenido los núcleos que están cerca de la capital, Villares, Cabrerizos, Carbajosa y, sobre todo, Sta. Marta. Esta evolución de la población albense en el último medio siglo ha tenido su reflejo en la distribución demográfica por sexo y en grupos de edad. Presenta casi equilibrio de los sexos, solo 55 mujeres más que hombres, 0,50%, cuando la diferencia debería ser mayor en condiciones normales. Dicha situación se debe a la llegada de más hombres que mujeres entre los inmigrantes, mayor emigración femenina y el incremento de la morbilidad femenina. Esto acrecienta las diferencias de la pirámide de edades de Alba respecto a las del mundo rural provincial, la capital o los pueblos del entorno de esta y que han tenido un acelerado y fuerte crecimiento en los últimos años. La base de la pirámide de Alba, por las características citadas, es estrecha por la fuerte reducción de la natalidad desde hace tiempo y por haber sido más frecuente la emigración de matrimonios jóvenes con niños que de los que no los tenían o eran ya mayores.

Estos factores explican la importancia de los adultos en la población albense, que muestra un notorio ensanchamiento que destaca más ante la escasa y cada vez menor participación de jóvenes. Además, todavía no le ha afectado el fuerte envejecimiento de la población provincial y regional, sobre todo la rural, porque los que llegaron eran jóvenes y no forman parte de los mayores. La participación de este grupo es más baja que en la media provincial y de la mayor parte de los pueblos de la provincia, donde la emigración de los menores de 60 años y el envejecimiento de la población han incrementado su participación, hasta formar una pirámide invertida con el grupo de mayores como importante y destacada participación en el conjunto, al tiempo que se reduce hasta la base, y son los jóvenes los que tienen menor participación y tendencia a ser cada vez menos en el futuro.

Además, llama la atención por lo generalizada que está en la provincia y en la mayor parte de los municipios rurales de Castilla y León, la constante e intensa pérdida de población que está poniendo al borde de la desaparición a un elevado número de núcleos. En Alba está ocurriendo lo contrario, aunque no registre la importancia que en los lugares cercanos a Salamanca citados antes. Han influido en ello varias causas que, con poca intensidad pero con carácter positivo, han contribuido al citado incremento de la población albense, y se salva así de la generalizada emigración provincial y regional y de la consiguiente regresión demográfica que tanto ha afectado a la población rural provincial.

Una de ellas es el mantenimiento de su condición de cabecera comarcal, por lo que tiene algunos servicios para los pueblos de la misma. También su incorporación, con escasa intensidad todavía, a la incipiente área metropolitana salmantina, que ha dado gran impulso al incremento de los núcleos cercanos a la capital y, en menor medida, a Alba. Por este motivo y por su cercanía a Salamanca, algunos albenses trabajan en la capital pero viven en la villa ducal, con el consiguiente beneficio demográfico para Alba. También hay que tener en cuenta la actividad turística, con algunos servicios derivados de ella, por su condición de destacado centro teresiano, y el turismo religioso por tal motivo. *Las Edades del Hombre* y otros actos en torno a Sta. Teresa, le han dado un notorio impulso que esperemos que se mantenga e incremente. Además es Conjunto histórico, con un patrimonio monumental interesante que, junto a su importancia histórica por su relación con el Gran Duque y Santa Teresa, contribuyen también al desarrollo de dicho sector. Pero como ocurre en lo relativo a su promoción cultural, dada su importancia histórica, también en lo turístico, Alba está lejos de tener un sector turístico a tono con su importancia histórica, cultural, religiosa, monumental y turística. Faltan iniciativas y olfato.

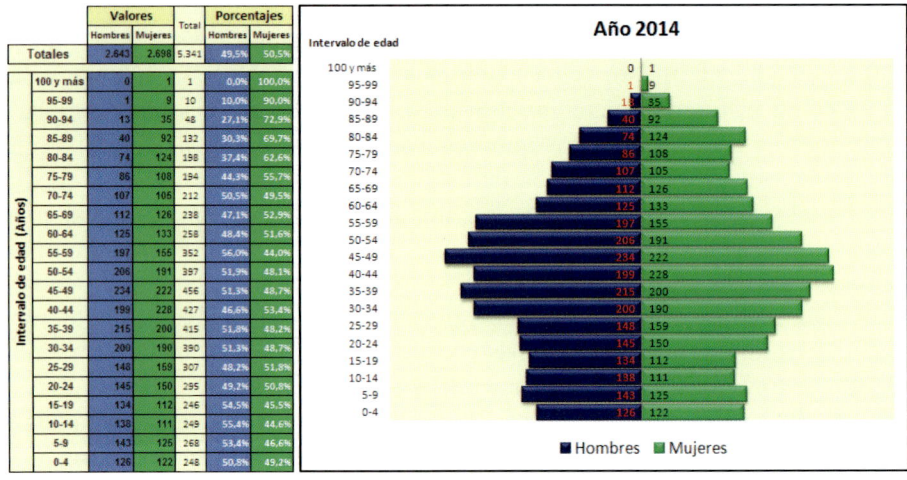

	Valores		Total	Porcentajes	
	Hombres	Mujeres		Hombres	Mujeres
Totales	2.643	2.698	5.341	49,5%	50,5%
100 y más	0	1	1	0,0%	100,0%
95-99	1	9	10	10,0%	90,0%
90-94	13	35	48	27,1%	72,9%
85-89	40	92	132	30,3%	69,7%
80-84	74	124	198	37,4%	62,6%
75-79	86	108	194	44,3%	55,7%
70-74	107	105	212	50,5%	49,5%
65-69	112	126	238	47,1%	52,9%
60-64	125	133	258	48,4%	51,6%
55-59	197	155	352	56,0%	44,0%
50-54	206	191	397	51,9%	48,1%
45-49	234	222	456	51,3%	48,7%
40-44	199	228	427	46,6%	53,4%
35-39	215	200	415	51,8%	48,2%
30-34	200	190	390	51,3%	48,7%
25-29	148	159	307	48,2%	51,8%
20-24	145	150	295	49,2%	50,8%
15-19	134	112	246	54,5%	45,5%
10-14	138	111	249	55,4%	44,6%
5-9	143	125	268	53,4%	46,6%
0-4	126	122	248	50,8%	49,2%

Población de Alba por sexo y edad y pirámide resultante de la misma. 2016.

La incidencia de estas causas en favor del incremento demográfico albense se ha visto contrarrestada, frenada, por el fuerte incremento de Terradillos, municipio limítrofe de Alba, en dirección a Salamanca y que, pese a su condición de pequeño núcleo rural, ha tenido un crecimiento demográfico sorprendente, importante, en las tres últimas décadas, vinculado al auge del área metropolitana salmantina de la que forma parte. Dicho muncipio tenía solo 321 habitantes en 1970, y en regresión, como casi todos los núcleos rurales salmantinos entonces y como correspondía a uno con escasos recursos y afectado por la emigración como otros muchos. Poco después cambió su evolución al llegarle las repercusiones del área metropolitana salmantina, pese a estar tan lejos, 15 km, e incrementó su población. Pasó a 1762 en 1991 y 3089 en el 2016, se multiplicó casi por diez su población en cuatro décadas, pese a su distancia de la capital. Desde hace unos años parece que se ha estancado, como ha ocurrido en otras zonas de dicha área metropolitana. Resulta sorprendente este comportamiento demográfico, como el de un barrio suburbano o núcleo rural cercano a la capital, cuando está bastante alejado de la capital y sin ninguna relación directa con la misma ni actividad propia que justificara su reciente expansión urbana y demográfica. Por su aspecto y configuración, es como una prolongación más del Barrio Garrido pero a 15 kilómetros de Salamanca, sin ninguna relación directa con la capital, pero sí con alguna de las causas que han provocado su peculiar evolución demográfica. Su crecimiento se ha producido por causas similares a las de otros núcleos rurales cercanos y beneficiados de la expansión del área metropolitana salmantina.

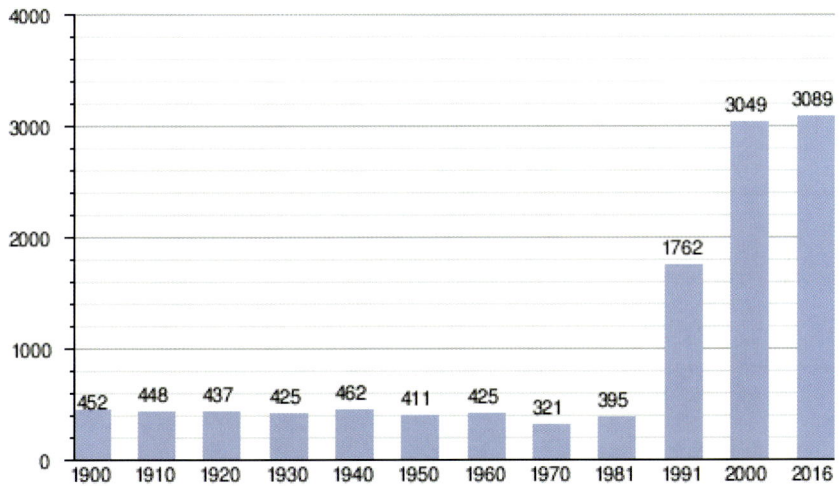

Peculiar evolución demográfica de Terradillos en el último cuarto de siglo.

Según algunos, esta singular evolución demográfica, en sus comienzos, estuvo relacionada con un proyecto de reorganización militar en España en tiempos de la UCD. Alba sería un lugar con importantes instalaciones militares, cuarteles y servicios diversos, de ámbito regional. Para atender tales necesidades se precisaban lugares para alojar a los que iban a trabajar o prestarle servicios a los que trabajaran en tales instalaciones. En vez de hacerlo en Alba, donde el suelo sería más caro, y habría más problemas y menos beneficios, decidieron levantar tales instalaciones, viviendas y servicios en el término municipal de Terradillos, con dos tipos de viviendas. En un lugar habría bloques con viviendas económicas y en otros, como en las urbanizaciones de Los Cisnes y

Alba Nova, chalets y viviendas para gentes con más recursos. La desaparición de la UCD, los cambios en los anteriores proyectos militares, el acceso al poder del PSOE, contrario a ellos, y la supresión del servicio militar, entre otras causas, dieron al traste con el proyecto anterior, si es que alguna vez fue cierto, o solo rumor o bulo soltado por alguien interesado en hacer negocio y que tuvo la suerte de que lo creyeran, como lo ratifican los resultados. Fuera o no cierto, lo que sí es verdad es que sirvió para llevar a cabo lo comentado antes y que alguien sacara buenos beneficios del mismo. Hoy, Terradillos es como una prolongación de un barrio salmantino, con reciente y rápido incremento, como otros de la periferia de la capital, y con población muy joven, de procedencia y rasgos culturales muy diversos, entre los que hay una interesante colonia de extranjeros, con veinte nacionalidades diferentes, pero que son ejemplo de convivencia, sin problemas entre ellos ni con los vecinos, aspecto que ha sido reconocido por las instituciones y en general. Por eso quiero rendirle homenaje con este reconocimiento y ponerlos como ejemplo de convivencia para que cunda, al ser tan necesarios casos como este.

Urbanización El Encinar, la zona con chalets, con el peculiar desarrollo de Terradillos por este motivo.

Como puede verse por los datos anteriores sobre Alba y Terradillos, la evolución de la primera, aunque también ha sido positiva en los últimos tiempos, dista mucho del ritmo de crecimiento que ha tenido Terradillos al haber recibido este, con intensidad, las repercusiones del crecimiento del área metropolitana salmantina. Gracias a esta positiva evolución demográfica del último medio siglo, Alba mantiene su condición de núcleo semiurbano, con cierta importancia en el ámbito provincial y en las campiñas del NE provincial, en las que la emigración ha sido menos intensa que en otras zonas, como el Campo Charro y las sierras. Parte de esta emigración rural se instalaba en la capital y en varios pueblos cercanos citados antes. Alba de Tormes se ha beneficiado algo de dicha emigración provincial, pero en escasa medida, como lo ratifica su escaso dinamismo e incremento. Es posible que el peculiar crecimiento de Terradillos, en cierta medida, haya impedido que fuera mayor el de Alba, aunque su distancia a Salamanca, casi 20 km, no era favorable para beneficiarse de la expansión de la citada área metropolitana, en cuya periferia se encuentra. Ha sido siempre una barrera importante, pero no insalvable, como lo demuestra el ejemplo de Terradillos. Al no ocurrir esto en Alba, ha pasado de ser el quinto núcleo de población provincial, tras la capital, Béjar, Ciudad Rodrigo y Peñaranda en los años sesenta, a ser hoy el 11.º, después de los citados más cinco del área metropolitana salmantina.

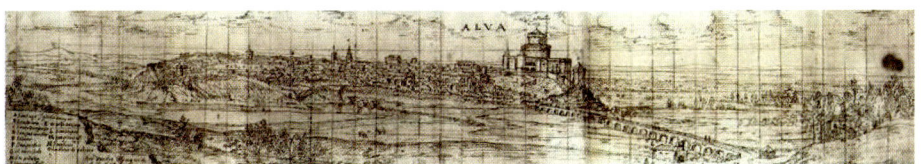

Vista general de Alba, según Van de Vyngaerde, 1575.

Vista hacia 1890, antes de empezar la construcción de la basílica.

Alba en nuestros días. Grandes semejanzas con la imagen anterior, excepto en la basílica y cierta revitalización urbana.

Al igual que el incremento demográfico, y en parte por esto, Alba también ha registrado algunos cambios en su urbanismo, incluso en mayor cuantía porcentual que los demográficos, si pudieran contabilizarse los registrados en lo urbano. Se ha renovado el caserío antiguo y, además, se ha ampliado y mejorado con nuevas y mayores construcciones e instalaciones y con mejora de las existentes, con el consiguiente beneficio en el aspecto que hoy presenta Alba. Basta con ver dos fotografías generales de la villa ducal, correspondientes a fechas diferentes, como las que acompañan el texto, de ahora y hace un siglo, para convencerse de los importantes cambios registrados por Alba en este aspecto. En tales cambios urbanos no aparecen los consabidos bloques de viviendas, típicas de los barrios suburbanos o como pueden verse en Terradillos, sino un caserío modernizado formando un núcleo compacto. Estas características urbanas y diferencias entre el pasado y el presente pueden verse en las dos fotografías que acompañan estos comentarios. La primera nos muestra a Alba hace algo más de un siglo, antes de empezar a construirse la basílica. El caserío ocupa menos espacio y es más bajo que ahora, por lo que las iglesias y los conventos emergen por encima de las casas. No existía todavía la basílica, que es lo que más ha contribuido a cambiar la imagen del urbanismo de Alba en estas vistas. Por tales motivos, también ha habido algunos pequeños cambios en el urbanismo albense, al igual que en lo demográfico.

Las diferencias entre el urbanismo actual de Alba son evidentes y notorias, porque a lo cuantitativo se une, con mayor influencia, lo cualitativo, esto es, cambios en ciertos aspectos, formas y colores, y se acrecientan así más las diferencias producidas por el volumen que han tenido dichos cambios. Esto puede verse mejor en ciertos lugares y detalles, como en el estado actual de la Plaza Mayor, y al compararla con cómo era hace un siglo. Es lo que se ofrece en las fotografías que van a continuación, las diferencias entre la Plaza Mayor actual, con ese aire un tanto mediterráneo, con sus edificios blancos y las palmeras centrales, y el aspecto que tenía hace un siglo, más rústico, grisáceo, ordinario, pueblerino, con gente a la puerta de las casas y el suelo de tierra.

Tales cambios han supuesto la desaparición de algunas instalaciones o la construcción de otras nuevas, que no siempre han derivado en mejoras para el urbanismo albense. A pesar del incremento registrado en la población, en el caserío y en ciertos servicios para los pueblos del entorno y sus relaciones con la capital, sin embargo, sigue teniendo una grave deficiencia en las comunicaciones, al no tener más que el puente de siempre para cruzar el Tormes, aun con el incremento del tráfico, al mantener su condición de cruce de caminos y pasar por el mismo las carreteras que van de las tierras centrales del Duero a los puertos del Sistema Central, con el consiguiente problema para su expansión y desarrollo. Pese al incremento registrado en población, actividades económicas, servicios y relaciones con Salamanca y las comarcas y pueblos del entorno, no han conseguido mejorar las carreteras y construir otro puente, lo que crea problemas en muchos aspectos, resta posibilidades al desarrollo e impide que se beneficie de ellas el modo de vida de su población.

En el mismo sentido estaría cambiar la carretera con Salamanca por autovía, para fomentar los intercambios y relaciones de Alba con la capital, con las favorables repercusiones que esto tendría para su desarrollo socioeconómico y demográfico. Es muy posible que, si el bulo que dio origen e impulsó a Terradillos se hubiera centrado en Alba, hubiera sido muy diferente su evolución y situación actual en su desarrollo urbano y cuantía demográfica. No fue así y Alba es lo que es, un pequeño núcleo semiurbano que se sostiene gracias a que conserva su condición de centro comarcal de parte de las campiñas del NE, con algunos servicios y una importancia histórica destacada, que podría ser bastante mayor, en su turismo cultural y religioso, si se relacionara con la Casa de Alba y Sta. Teresa, lo cual podría y debería estar mejor explotado y aprovechado, con las consiguientes y favorables repercusiones para la villa ducal. Confío en que, denunciando tal situación, ayudemos a mejorarla.

La Plaza Mayor de Alba a comienzos del s. XX.

Alba con su único puente y la estrecha relación entre este, el caserío
y el castillo o lo que queda del mismo.

CAPÍTULO VI
EVOLUCIÓN URBANA DE ALBA: CAUSAS DEL DESARROLLO Y ACTUAL CONFIGURACIÓN URBANA

Los comentarios realizados al comienzo del trabajo sobre la situación y el emplazamiento de Alba han puesto de manifiesto que se halla en un lugar en el que confluyen una serie de factores naturales favorables para su erección. Está entre dos grandes zonas paisajísticas, Campo Charro y Campiñas Cerealistas del NE, con economías diferentes, y por donde pasan caminos que recorren los citados espacios y confluyen en Alba para cruzar el Tormes. Esto lo hacen por el vado fluvial en el que, hace tiempo, se levantó un puente y junto al que está el caserío, construido sobre un cerro cercano y con suelos fértiles en la Vega del Tormes que hay en dicho lugar. Todo ello, núcleo, puente y Vega, se puede controlar desde un cerro cercano, sobre el que se alzó hace tiempo una fortaleza con tal fin, desempeñado eficazmente y de la que queda parte de su construcción inicial. Se explica así que, por este lugar, los romanos ya trazaran alguna de sus famosas calzadas que, tras cruzar el Campo Charro, pasando por Salamanca, iban hacia los puertos del Sistema Central, se conservan algunos tramos cerca de Alba. Además, reforzaron la importancia de dichas calzadas construyendo puentes como fue el de Alba sobre el Tormes, al igual que en Salamanca, con el consiguiente beneficio para el núcleo construido en su proximidad para defenderlo y aprovecharse de sus ventajas. También la zona de Alba y el lugar sobre el que se alza la villa ducal fueron los disputados a comienzos del siglo X entre moros y cristianos, en tiempos de Ramiro II, para hacerse con su control, por la importancia estratégica de estas tierras, cosa que consiguió temporalmente, y se volvió con Almanzor a la situación anterior.

El destacado papel de Alba, por su privilegiada situación geográfica, lo mantuvo y acrecentó tras la repoblación posterior por Raimundo de Borgoña y por ser lugar fronterizo, disputado entre Castilla y León, cuando estuvieron separados entre 1157-1230. Mantendrá su importancia al incorporarlo los reyes a las posesiones de la Corona y donárselo a personajes relacionados con la familia real, por los servicios prestados y su estrecha relación con dicha institución. Por este motivo, Juan II donó Alba y su tierra en 1429 a D. Gutierre Álvarez de Toledo, obispo de Palencia, personaje muy influyente en su tiempo, pues fue canciller de la reina Leonor y arzobispo de Sevilla y Toledo, 1439-1446, para agradecerle los servicios prestados y su apoyo en momentos difíciles. Al morir sin descendientes directos, le pasó el señorío de Alba a un sobrino, ya como condado, 1438, y se inició así la saga de los Álvarez de Toledo como señores de Alba y, poco después, como duques, 1472, hasta nuestros días. Todo ello tuvo una destacada y positiva influencia en el desarrollo de Alba.

La Casa de Alba es uno de los nuevos títulos nobiliarios que surgieron en el agitado periodo de los reinados de Pedro I el Cruel y Enrique II de Trastámara, aprovechando la debilidad real y la necesidad de los reyes de crear nuevos nobles para tener apoyos a su causa. Los Álvarez de Toledo apostaron por los Trastámara y, después, por los RR. CC. Tras el accidentado acceso al trono de Enrique II, con la muerte de su hermano Pedro I, le donó a dicho señor los importantes señoríos de Valdecorneja y Oropesa, que fortalecieron el recién creado ducado de Alba, además de permitirle reforzar las instalaciones militares de Alba, como el castillo que hoy conocemos. El primero de los citados señoríos, Valdecorneja, le permitía controlar el importante puerto de Tornavacas, paso natural para ganado y mercancías por la cañada leonesa, y el segundo lo era para ir a la feria de Talavera. Así surgió y acrecentó su poderío el ducado de Alba, quizás el más importante e influyente entonces en Castilla y León, entre los muchos existentes en España en el Siglo de Oro, fundamento del gran poderío que tendrá después. Entre los once primeros duques de Alba, pertenecientes a la familia Álvarez de Toledo, destacó de manera especial el III, el citado D. Fernando Álvarez de Toledo, conocido como el Gran Duque. Vivió 75 años de los cuales 57 fueron de gran actividad y eficacia, en diferentes campos y funciones de máxima responsabilidad, como virrey de Nápoles y Portugal y gobernador de Milán y los Países Bajos, y con beneplácito de Carlos V y Felipe II, de los cuales fue su principal y más eficaz servidor y colaborador, además de ser amigo de ambos.

Sin temor a dudas, podemos considerarlo como el más importante de los servidores de la Corona en aquellos tiempos en que España era la primera potencia mundial y pese a que hubo muchos y buenos servidores de los citados reyes. Además, como otros de la casa, fue una persona culta, mecenas de artistas y escritores y gran impulsor del Renacimiento y de la cultura española en la corte que tenía la casa ducal en Alba, aspecto muy poco difundido al

La Anunciación y I Duque de Alba orante, 1472. Fundación.

Autógrafo de D. Gutierre Álvarez de Toledo, 1429.

haberse generalizado más todo lo contrario por influencia de sus enemigos y la ignorancia, tolerancia e idiotez de muchos españoles. Es una imagen positiva y poco conocida del Gran Duque y otros miembros de su familia que conviene conocer y difundir en honor a la verdad, la justicia y a nuestra historia. La serie de TVE *Carlos V* está ayudando a conocer mejor a este importante personaje de nuestra historia, al dar una imagen más veraz y positiva de su importancia en la corte del emperador, del que fue, como de su hijo, mayordomo mayor y Toisón de Oro. Tenemos de él y de sus sucesores una imagen falsa, tergiversada, en gran medida influida por lo que los flamencos contaron de él cuando fue gobernador de Flandes y cumplió con su obligación, someter a los rebeldes y contrarios a los intereses de España en aquellas tierras. Por eso, considero que, dada su estrecha relación con Alba, donde tuvo su residencia, aunque viviera aquí poco tiempo por sus actividades fuera de España, conviene conocer los aspectos más importantes de su interesante y brillante biografía y su estrecha relación con Alba de Tormes, y darla a conocer, pues es la razón por la que es conocida como la villa ducal española por antonomasia.

D. Fernando Álvarez de Toledo, III duque de Alba, es conocido en la historia como el Gran Duque, por su extraordinaria hoja de servicios a la Corona durante 57 años, sin olvidar el gran impulso que dio a la cultura renacentista de su tiempo. Es uno de los personajes más importantes de nuestra historia, aunque hayamos tenido muchos y muy buenos. A parte de ellos no los hemos valorado justamente, y el Gran Duque es uno de estos casos, al ser más conocido por lo que contaron de él los holandeses sobre lo que hizo en los siete años que estuvo de gobernador en Flandes, donde se limitó a cumplir con su obligación de someter a los rebeldes, en la forma como se hacía entonces. Pero pocos conocen lo mucho y bueno que hizo en los otros cincuenta años que sirvió fielmente a la Corona, en importantes trabajos como virrey de Nápoles y de Portugal, país que anexionó a España, y como gobernador en Milán, además de haber participado en importantes servicios en otros frentes, como el sitio de Viena y Túnez con el emperador en 1532, entre otros.

Nació en Piedrahíta el 29 de octubre de 1507 y murió en Lisboa en 1582. Hijo de D. García, muerto en combate en la isla de Gelves, y de D.ª Beatriz de Pimentel. Se casó con su prima María Enríquez, con la que tuvo cinco hijos. Sucedió al frente del ducado a su abuelo D. Fadrique, II duque, famoso militar que había participado en numerosas campañas con los Reyes Católicos y Carlos V, quien lo educó en las artes de la guerra. D. Fadrique luchó, junto con el Rey Católico, contra los franceses en Navarra, 1512, e incorporó este reino al de Castilla, con lo que se logrará la formación de la España que hoy conocemos. La dedicación de D. Fernando a las armas fue constante y desde muy joven, hasta el punto de que, con solo 7 años, acompañó a su abuelo en la citada expedición que supondría la incorporación de Navarra. En 1524, con solo 17 años, se unió, sin permiso familiar, a las tropas del condestable de Castilla D. Íñigo de Velasco, que sitiaron y rindieron la plaza de Fuenterrabía, ocupada por los franceses y navarros, y por su brillante intervención fue nombrado gobernador de dicha ciudad. Siendo ya duque de Alba, acudió en 1532 a la llamada del emperador Carlos V y marchó a Viena acompañado de su amigo Garcilaso de la Vega para defenderla del acoso de los turcos. No fue preciso entrar en combate pues, visto el formidable ejército Imperial de más de 200 000 hombres, los turcos levantaron el asedio y se retiraron y no volvieron, con lo que Viena se libró de caer en su poder, como lamentablemente le había ocurrido casi dos siglos antes a Constantinopla.

A primeros de junio de 1535, el Gran Duque sirvió en el ejército que ocupó Túnez, y se embarcó bajo el mando del marqués de Vasto. El 14 de junio cayó la fortaleza de la Goleta y, una semana después, Túnez, defendida por Barbarroja. En la guerra contra la Liga protestante de Smalkalda, dirigió al ejército imperial como general de la tropas encabezadas por el emperador Carlos V, y consiguió la importante victoria de Mülhberg, 1547, batalla en la que cayó prisionero Juan Federico de Sajonia y a Mauricio de Sajonia le fue devuelto su electorado. Gracias a esta victoria, Carlos V logró una posición desde la que impuso su propio ajuste político en Alemania. La colaboración del Gran Duque en esta política imperial fue importante y decisiva para lograr los fines propuestos.

D. Fernando Álvarez de Toledo,   Garcilaso de la Vega.
Gran Duque. A. Moro. N. York.

Sin embargo, sus intervenciones más importantes se produjeron en el reinado siguiente, ya que Felipe II le manifestó su gran confianza, y D. Fernando y su esposa fueron sus padrinos de boda con María Tudor. El Gran Duque fue uno de los 15 Grandes de España que asistió a la ceremonia en la Abadía de Winchester el día 25 de julio de 1554. En el año 1555 se avivó en Italia el conflicto entre Francia y España. El duque de Alba es enviado como capitán general, y se convierte después en gobernador de Milán y virrey de Nápoles. El recién nombrado papa Pablo IV, enemigo visceral de los Habsburgo, incitó a Enrique II de Francia a expulsar a los españoles de Italia, para lo que unió sus tropas a las del francés, y en julio de 1556 declaró a Felipe II desposeído de su título de rey de Nápoles. El duque de Alba se dirigió a Roma con 12.000 soldados y, ante tal amenaza, el papa pidió una tregua, tiempo que aprovechó para que un ejército francés entrase en Italia hasta Nápoles. Pronto fue llamado el duque de Guisa a Francia pues se acababa de producir el descalabro francés de San Quintín y lo necesitaban allí. Las tropas papales fueron arrolladas por las españolas mandadas por el duque de Alba y entraron victoriosas en Roma en septiembre de 1557. Ante tal situación, el papa solicitó la paz que le fue concedida.

En 1566 hubo revueltas y desórdenes en los Países Bajos, imputados a los herejes calvinistas, deseosos de librarse de la ocupación española. Para atajarlas, Felipe II envió al duque de Alba con un poderoso ejército que llegó a Bruselas el 22 de agosto de 1567. Pocos días después, el 5 de septiembre, estableció el Tribunal de Tumultos para juzgar a los responsables de los disturbios del año anterior. El Tribunal actuó con extraordinario rigor, como era habitual por

Fresco renacentista de C. Passin en el castillo, sobre la batalla de Mülhberg.

parte de todos, y fueron muchos los ajusticiados para pacificar el territorio. El mantenimiento de las tropas llevadas a Flandes acarreaba cuantiosos gastos a la Corona, por lo que el duque impuso nuevos tributos a la población. Algunas ciudades, entre ellas Utrech, se negaron al pago del «diezmo» y se declararon en rebeldía. Este estado de cosas propició la intervención del insumiso Guillermo Nassau, príncipe de Orange, que contó con la ayuda de los hugonotes franceses para oponerse al emperador. Las acciones militares fueron constantes y la situación política no mejoró en modo alguno.

Ante este fracaso, Felipe II relevó al duque de su misión y dispuso su retorno a España en 1573. Su hijo y heredero, Fadrique, había dado promesa de matrimonio a Magdalena de Guzmán, pero no la cumplió, lo cual le costó el arresto en 1566. Al año siguiente fue puesto en libertad para que pudiera marchar con su padre a Flandes y prestar servicio en el ejército. Fadrique, con el apoyo de su padre, se casó en secreto con María de Toledo, hija del marqués de Villafranca, virrey de Sicilia y primo del duque de Alba. Con el regreso del duque y su hijo a Madrid en 1574, se conoció lo sucedido y el rey ordenó abrir un proceso que concluyó en 1579, con la condena y prisión de Fadrique y con el destierro de la corte y el exilio a Uceda del propio duque de Alba, del que volvería de forma muy singular. Fue rehabilitado en 1580, cuando Felipe II, que optaba al trono de Portugal por ser nieto de D. Manuel I de Portugal, se dio cuenta de que la persona adecuada para defender sus intereses en el país vecino al frente de un ejército era el duque de Alba, al que mandó llamar del exilio y le encargó tan difícil tarea, que cumplió a la perfección, frente a las pretensiones monárquicas del prior de Crato.

Venció al ejército y entró triunfante en Lisboa, lo que despejó el camino para la llegada de Felipe II. Obtuvo en recompensa el título de condestable de Portugal. Curiosamente, el mismo duque recogía este hecho en una carta que envió al rey en la que le decía que iba a ser el primero al que un exiliado le iba a conseguir un nuevo reino, como así fue. Murió en Tomar el 12 de diciembre de 1582, solo dos meses después que la Santa, a los 75 años, y finalizó así una larga, activa y brillante trayectoria al servicio de la Corona. Sus restos fueron trasladados a Alba de Tormes, donde recibió sepultura en el convento de S. Leonardo hasta que, durante la Guerra de la Independencia, dicho monasterio sufrió un incendio y los restos del III duque fueron trasladados a los dominicos en Salamanca, donde actualmente descansan. Confío en que esta abreviada biografía del Gran Duque, D. Fernando Álvarez de Toledo, sirva para que quien la lea conozca un poco más y mejor a tan brillante personaje español, más conocido por lo que han dicho de él los contrarios que por lo que realmente hizo, que fue muy favorable para los intereses españoles. Además, está estrechamente vinculado con Alba, que reforzó así su condición de villa ducal, nominación por la que es conocida actualmente, aunque con escasas ventajas por no saber aprovecharlo ni hacer nada al respecto. Espero que la situación cambie.

Pero este importante y destacado papel de Alba de Tormes en la historia y cultura españolas, en el conocido como Siglo de Oro español, de la mano de la casa ducal y hasta que esta se marchó a Piedrahíta en el siglo XVII, no ha tenido el reflejo posterior, y menos en nuestros días, en que no queda más que el recuerdo, y para muchos ni eso, de aquella brillante situación albense en la historia de España. Por eso, Alba no ha pasado de ser un núcleo semiurbano de escasa importancia y es solo cabecera y centro de la comarca a la que da nombre, al no conseguir actividades modernas que impulsaran su desarrollo como hicieron en la capital o Béjar. Las actividades y servicios existentes en Alba han tenido siempre el nivel que correspondía a un núcleo semiurbano que, además, sufría la competencia de la capital provincial por su cercanía. Su notoria atonía socioeconómica se pone de manifiesto por el hecho de que han cerrado el ferrocarril y no ha tenido repercusión alguna, ni lo han echado de menos, como tampoco se había notado mucho al construirlo.

Esta es la situación de un pequeño núcleo semiurbano, centro de una pequeña comarca de las campiñas del NE provincial, aunque en épocas pasadas, cuando la casa ducal tenía aquí su residencia, era grande su influencia y proyección exterior, pero sin que nunca contara con mucha población. Lo único que tuvo antes y ya no tiene son las escasas ventajas derivadas de ser cabeza del partido judicial, creado tras la división provincial de J. de Burgos en 1833. El haberlo suprimido por incorporarlo al de Salamanca ha privado a Alba de esta pequeña actividad favorable para su desarrollo administrativo y urbano.

Como ha quedado de manifiesto al comentar la evolución demográfica albense y su cuantía actual, 5341 a comienzos del 2015, pese a su importancia en la historia y cultura españolas por la presencia de la Casa de Alba y la importancia de Sta. Teresa, no ha tenido poder de atracción para impulsar un

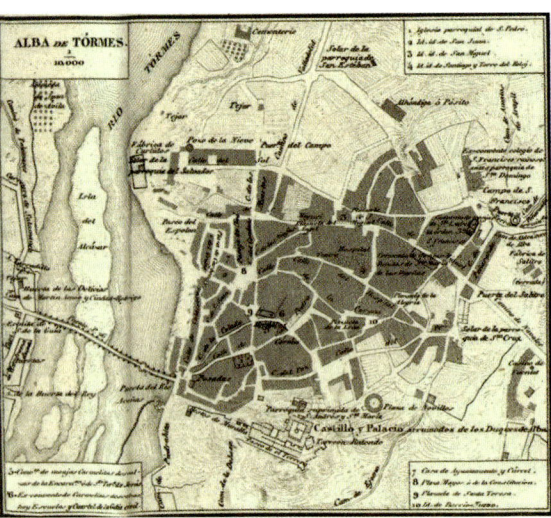

Escudo de Alba de T.

Plano de Alba, 1867. Trazado irregular e importancia del puente y de la Plaza Mayor.

mayor desarrollo socioeconómico y acrecentar así su población e importancia socioeconómica. Han influido en ello varias motivaciones relacionadas con el escaso dinamismo de la economía salmantina en general y de la que Alba no es una excepción positiva, como es el caso de Guijuelo. También el que la Casa de Alba ya no tiene capacidad ni ha querido influir en Alba, además de que se ha desentendido de ella, desde que se marcharon en el siglo XVII a Piedrahíta y después a Madrid. Prueba de todo ello es que no consiguieron ni salvar su castillo-palacio, pese a todo lo que fue para la Casa de Alba en sus tiempos de esplendor y estancia en Alba. La relación e influencia de lo teresiano ha sido más positiva para Alba, al mantenerla como uno de los dos centros religiosos en tal aspecto, icluso con la oposición de Ávila. Esta favorable situación se ha visto reforzada por la importancia que ha adquirido en España, sobre todo en regiones de interior, el turismo cultural y religioso, aspecto que en Alba tiene destacada importancia, ratificado con celebraciones como *Las Edades del Hombre* y el V centenario teresiano. Sin embargo, también en esto está lejos Alba de haber alcanzado el nivel esperado, y prueba de ello es el no haber concluido la basílica proyectada para impulsar el culto a la Santa en Alba.

Por tales motivos su caserío y plano urbano actual conservan muchas características de siglos pasados, al no haberse instalado actividades que erradicaran o modificaran el casco histórico y su configuración urbana tradicional, con edificios, servicios y un aspecto urbano moderno y diferente al anterior y que todavía predomina en muchos aspectos. Solo se han producido algunos cambios, como la ampliación del caserío por el crecimiento de la población; la mayor altura media de las construcciones; las calles más amplias pero sin perder el trazado, y la configuración anterior y un tono más claro por el uso de otros materiales y frecuencia del encalado de las construcciones. Pero la importancia del puente, como único paso sobre el Tormes; el callejero irregular, laberíntico; la abundancia de pequeñas calles; la presencia destacada de la Plaza Mayor en el plano, con escasos cambios en ella y servicios y plazuelas, surgidas junto a las parroquias con sus iglesias de ladrillo, visibles por encima del caserío, siguen siendo frecuentes en Alba. Por eso muestra un paisaje urbano con bastantes elementos de su pasado histórico, motivo por el que Alba fue declarada *Conjunto histórico-artístico*, con las consiguientes repercusiones urbanas, culturales y turísticas.

Esto es lo que, salvando ciertas diferencias por los cambios citados antes, podemos ver en las fotos que acompañan el presente trabajo, una de finales del siglo XIX y otra de nuestros días. Es diferente entre ellos el espacio ocupado por el caserío antes y ahora, al triplicarse la población y los servicios prestados, aumentan la altura media de los edificios, con la aparición de los consabidos bloques de viviendas y con los bajos para actividades comerciales, correspondientes a las ampliaciones urbanas de los años setenta y ochenta. Junto con ellos, aparecen en el centro algunos edificios modernistas que dan cierto carácter y personalidad al casco urbano, como es el caso de la Plaza Mayor, en la que varios de estos edificios se enmarcan y aportan rasgos interesantes a su configuración y uso por la existencia de soportales. También por la abundancia de construcciones modernas, con forma y color diferentes a los de antes, y calles más amplias. Pero en otros aspectos esenciales del plano urbano, ya comentados previamente, las diferencias no son tantas como cabría esperar por el paso del tiempo, los cambios de época, el escaso dinamismo socioeconómico y las actividades modernas, por lo que Alba conserva bastante bien su aspecto histórico tradicional.

Alba de Tormes a finales del siglo XIX, con más iglesias y caserío más bajo y viejo.

Vista general de zonas con nuevas construcciones.

Como todo núcleo histórico español, y Alba lo es, cuenta con un espacio céntrico en el que abundan los edificios históricos, con varias iglesias y conventos que contribuyen en el sentido de acrecentar su interés monumental. Un espacio destacado y singular, como en todo núcleo histórico, es la Plaza Mayor, en torno a la cual se articula el casco histórico y se realizan en ella muchas actividades urbanas, administrativas, comerciales y sociales que acrecientan el interés y la importancia de dicho espacio. Como ha ocurrido en toda la villa, en las últimas décadas ha registrado importantes cambios que han afectado a su aspecto, configuración y uso que hacen los albenses de ella. Los primeros cambios modernos los hizo el alcalde D. Juan A. Sinovas en 1927, quien mejoró el aspecto de algunos edificios, quitó los árboles y el suelo empedrado antiguo. Además, colocó una fuente central en medio de un jardín en el que plantó unas palmeras traídas de Elda, que le dan cierto aspecto mediterráneo, inusual en estas tierras meseteñas. Es, con mucho, el espacio más dinámico de la villa ducal, acrecentado por estar en ella la iglesia de S. Juan y cerca del convento de la Anunciación y del museo carmelitano, con el sepulcro de la Santa y una interesante serie de recuerdos y objetos artísticos y religiosos relacionados con la Santa. La Plaza Mayor está enmarcada por edificios modernistas, finales del siglo XIX, con la arquitectura propia de tales tiempos, con la excepción de la citada iglesia de S. Juan, la más importante de las de Alba, de las pocas que se han salvado, con su

Plano actual de Alba de Tormes con los monumentos y su único e histórico puente.

arquitectura románico-mudéjar, siglo XII, parte de sus ábsides y la riqueza artística que atesora en su interior, sobre todo su original e interesante apostolado románico.

La Plaza Mayor de Alba antes de las mejoras y con el aire mediterráneo
que le dan las palmeras.

La plaza es irregular y está cerrada en tres de sus cuatro lados por edificios con soportales y miradores, como es habitual en las plazas españolas, para mejorar y favorecer el uso social, comercial y turístico de dicho espacio. Destacan el ábside románico-mudéjar de S. Juan y el edificio del Ayuntamiento, del siglo XVI, que, junto a centros comerciales, cafeterías y comercios, la convierten en el espacio urbano con más dinamismo y animación en Alba, como es habitual en todas nuestras plazas. El edificio municipal está realizado en piedra de cantería, con dos cuerpos de armónicas proporciones, el superior con balcón corrido, con dos bellos escudos de la villa y una hermosa ventana esquinada y, coronándolo todo, un edículo con el reloj. La actividad de la plaza, por su centralidad y las funciones que se realizan en ella, se acrecienta por su cercanía al principal espacio urbano, espiritual y turístico de Alba, la Plaza de Sta. Teresa, enmarcada por los dos conventos de carmelitas, con el sepulcro de la Santa en el femenino y la iglesia de S. Juan de la Cruz, primera de las construidas en honor a este santo. Esta placita es uno de los centros más importantes de la espititualidad carmelitana. Se llega hasta ella desde la plaza por una pequeña calle y, además, está cerca de otros edificios teresianos importantes, como el convento de carmelitas descalzos, las instalaciones del museo de Sta. Teresa y la inacabada basílica de la Santa.

Situación central de la plaza y cercanía a otros espacios:
iglesia de S. Juan, sepulcro y museo de la Santa.

Patrimonio histórico-monumental de Alba escaso, pese a su condición de villa ducal y teresiana

El origen histórico de la villa ducal, Alba de Tormes, es incierto. Según el P. César Morán corresponde a un castro prehistórico y, más tarde, al núcleo romano con el nombre de Albocola. Hay indicios que hunden las raíces de su ocupación en los primeros periodos prehistóricos, en relación con su situación topográfica en la margen derecha del río Tormes, y su ribera está salpicada de restos de sepulcros megalíticos del Neolítico final y del Calcolítico. Las referencias a la época romana corresponden a restos de cerámica tosca y fragmentos de tégulas del poblado de Las Revillas, al sureste de Alba de Tormes. También cerca de la villa se conserva parte de la calzada romana que unía Piedrahíta con la capital salmantina, y se intuye el trazado aproximado que tenía el puente en esa época, reconstruido más tarde, como ahora lo conocemos. Con sus veintitrés arcos, sigue siendo testigo de la historia de la villa ducal y uno de los principales factores de su desarrollo.

En el siglo X aparecen nuevas referencias de la población, con el establecimiento de la frontera entre cristianos y musulmanes en el río Duero y los intentos de los reyes asturianos por apropiarse de Alba y asegurarse su asentamiento en estas tierras, cosa que no logrará hasta más tarde Alfonso VI, tras la conquista de Toledo en 1085. El definitivo proceso repoblador fue ordenado por dicho rey al conde francés don Raimundo de Borgoña, casado con su hija, infanta Urraca, y que lo realizará junto con otras tierras, por las provincias de Salamanca, Ávila y Cáceres. Por los comentarios anteriores ha quedado de manifiesto que Alba es un núcleo con antigua e interesante trayectoria histórica, y que en largos periodos de su historia y dentro de la de Castilla fue un núcleo mucho más importante de lo que ha sido en los últimos dos siglos y actualmente, cuando solo es centro y cabecera de una comarca con economía agropecuaria y escasa importancia de los otros sectores, reflejado en una población absoluta que apenas supera hoy los 5000 habitantes. Su interesante trayectoria como villa ducal y teresiana no ha tenido similar correspondencia en su patrimonio monumental, interesante pero inferior a la importancia histórica y cultural que ha tenido, en consonancia con los dos importantes personajes citados antes y las instituciones vinculadas con ellos.

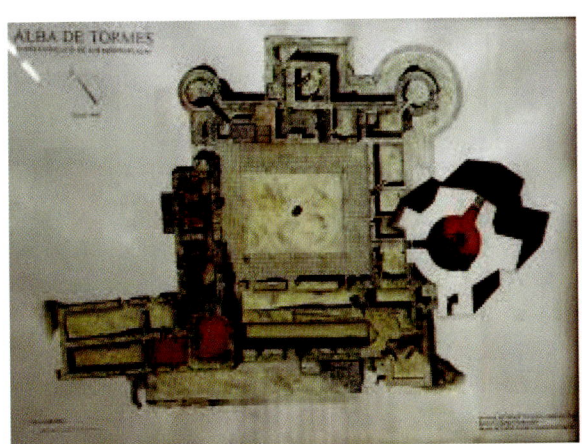 

Plano arqueológico del palacio con la torre superviviente. Museo de Salamanca. 1992.

Grabado de G. Doré, hacia 1874.

La causa es que, pese a la gran importancia de su condición ducal, solo conserva de esta importante página de su historia una pequeña y poco interesante muestra, la torre medieval antigua del interesante castillo fortaleza, el Torreón, levantada por el primer señor de Alba, D. Gutierre Álvarez de Toledo, 1430. Más tarde, los duques ampliaron esta construcción militar, como palacio renacentista para su residencia durante más de un siglo, antes de marcharse a Piedrahíta. Según los que lo conocieron, era una manifestación interesante de la arquitectura y decoración renacentista, pero de la que apenas quedan en la citada torre más que unos frescos, al haber sido destruido lo más importante y significativo del mencionado palacio a manos de los franceses, los guerrilleros y el abandono posterior, con el consiguiente expolio que sufrió después lo poco que quedaba al convertirse en cantera popular. No hubo nadie en Alba, relacionado con los duques o perteneciente a otros colectivos civiles con recursos, que hiciera nada para incrementar el patrimonio monumental albense, pese a la importancia histórica que tuvo por su relación con la casa ducal.

Tampoco las instituciones existentes entonces, como la corporación municipal o la Universidad, construyeron nada con algún interés en tal sentido. Solamente la iglesia diocesana, que levantó varias iglesias románicas, ha contribuido en tal sentido, al conservarse todavía varias de ellas, algunas con gran interés como la de S. Juan. También las órdenes religiosas de los jerónimos y los carmelitas han contribuido en el mismo sentido, al levantar algunos edificios que, aunque modestos, han aportado al precario patrimonio monumental de Alba, el cual no está en consonancia con la importancia que ha tenido en la historia de España. Han sido los carmelitas descalzos, por su fuerte nexo con Sta. Teresa y el de esta con Alba, los que más han contribuido en tal sentido, como lo ratifica la relación de todo ello, dos conventos con sus iglesias, particularmente la de Anunciación, donde está enterrada la Santa, son las más importantes, aunque ninguna de ellas sean una obra de envergadura e importancia histórico-artística. En los últimos años dicha Orden ha incrementado este apartado, con la puesta en marcha de un interesante museo carmelitano, en el que se exponen parte de los tesoros que han ido acumulando los carmelitas desde los tiempos de Sta. Teresa hasta nuestros días. La abundancia y el interés de lo que allí se expone han incrementado el atractivo artístico de Alba. Recomendamos que se haga la visita al mismo, con la seguridad de que no se marchará decepcionado el que lo haga.

La importancia histórica de Alba está estrechamente relacionada con su situación junto a un vado del Tormes, en el que confluyen los caminos que cruzan las comarcas cercanas del Campo Charro y las campiñas cerealistas del NE provincial. Para superar tal obstáculo fluvial, los romanos construyeron un puente, que es otro de los elementos destacados de su patrimonio, aunque, si bien se aprovechan sus ventajas al ser el único desde su construcción, no es valorado como la obra arquitéctonica importante que es en realidad. Según parece, el actual es de origen medieval, levantado sobre otro romano en el vado del Tormes, aprovechado antes por animales y gentes para cruzar el río. Fue un destacado factor para elegir como emplazamiento para Alba el lugar en el que está hoy, y ha contribuido de forma destacada a su desarrollo y actividad posterior y al hecho de que sea centro comarcal. Hay muchos ejemplos como este, así Salamanca, Ciudad Rodrigo, Ledesma y Puente del Congosto, entre otros. El puente ha sido un factor fundamental en la evolución y en el desarrollo de Alba, pero hoy se ha convertido en un freno por ser insuficiente para atender un mayor dinamismo en el tráfico y el desarrollo de la Villa. Recordemos que algo similar le ocurrió a Salamanca hace unos años, cuando solo tenía el Puente Nuevo y el Romano. Esta deficiencia de puentes sobre el Tormes se convirtió en un problema para Salamanca, al ser esta como algo ajena a dicho río cuando había sido, como en el caso de Alba, un Don del Tormes, y este, causa destacada en la elección del emplazamiento de Salamanca en el lugar donde está.

CASTILLO-PALACIO DE LOS DUQUES, MUDO TESTIGO DE LA HISTORIA

Nada más tomar posesión del señorío de Alba D. Gutierre Álvarez de Toledo en 1430, mandó construir la torre-fortaleza en lo más alto del cerro, junto al puente, con el fin de controlar el paso del Tormes por dicho lugar, defender el caserío y reforzar a Alba como centro comarcal de estas tierras. Más tarde, 1479, esto se acrecentará, al pasar el título a ducado, ser Alba la sede del mismo y convertirse en uno de los ducados más importantes entre los muchos existentes en España. Destacaron varios de sus miembros, con sede en Alba, sobre todo el III, D. Fernando Álvarez de Toledo, 1507-1582, conocido como el Gran Duque, por su destacada trayectoria profesional durante 57 años, ya que llegó a ser virrey de Nápoles y Portugal y gobernador en Milán y Flandes. Dicho señor levantará en torno al anterior castillo-fortaleza un palacio renacentista, y lo engalanará con mármoles, cuadros, frescos, esculturas y muebles traídos de Italia y obra de los mejores artistas de la época, hasta convertirlo en uno de los más suntuosos de España entonces, aunque había muchos similares. Entre los arquitectos que trabajaron para el Gran Duque estuvieron E. Egas, J. Guas y J. de Álava, entre otros, impulsores destacados del plateresco salmantino, con participación en varios importantes monumentos de dicha ciudad. También fueron grandes mecenas culturales y prueba de ello fue que trabajaron para la casa ducal en Alba los más importantes escritores del Siglo de Oro, tales como J. del Encina, J. Boscán, Garcilaso de la Vega, Lope de Vega, Tirso de Molina, Cervantes y Calderón de la Barca, entre otros. La presencia de los duques en Alba en los años que residieron en ella fue muy influyente, al igual que el castillo, en la configuración e imagen urbana de Alba.

Palacio de Alba en 1842.
Dibujo G. Pérez Villamil.

Situación actual, Torre de la Armería
y basílica.

Pero de todo ello apenas queda nada hoy, al sufrir un constante deterioro, primero con la marcha de los duques a Piedrahíta y, sobre todo, por los avatares de la Guerra de la Independencia, todo ello agravado por la proximidad de Alba a los Arapiles, donde se libró la batalla más importante del citado acontecimiento bélico. Antes de la misma, 1809, ocuparon Alba y la fortificaron los franceses, para controlar las comunicaciones de la zona y proteger la retirada tras la derrota de los Arapiles, y la abandonaron tras destruir y rapiñar todo lo que pudieron. Para evitar que pudieran ocuparlo si volvían, Julián Sánchez, el Charro, determinó destruirlo, sin más contemplaciones, y se salvó solo la sólida torre medieval levantada por D. Gutierre en 1430. Se cumplió el dicho de que fue peor el remedio que la enfermedad. Después lo abandonaron y, como hacía tiempo que los duques se habían desentendido de él al marcharse a Piedrahíta y luego a Madrid, se convirtió en cantera para quien necesitaba material de construcción, como ocurrió en otros lugares con muchos conventos, aunque seguía siendo propiedad de la casa ducal. En 1960 esta cambió su actitud, tras siglo y medio de olvido total, e inició cierta recuperación de la torre y de las pinturas de la sala de la armería. En 1991, la Fundación Casa de Alba lo cedió al Ayuntamiento, que aceleró la recuperación con nuevas excavaciones arqueológicas que descubrieron el perímetro defensivo de las torres y dependencias del castillo. Así podemos hacernos una idea de cómo fue una de las instalaciones palaciegas más importantes entre las de su género en España en el Siglo de Oro, y de su relevancia en el desarrollo renacentista salmantino, con una fachada plateresca que, según dicen algunos que la conocieron, competía con la de la Universidad.

Las excavaciones han descubierto, además, restos del suelo mudéjar y algunas piezas como un medallón en mármol tallado por ambas caras y la lápida original del enterramiento del Gran Duque en S. Esteban. Son muchos los testimonios de gentes que conocieron el palacio renacentista que levantaron los duques como residencia cuando estuvieron en Alba. Al parecer, estaba entre los más lujosos de España, tanto en el continente como en el contenido, por las muchas obras de arte que tenían, procedentes de los mejores artistas italianos y españoles del momento. Entre ellos destaca la opinión de A. Ponz, que describe admirado lo que vio en dicho palacio en ambos aspectos, el edificio y la riqueza de su contenido; dice así: *La portada del palacio tiene infinitas labores caprichosas, con similitud a las de la portada principal de la Universidad de Salamanca. Se entra en una pequeña galería, correspondiente a un balcón de dicha portada, adornada con pinturas de animalillos, medallas y lo demás que llaman de grutescos.* Y sigue diciendo al referirse a la decoración interior: *Es cosa digna de verse la armería, que corresponde a la segunda planta de la torre conservada en el castillo, así como sus armas, y armaduras, como por las pinturas que adornan las paredes... Se representan tres batallas en que fue general y vencedor el Gran Duque de Alba D. Fernando Álvarez de Toledo.* Pero más importante que la riqueza artística es el nuevo estilo y modo de vida para el que está construido y que quieren implantar en España, de acuerdo con lo que estaba en auge entonces en Italia, el Renacimiento.

Busto del Gran Duque, en mármol de Carrara. P. Leoni.

Medallón del Gran Duque en la Plaza Mayor de Salamanca.

Lo más interesante está en la primera planta. Se han recuperado interesantes frescos renacentistas de C. Passin que recuerdan las victoriosas campañas del Gran Duque, como la batalla de Mülhberg contra los protestantes, lo que ratifica el interés histórico y artístico de dicho espacio. En la segunda planta hay una exposición sobre la época del Gran Duque y los castillos castellanos, con una pasarela para poder verla mejor y una salida a la parte superior de la torre desde la que se contemplan extraordinarias vistas del caserío, el puente, la ribera del Tormes, los encinares del Campo Charro, los cultivos de las campiñas y, en el horizonte, las altas cumbre del Sistema Central. Hoy es lo único que queda del gran castillo-palacio de los duques en Alba y, dada su interesante historia, es el icono, el símbolo de la importante historia de Alba y de su participación en la de España. Así lo reconocen cuantos han escrito sobre la *villa ducal*, como el escritor albense J. Sánchez Rojas, que ha dicho: *Alba de Tormes es un castillo, solamente un castillo. Alba sin su castillo sería un pueblo sin leyenda.* Pese a lo poco que queda hoy del castillo-palacio de los todopoderosos duques, sigue estando muy presente su influencia en la historia de Alba y su presencia sobre el caserío, aunque solo se conserva una pequeña parte de lo que fue en el pasado.

Dibujo de V. Carderera, 1836, con el siguiente texto: *Castillo de los duques de Alba, aún más derruido por los del pueblo y negligencia del administrador*.

Torre de la Armería, único resto del castillo-palacio.

Pese a que solo es una pequeña sombra de lo que fue, merece la pena visitarlo, aunque desmoralice ver en qué ha quedado uno de los más interesantes palacios renacentistas de España, residencia de una ilustre familia nobiliaria. Sus miembros tuvieron destacada participación en nuestra historia del Siglo de Oro, en lo político y cultural, y tuvieron gran interés en embellecer su lugar de residencia en Alba. La sobriedad de los severos muros de la *torre del homenaje*, construida como fortaleza militar por el primer señor de Alba, D. Gutierre, contrasta con la grandeza de su interior, donde la *sala de la armería* muestra los excepcionales frescos renacentistas, citados y mostrados antes, sobre la *batalla de Mühlberg*, realizados por el italiano C. Passini, con destacada participación del Gran Duque de Alba. A consecuencia de la Guerra de la Independencia, tan solo se conserva la *torre de la armería*, la más antigua y sólida de las seis que tenía, y algunos frescos renacentistas.

En la sala baja alberga una exposición de restos arqueológicos del propio castillo, entre los que destaca el busto de mármol del Gran Duque, realizado por Pompeyo Leoni. Aunque es interesante lo que hay y lo que se ha hecho para recuperarlo y conservarlo, no es ni la sombra de la riqueza artística que atesoraba cuando lo habitaban los duques.

Pinturas antiguas en la torre de la armería, recuperadas. C. Passini.

Convento de la Anunciación, MM. Carmelitas. El centro teresiano por excelencia, con el sepulcro de la Santa

Como ya se ha comentado antes, el convento de monjas carmelitas de la Anunciación fue la octava fundación o palomarcito que levantó Sta. Teresa en la reforma que hizo del Carmelo. Frente a los muchos problemas que tuvo con los otros dieciséis, con este solo tuvo satisfacciones, pese a que nunca pensó en reformarlo ni entraba en sus cálculos más remotos hacerlo, porque ya había varios conventos femeninos en Alba y era un núcleo pequeño para tener otro más. Al morir en él la Santa, de manera casual, fortuita y ser enterrada aquí, por haberlo manifestado así cuando se le preguntó sobre esta cuestión, se convirtió en uno de los centros teresianos más importantes hasta nuestros días. Por este motivo también, es hoy el monumento más valioso del patrimonio albense, por su interés monumental e importancia histórica y cultural, dada su estrecha y trascendente relación con la Santa, y turística, por encontrarse aquí el sepulcro con su cuerpo y las reliquias más importantes. También los duques se manifestaron muy a favor del convento, primero para que lo fundara, y después interesándose por él y defendiendo que Alba conservara el cuerpo de la Santa, frente a las absorbentes pretensiones abulenses por llevárselo, cosa que hicieron poco después de su muerte, pero no pudieron quedarse con él por la oposición de los albenses y la intervención de los duques, que los obligaron a devolverlo.

Las instalaciones de los carmelitas en Alba, cerca de la Plaza Mayor y del puente.

El convento de la Anunciación de Alba rompe el sencillo esquema del modelo que aplicó la Santa en casi todas las fundaciones que realizó. Quizás se debiera al interés con que lo hizo y a que contó con la colaboración de muchos amigos que tenía en Alba y la de los duques. La Santa tuvo por él evidente predilección desde que pensó fundarlo, y la mantuvo cuando volvió a él en su viaje de vuelta de Burgos, ya con las ansias de la muerte encima y le preguntaron dónde quería que la enterraran. De manera espontánea manifestó su deseo de que fuera en el convento de Alba, por el cariño que sentía por él, y así fue. Desde ese momento se convirtió en lugar destacado en el mundo teresiano junto con Ávila y, por eso, la pequeña iglesia inicial pronto fue ampliada y mejorada, hasta convertirse en la más amplia de cuantos conventos fundó la Santa.

Empieza llamando la atención por las fachadas, cantería, con piedra de Villamayor de la iglesia y el convento. La primera es renacentista, con tres cuerpos, el primero con dos columnas corintias, como base para un arco de medio punto. Encima hay un interesante relieve con la Anunciación, con sendos escudos laterales y encima el Padre Eterno, contemplando y bendiciendo la escena anterior. La iglesia consta de dos partes, la de entrada, realizada en el siglo XVI, y la ampliación de la parte delantera de finales del siglo XVII. En ella hay varios interesantes sepulcros de indudable calidad. Son los de los fundadores, Francisco Velázquez y su esposa; los de la hermana de la Santa, Juana, y su esposo, y los de unos amigos, Simón de Galarza y su esposa, todos ellos con gran calidad artística, como los retablos que hay en la iglesia, el central y los de los laterales.

Notorias diferencias arquitectónicas entre los conventos de Alba de Tormes y Medina del Campo.

Además, el haber muerto en Alba y ser enterrada en este convento, por deseo de la Santa, según manifestó al P. Antonio cuando le preguntó dónde deseaba ser enterrada, ha sido la causa de mejoras y ampliaciones tanto en la iglesia como en la parte del convento cercana al altar mayor de la iglesia, donde está el sepulcro de la Santa. El resultado es una iglesia sencilla como las de las carmelitas, pero solemne y con algunos elementos artísticos importantes, acrecentado su interés por el que tiene para los devotos de la Santa y los amantes de la historia, la cultura y el arte. Sus restos están en un sarcófago de mármol jaspeado, en el que va una urna de plata, regalo de Fernando VI y su esposa Bárbara de Braganza. Este es visible desde la iglesia y una dependencia del convento que está al otro lado del altar mayor. La importancia de este lugar se ha acrecentado con la ampliación del museo para colocar muchas de las piezas, objetos religiosos y obras de arte que tenían las monjas, para mostrárselos al público, en un interesante museo que acaban de ampliar, formando bloque con las dependencias de la iglesia. Resulta un espacio de gran interés religioso, histórico, artístico y cultural, por ser el panteón de la Santa.

La fundación del convento de Alba fue el que menos problema le causó, y por eso y por estar relacionado con varios amigos y personas queridas, su hermana y su cuñado y los duques, entre otros, sintió por él especial predilección desde el principio. En él trabajó como albañil S. Juan de la Cruz, para demostrar su interés por el mismo. La Santa fue muy estricta en lo relativo a cómo debían ser los conventos, sencillos, sólidos y austeros, y las pocas labores de labra y cantería que se hicieran deberían reservarse para la iglesia: *La casa jamás se labre, salvo la iglesia, ni haya cosa curiosa sino tosca y de madera; la casa pequeña, las piezas bajas, que cumpla las necesidades y no sea superflua. Fuerte lo más que pudiere, la cerca alta para guardar la intimidad y con espacio para ermitas para la oración.* Las características materiales de los nuevos conventos deberían estar en consonancia con el espíritu de austeridad, sencillez y sacrificios que imperaban en la reforma y en el nuevo modo de vida conventual. Sin embargo, esto no lo aplicó en el caso de Alba, y así tenemos que la iglesia no cumple con las normas citadas y empleadas en los demás conventos. Pero además de coherencia y pragmatismo, también tenía cierto sentido del humor, y así dice que los conventos se hagan con materiales sencillos, *para que hagan poco ruido cuando se caigan.* Aunque fue muy estricta en esto, hizo una excepción en Alba, como puede verse comparando su fachada con las de los demás. Es una prueba más de su interés por este convento. Su fachada de piedra y muy decorada, con piedra y sillares y la escena de la Anunciación, con el Padre Eterno en la parte superior, confirmando el anuncio, contrasta con la sencillez de los demás conventos, con tapial, mampuesto y ladrillos en las partes más importantes.

Iglesia del convento, sencilla e interesante.
En el centro del altar mayor el sepulcro de la Santa.

Los criterios establecidos por santa Teresa para construir los conventos fueron aplicados con bastante rigor y generalización por la Santa en los que fundó y, después lo mismo por los carmelitas descalzos, en los muchos que han levantado, como puede verse haciendo un repaso de muchos de ellos. Pero como en toda obra humana, siempre hay alguna excepción, y en este caso se produjo en el de Alba, en el que, además de hacerlo en la iglesia, utilizan la sillería con bastante frecuencia en muchas partes del convento, como puede verse en la foto que se adjunta del mismo. Además, las puertas de entrada y, sobre todo la de la iglesia, cuentan con bastante decoración, cosa inusual en los conventos reformados, en los que la sencillez, austeridad, carencia de lujos y decoración sencilla son las notas predominantes, según reglas establecidas por la Santa y norma de la Orden para sus conventos.

En el de la Anunciación, la puerta de entrada al mismo, y sobre todo las de la iglesia, además de ser de sillería, están decoradas con una interesante fachada renacentista en piedra de Villamayor que acrecienta su interés, con la escena de la Anunciación de la Virgen que da nombre al convento. Esta decorada fachada, y en general el conjunto, contrasta con la sencillez de los otros conventos ajustados a las instrucciones dadas por la Santa en tal sentido, y en las que la mampostería y el ladrillo eran los materiales, con formas sencillas, como puede verse en la fachada del convento de Medina del Campo. Pudo influir en que fuera así en Alba el haberlo construido sin apenas oposición, ni tener que ocultar la obra o decir que iba a tener otro uso diferente al conventual, como ocurrió en otros y, además, contó con el apoyo de gente importante, interesada en hacer una obra con una imagen sencilla, pero más elegante que lo habitual en los conventos reformados. La importancia de este convento en el mundo carmelitano, por el interés y simpatía que Sta. Teresa sintió siempre por él, por circunstancias favorables a su erección y el interés de los duques por el mismo, se verá acrecentada al producirse en él, de forma inesperada, su fallecimiento y haber manifestado la Santa su deseo de ser enterrada en el mismo.

Tenemos conocimiento fiable de cómo y cuándo se decidió que fuera enterrada en Alba. Cuenta un contemporáneo suyo, el P. Ribera, jesuita, admirador de la Santa y autor de una biografía publicada poco después, lo ocurrido en sus últimos momentos. Cómo manifestó la Santa, libremente, su deseo de ser enterrada en Alba, lo que sentaría muy mal a los de Ávila, que ya tenían preparado el sepulcro en el convento de S. José; dice así: *Después, le preguntó Fr. Antonio de Jesús si quería que llevasen su cuerpo a Ávila o se quedase en Alba. Respondió, dando a entender con el rostro que le molestaba la pregunta y dijo: ¿Tengo yo de tener cosa propia? ¿Aquí no me darán un poco de tierra?* De esta forma tan sencilla y sin haberlo planteado antes nadie, solo para cumplir el deseo de la Santa antes de morir, Alba se convirtió en el lugar para el reposo definitivo de los restos de Sta. Teresa. Los de Ávila no esperaban que ocurriera tal cosa, como lo ratifica el que ya tenían preparado un sepulcro para ella en el convento de S. José. Tampoco aceptaron que fuera así, y harán todo cuanto esté a su alcance para que Ávila sea el lugar donde reposen sus restos, como han hecho con lo relativo al nacimiento, pero en este caso sin conseguirlo. Querían, como fuera, tener la exclusividad de todo lo relacionado con Sta. Teresa, y no tuvieron reparo en cambiarle el nombre y llamarla Teresa de Ávila para que no hubiera dudas al respecto.

El convento de Alba fue y es uno de los más importantes del Carmelo, por su relación con la Santa, muy popular en vida y, más aún, tras su muerte y rápida canonización en 1622, junto con otros santos españoles muy populares, S. Ignacio de Loyola, S. Francisco Javier y S. Isidro Labrador. La iglesia inicial fue construida con la fundación del convento en 1571, con trazas de R. Gil de Hontañón, y como panteón para los fundadores y la hermana de la Santa. Dado el atractivo que suscitó este convento, tras la muerte de la Santa y su popular y rápida canonización, pronto tuvo que ser ampliada y mejorada como ahora está en 1670, por deseo de Felipe IV y su esposa, con proyecto del carmelita P. J. de S. José. Levantaron nuevos el crucero, la cúpula, la nueva capilla mayor y dos camarines para el culto a la Santa y la sacristía. Dentro de la iglesia destaca el retablo mayor, singular en la retablística española e imitado después en muchas iglesias de conventos de carmelitas. Más tarde, en su parte central, de forma destacada, colocaron el sarcófago, con los restos de la Santa, regalo de Fernando VI y su esposa, con urna de mármol negro jaspeado y otra de plata. A ambos lados del mismo y en lugar visible, están los relicarios con el brazo y corazón de Sta. Teresa, que también pueden verse desde las instalaciones del nuevo e interesante museo teresiano, abierto en la cabecera de la iglesia del convento.

Altar mayor de la iglesia con el sarcófago con los restos de la Santa y el relicario con su corazón.

MUSEO CARMELITANO DE ALBA,
UN INTERESANTE ESPACIO TERESIANO

Es la mayor superficie expositiva dedicada a Sta. Teresa en el mundo, con gran número y variedad de obras de gran calidad artística y devocional, tales como pinturas, esculturas, objetos litúrgicos diversos, muebles, cerámicas, orfebrería, recuerdos personales. Destaca por su elevado número, más de 800 piezas, y por su diversidad y calidad artística, y da unidad y justificación a lo que han ido recogiendo y guardando las monjas con sumo cuidado desde que falleciera la Santa en Alba. Fue inaugurado en junio de 2014 como uno de los acontecimientos más importantes del V centenario de la Santa. Está muy relacionado con la iglesia y con el convento fundado por la Santa en 1571, aunque ha sido ampliado después en varias ocasiones para adecuarlo a las nuevas exigencias impuestas por el fervor de los devotos de la Santa. Antes de la citada fecha ya existía una pequeña muestra que, sobre todo, recordaba los últimos momentos de la Santa, el sarcófago con sus restos y algunos objetos relacionados con esa temática, pero a años luz de lo que ahora se ha dado a conocer de forma museísticamente correcta, pese a la elevada cuantía y diversidad de las piezas expuestas.

Moderno museo teresiano, con interesante contenido.

Sala del museo, muy decorado artísticamente.

De esta forma, se desea así contribuir a mantener su devoción y difundir la extraordinaria obra de la Santa como reformadora, escritora y feminista, algo de lo que tanto se habla ahora y de lo que ella y la Reina Católica fueron pioneras varios siglos antes y en una sociedad machista al cien por cien. Sorprende gratamente la amplitud de las instalaciones y la abundancia, variedad e interés de lo que hay en ellas. Consta de tres ámbitos. Una sala de la Santa con obras de contenido espiritual, la celda en la que murió, tal como estaba entonces, con una reconstrucción acertada de los últimos momentos de su vida. Otro ámbito lo forman los dos camarines que dan visibilidad al interesante sarcófago de la Santa en el altar mayor de la iglesia y desde el museo, con los dos relicarios que hay junto a él, brazo izquierdo y corazón de la Santa. El tercer espacio son las salas creadas con la ampliación realizada para colocar muchos cuadros, esculturas, orfebrería, ornamentos, estandartes y otros objetos relacionados con la Santa, la vida conventual y las donaciones de sus muchos y fervorosos devotos. Destacan su variedad, abundancia e interés artístico, los cuales hacen obligada y grata su visita. Hay muchos objetos que llaman la atención por su calidad artística o lo singular de su presencia, como una colección de cálices de gran valor artístico y otra de esculturillas del Niño Jesús, con vestidos muy variados de los siglos XVII y XVIII.

Reconstrucción de la celda en la que murió Sta. Teresa.

Camarín con el sarcófago de la Santa y relicarios con el brazo y el corazón.

Artístico y valioso altar de plata, siglo XVIII.

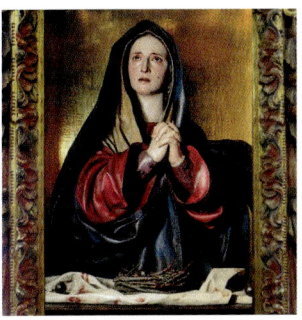

Escultura de la Dolorosa
de P. de Mena.

La Alhaja. Escena del éxtasis, con ricos materiales,
siglo XVII.

Escritorio napolitano en el
camarín alto, siglo XVII.

BASÍLICA DE STA. TERESA, UN IMPORTANTE E INACABADO PROYECTO

Hasta finales del siglo XVIII fue grande la devoción por la Santa en Alba, lo que se reflejó en la ampliación de las instalaciones y en el incremento de obras de arte en ellas. Lo contrario ocurrió en el siglo XIX por dos acontecimientos con influencia muy negativa en Alba, la Guerra de la Independencia, muy grave en esta zona por la batalla de los Arapiles y sus muchas y negativas repercusiones, y la funesta desamortización de Mendizábal que tanto afectó a las órdenes religiosas. Aunque no se cerraron en Alba los conventos, sí sufrieron la expropiación y el expolio de algunas instalaciones y un claro estancamiento en la trayectoria anterior, además de que Alba también se vio afectada por todo ello. Superados tan difíciles momentos, recuperada la devoción a la Santa y con el nombramiento del P. Cámara, devoto de la misma, obispo de Salamanca, cambiarán bastante las cosas. Esto se reflejará en el proyecto de construir una gran basílica neogótica en 1892 que, de haberse terminado, hubiera puesto a Alba en el pequeño grupo de núcleos españoles con una gran instalación religiosa.

Iba a ser una gran basílica, con cinco naves, crucero con hastiales poligonales, cabecera con giro y una capilla adosada como la del condestable en la catedral de Burgos, según proyecto del arquitecto Enrique M.ª Repullés Vargas. Culminaría en una torre de 92 m como la de la Catedral Nueva de Salamanca, acompañada de otras cuatro más bajas. Este proyecto puede observarse en una maqueta del mismo, realizada por J. Cotobal. Sería un edificio que sobresaldría sobre el caserío, pese a estar en la parte baja del mismo, y que causaría una impresión espectacular. Se puso la primera piedra el 1-V-1898, pero las dificultades del terreno elegido, sedimentario y junto al río, retrasaron y encarecieron las obras, que nunca fueron al ritmo deseado. Se pararon en 1914 para reanudarlas entre 1927-32, fecha en que se interrumpieron cuando estaban al comienzo de las bóvedas. El elevado coste para continuar la obra motivó que no se reanudaran hasta 2007, cuando el obispo decidió cubrir dignamente la capilla de la cabecera, girola y nave central hasta el crucero, pero no como estaba proyectado, sino de forma sencilla para darle algún uso inmediato, cosa que ha ocurrido como sede para *Las Edades del Hombre*. El elevado coste para terminarla y los cambios registrados en estas obras permiten pensar que seguirá así mucho tiempo.

OTRAS IGLESIAS Y CONVENTOS DE ALBA

Iglesia de S. Juan de la Cruz. Es otra edificación construida por el interés que lo carmelita adquirió en Alba tras la muerte de Sta. Teresa en ella. Levantada en 1695, es la primera construida en el mundo en honor de S. Juan de la Cruz, principal colaborador de la Santa, impulsor de la reforma carmelita en los varones y uno de los grandes poetas españoles. Es una iglesia sencilla, en el más puro estilo carmelitano, cierra un lateral de una plaza encuadrada por edificios relacionados con la Santa y con ese nombre. Es el edificio más destacado de dicha plaza, con decoración sencilla, carmelitana, con un escudo de la Orden en la parte superior, dos de los duques más abajo y la imagen de S. Juan sobre la puerta de la iglesia. Como todas las del Carmelo, excepto la del sepulcro de la Santa, el interior es sencillo, austero, y destacan las pinturas al fresco en las pechinas del crucero.

Iglesias románico-mudéjares de Santiago y S. Juan. La monumentalidad de Alba no se limita a lo relacionado con Sta. Teresa con los edificios citados, sino que cuenta con otros edificios construidos antes de que apareciera la Santa por Alba, consecuencia de su importancia histórica dentro de la repoblación medieval de estas tierras por Raimundo de Borgoña. Se levantaron en la villa varias iglesias románico-mudéjares, construidas para atender las necesidades de las gentes tras la repoblación medieval. Dada la importancia de Alba entonces, levantaron media docena, de las cuales solo han llegado hasta hoy dos, S. Juan y Santiago, ambas cerradas al culto pero utilizadas con fines culturales. Las demás, lamentablemente, han desaparecido, alguna hace poco tiempo, por la desidia y el desinterés de los responsables de cuidar de ellas. Hay que lamentar que, por tales motivos, en los años setenta, se destruyó la de S. Miguel, y no hace mucho tiempo se hundió la de Sto. Domingo por falta de atención a la misma. (¡¡??) La más antigua es la de Santiago, construida a finales del siglo XI y ya citada en el fuero de Alba de 1140 por las reuniones que hacía el consejo local en su pórtico, y sus campanas eran empleadas para diversos usos sociales, además de los religiosos. Acrecienta su importancia histórica porque en ella están enterradas la esposa, Isabel de Urbina, y una hija de Lope de Vega, aspecto del que no se habla nada, a pesar de su interés histórico-cultural. También está enterrado en ella el obispo D. Gutierre Álvarez de Toledo, primer señor de Alba e impulsor del gran papel histórico de Alba en nuestra historia y nada reconocido pese a ello. Es sencilla, de ladrillo, estilo románico-mudéjar con arcos ciegos en la cabecera, ábside semicircular

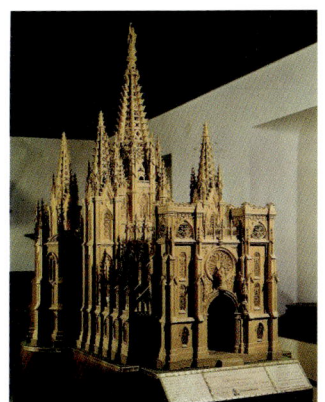 

Maqueta de la basílica. J. Cotobal. Estado actual de la basílica, cubierta la cabecera de la misma.

La basílica con las obras realizadas y estatua de S. Juan Pablo. V. Blanco.

Iglesia del convento de carmelitas descalzos.

y bóveda de medio cañón. Fue declarada Bien de Interés Cultural en 1996, ha sido restaurada y se emplea como centro cultural, uso que podría haber tenido la de S. Miguel, si la hubieran salvado.

| Iglesia románico-mudéjar de Santiago, siglo XI. | Iglesia de S. Juan, con interesantes obras de arte en el interior, siglo XII. |

Iglesia de S. Juan. Es la más importante de las románico-mudéjares de la repoblación medieval en Alba, y la más interesante entre las muchas existentes todavía en este estilo en las campiñas del NE provincial. Por este motivo, estas tierras están entre las más importantes de España por las iglesias de este estilo. Es de finales del XII, con tres naves que forman un gran espacio al estar separadas entre sí por amplios arcos formeros. Fue muy reformada a partir del siglo XV, sobre todo a finales del siglo XVIII, y perdió el atrio románico en el que el concejo celebraba sus juntas y el duque impartía justicia. Conserva piezas interesantes de variados estilos, propias o de otras iglesias, que la convierten en un pequeño e interesante museo. Destaca por su originalidad e interés artístico un apostolado, románico-bizantino, en piedra arenisca y único en su estilo en España. Es de finales del siglo XII, y consta de trece figuras sedentes, expresivas, de tamaño medio y arquerías, con gran influencia bizantina en los detalles y decoración de las figuras. Grupo escultórico original y bello, sorprende gratamente a quien lo visita por primera vez. También son interesantes una Virgen románica que acompaña al apostolado; un calvario del siglo XIV; una Piedad, siglo XV; la pintura de Cristo atado a la columna de V. Masip, y un retablo barroco que convierten esta iglesia en un pequeño e interesante museo de arte sacro que bien se merece una visita.

Cuando escribo esto, se está exhibiendo una pequeña pero interesante muestra de obras de V. Blanco, en bronce a la cera fundida, que harán inolvidable la visita por la fuerza, expresividad, sentimiento de sus obras y profundo sentido religioso, habitual en el maestro. Son catorce esculturas, todas interesantes, pero destacan las del mismo tema que otras de la iglesia, con las que se comparan, una Santa Cena frente al apostolado, un calvario junto al de la iglesia y una Piedad frente a la de V. Blanco. Culmina esta espectacular muestra del maestro con un gigantesco Cristo resucitando, *Cristo vuelve al Padre*, en bronce, en tonos vivos que lo hacen más dinámico y expresivo. Pese a su volumen y peso, la gigantesca figura parece estar levitando, como queriéndose levantar y salir del sepulcro. Desde mi punto de vista, ha sido lo más interesante de *Las Edades del Hombre* en Alba.

Apostolado románico-bizantino, siglo XII.
Original, único y extraordinario.

Púlpito policromado,
en piedra arenisca.

Grupos escultóricos de V. Blanco, comparados con otros antiguos
en *Las Edades del Hombre*. Muy interesante.

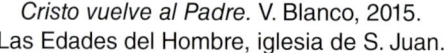

Cristo vuelve al Padre. V. Blanco, 2015.
Las Edades del Hombre, iglesia de S. Juan.

Fig. románica en
el apostolado de S. Juan.

La parroquia de S. Pedro. Es una iglesia con escaso interés, al no haber tenido la protección o gozado del interés de algún poderoso o institución importante. Reedificada en 1577, tras haber sido destruida la anterior por un voraz incendio en 1512. Conserva su portada gótica, con dos escudos de la Casa de Alba, que costeó la obra, y el bajo coro de estilo gótico, cubierto con bóvedas de crucería rebajadas. Tiene un interesante retablo principal barroco, con una escultura de S. Pedro Advíncula y un Cristo crucificado, con buena talla y muy popular, al haberlo tomado los labradores como protector. Tiene además una airosa torre cuadrada de ladrillo rojo, levantada a finales del siglo XIX, que rompe la imagen aplanada del caserío.

Conventos de benedictinas y Sta. Isabel. Esta importancia de la arquitectura religiosa en Alba se completa con tres conventos que, en un principio, motivaron que la Santa nunca pensara fundar aquí uno suyo. Aun sin él, la presencia de construcciones religiosas era importante y, de haberse conservado todas ellas, junto con las que se construirán después, relacionadas con la Santa, hubieran dado a Alba una configuración y una destacada presencia urbana de dichas construcciones religiosas. Sigue siendo importante hoy, pese a la pérdida de la mayor parte de las iglesias románico-mudéjares primitivas y un convento.

Alba siempre se ha caracterizado por tener bastantes conventos, atraídos por su condición de centro comarcal y cruce de caminos en las campiñas del NE. Contaba con tres cuando Sta. Teresa decidió fundar el suyo, y fue este hecho una de las causas por las que no tenía pensado levantarlo por propia voluntad. El más antiguo, también en la provincia, es el de S. Leonardo, fundado en 1154, ocupado por monjes premostratenses que estuvieron en él hasta 1432, cuando, al no serles gratos al nuevo señor de Alba, D. Gutierre, por su indisciplina, este decidió expulsarlos, y se instalaron en el monasterio

Campanario y altar mayor barroco de la iglesia de S. Pedro.

de la Caridad en Ciudad Rodrigo. Se harán cargo de dicho convento los jerónimos, quienes montarán aquí un centro religioso interesante, en el que vivirán varios personajes importantes de nuestra historia y literatura. Uno de ellos fue Fr. Hernando de Talavera, prior, catedrático de la Universidad de Salamanca, presidente de la Comisión nombrada por los RR. CC. para escuchar a C. Colón sobre su proyectado viaje e informar del mismo a los reyes, acompañante de estos en la entrada en Granada tras su reconquista, 1-I-1492, y primer arzobispo de la misma.

También fue fraile y prior de este monasterio Fr. Juan de Ortega, autor de la novela picaresca del *Lazarillo de Tormes*, aunque no quiso aparecer como tal, para evitarse los problemas que causó la crítica que hacía en dicha obra. Este monasterio mantuvo estrecha relación con la Casa de Alba y será panteón para varios de sus primeros miembros: D. Gutierre, que será trasladado después a la iglesia de Santiago, el I conde de Alba; el II duque, D. Fadrique; su nieto, D. Fernando, Gran Duque, trasladado más tarde a los dominicos de Salamanca; el V duque y las esposas de varios miembros de la casa ducal. Con la desastrosa desamortización de Mendizábal fue exclaustrado, adquirido por particulares que lo convertirán en almacén y cantera para los pueblos cercanos hasta que, en 1962, lo adquirirán los padres reparadores, que lo restaurarán en lo que puedan e instalarán en él un seminario menor y colegio público, que es en lo que sigue. La presencia en él de un destacado experto en Prehistoria y Arqueología, P. Belda, ha hecho que, con los hallazgos de sus investigaciones, hayan montado un interesante museo sobre tales disciplinas.

Vista general del monasterio de S. Leonardo.

Puerta de entrada, campanario e interior de la iglesia.

Otro de los conventos fundado poco después de la repoblación medieval, 1244, fue el de las madres benedictinas, fuera de la ciudad. En 1769 se trasladaron donde ahora está, dentro del caserío, y conservaron su fachada renacentista y algunos sepulcros trasladados de la iglesia antigua. Pasó por momentos difíciles por la Guerra de la Independencia y las desamortizaciones, pero logró superarlos y llegar hasta hoy. Por su modernidad, tiene escasa importancia artística y cultural. El otro convento femenino, anterior al de las carmelitas y cerca del mismo, es el de Sta. Isabel, fundado en 1481 por Dña. Aldonza Ruiz, viuda del tesorero del II duque de Alba y primera priora. Dentro de su sencillez tiene gratas sorpresas. Así, su fachada con arco de medio punto y sobre él un escudo de la casa ducal sostenido por dos tenantes salvajes. La iglesia, de

Portada renacentista y sepulcro en alabastro de J. de Vargas.
Convento de Sta. Isabel.15.

una nave con bóveda estrellada, un interesante artesonado mudéjar y la capilla de los Gaytán, una de las realizaciones más interesantes del plateresco salmantino. Como era habitual en los conventos entonces, está configurado en torno a un sencillo pero interesante patio renacentista, decorado con escudos de la Casa de Alba, como los patios salmantinos. Estos conventos S. Leonardo, Benedictinas y Sta. Isabel no aportan gran cosa a la monumentalidad albense, por haber sido destruido buena parte del primero, S. Leonardo, o por no haber sido nunca grandes monumentos, en el caso de los otros dos. Pero con su antigua fundación y pervivencia hasta nuestros días, marcan la importancia histórica, cultural y religiosa de Alba dentro del panorama español, pese a tratarse de un núcleo semiurbano y pequeño.

OTROS ATRACTIVOS TURÍSTICOS ALBENSES.
ARTESANÍA Y GASTRONOMÍA

Indudablemente, los más interesantes son los de tipo histórico-monumental y religiosos comentados antes, con los paisajísticos, al estar Alba junto al Tormes y en zona de transición geográfica, entre las campiñas, el Campo Charro y los regadíos y vegas del Tormes. Pero en Alba hay otros recursos turísticos interesantes. Tal es el caso de su alfarería en barro, de larga tradición y calidad, antes para elaborar piezas de uso ordinario y frecuente como botijos y otros utensilios, y hoy objetos artísticos, de recuerdo, muy interesantes. Además, cuenta con otros recursos que aprovechan las extraordinarias materias primas de la zona, Campo Charro y no lejos de Guijuelo, encaminados a atender las necesidades gastronómicas de los visitantes, para lo que cuentan con buenos cocineros. En el pasado Alba era conocida por las perdices abundantes en la zona y las almendras garrapiñadas de las monjas. Hoy hay varios restaurantes que han sabido aprovechar las buenas materias primas de la zona, carnes y embutidos, y las han convertido en un atractivo

Alfarería artística de Alba, heredera de la utilitaria de antes.　　　Almendras garrapiñadas, típicas entre los dulces de Alba.

más de la villa ducal. Destaca el restaurante D. Fadrique, que ha sabido hacerse un merecido hueco y es hoy un reclamo turístico para muchos que van a Alba para disfrutar de su cocina.

Los comentarios anteriores han ratificado el cierto interés que tiene el medio natural, el paisaje resultante en la zona en la que se levanta Alba, al estar en la transición entre las campiñas del NE provincial, el Campo Charro y la vega y los regadíos del Tormes. Pero más importante que esto es la estrecha relación que han tenido con ella dos de los personajes más importantes de nuestra historia, cada uno en su campo, el duque de Alba en el político-militar, y Sta. Teresa en el religioso y cultural. De aquí ha derivado su condición de ser villa ducal y teresiana, y es especialmente importante la segunda denominación, al ser Alba un centro teresiano destacado junto con Ávila. No ocurre lo mismo con lo ducal, que hace tiempo se olvidaron de la villa de la que toma nombre su señorío y que tuvo una gran importancia en su auge en los siglos XVI y XVII, cosa de la que hoy está muy lejos. Podría mejorarse la situación actual, si se hicieran mejor las cosas por parte de los que tienen algo que ver en todo esto. La celebración del *V centenario*, *del año teresiano* y de *Las Edades del Hombre*, y la doble condición de Alba como *villa ducal y teresiana* deberían servir para tomar nota de las cosas que han dado buen resultado y continuar esa trayectoria, erradicar problemas que hay o surjan, y actuar conjuntamente para obtener mejores resultados. Hay que tener siempre muy presente algo que se olvida con frecuencia, que *la unión hace la fuerza* y, una vez conseguido esto, cosa nada fácil entre nosotros, tener también presente otro principio que está en la portada de S. Boal de Salamanca: *Al ánimo de empezar, la gloria de concluir.*

Hostelería y restauración, dos sectores interesantes hoy en Alba de Tormes.

CAPÍTULO VII
RUTAS TURÍSTICAS CON ALBA COMO REFERENCIA EN TODAS ELLAS

Para conocer una patria, un pueblo, no basta con cono-
cer el alma, lo que dicen y hacen sus hombres. Es menester
conocer, también, su cuerpo, su suelo, su tierra. Y os aseguro
que, pocos países hay en Europa en que se pueda gozar de una
mayor variedad de paisajes que en España.

M. de Unamuno: ***Por tierras de Portugal y España***

ASPECTOS GENERALES. VARIEDAD E INTERÉS DE LOS RECURSOS TURÍSTICOS ALBENSES

En los comentarios anteriores espero haber dejado claros los principales aspectos de la geografía urbana e historia de Alba, particularmente en lo relacionado con los dos personajes más importantes de la misma, D. Fernando Álvarez de Toledo, III y Gran Duque de Alba, y Sta. Teresa de Jesús, reformadora, escritora y feminista, hasta el punto de poder considerarla como la villa ducal y teresiana por antonomasia en España. Para conocer bien esta doble nominación, no basta con estudiar y conocer la biografía de los citados personajes, sino la relación que tuvieron los dos citados con Alba y entre sí, causas, principales características y repercusiones que todo ello ha tenido en Alba. Indudablemente lo más importante es conocer la historia, esto es, la relación existente entre dichos personajes y la villa ducal, es decir, el alma, lo que han dicho y hecho sus gentes, como decía D. Miguel, pero también cómo es su cuerpo, esto es, el medio natural en el que está Alba y que es un tanto singular, por la incidencia que el mismo ha tenido en la marcha de los acontecimientos y en el comportamiento de las personas de estas tierras a lo largo de la historia, sin caer en determinismo alguno. Como expondré después, tanto el medio natural albense como las gentes relacionadas con la *villa ducal* a lo largo de la historia, tienen unos rasgos peculiares que explican las singulares características históricas de Alba dentro de la provincia de Salamanca y, en particular, en las *campiñas cerealísticas* del NE provincial.

Recordando lo anterior y observando un mapa, vemos que Alba tiene unas singulares características por su situación y emplazamiento, esto es, dónde está dentro de la provincia, situación y lugar concreto donde se instalaron los primeros pobladores y que ha continuado hasta nuestros días *Emplazamiento.* Respecto a lo primero, está en el NE, en un cruce de rutas y caminos, entre el Duero y los puertos del Sistema Central, en las campiñas con suelos sedimentarios y clara dedicación cerealista desde antiguo. En cuanto a lo segundo, se halla en lo alto de un cerro de fácil defensa, junto a un vado del Tormes en el que confluyen varias rutas que cruzan por la cuenca del Duero, con lo que se convierte en un interesante cruce de caminos que ha impulsado el desarrollo de un núcleo en dicho lugar, el más importante de la zona por tal motivo. Esto se acrecentó con la construcción de un puente, varias calzadas que potenciaban las comunicaciones y las instalaciones militares que protegían al núcleo, a las gentes que vivían en él y a las actividades que realizaban. Sin la conjunción de estos factores, naturales y humanos, Alba no hubiera destacado sobre los núcleos del entorno, ni tenido una evolución histórica tan interesante como la que he puesto de manifiesto en los anteriores capítulos. Estas singulares características geográficas albenses las ha mantenido hasta hoy, pero ya no destacan, ni sirven para darle más auge y desarrollo, porque otros núcleos, en particular Salamanca, ha reunido más factores humanos favorables, en detrimento de Alba, con su interesante historia, pero solo con las pocas actividades como centro de una comarca pequeña y poco dinámica económicamente.

Pero lo que sí mantiene es su condición de nudo de comunicaciones en el NE provincial, aunque con menos incidencia positiva para su desarrollo que en el pasado. Por eso podemos considerar a Alba como centro, a partir del cual se pueden realizar varias rutas turísticas interesantes por su diferente temática, paisajística, histórica y cultural, el consiguiente interés por su realización, y las favorables repercusiones que tendrán para Alba, si se promocionan y adquieren cierto desarrollo. De esta forma la villa ducal se convierte en un interesante centro turístico en la zona provincial de las campiñas del NE, con el consiguiente beneficio para la actividad turística albense que puede desarrollarse gracias a tales rutas, además de la importancia turística que ya tiene por sus recursos monumentales y religiosos, por su estrecha vinculación con Sta. Teresa y lo teresiano. Teniendo en cuenta las características geográficas, la evolución histórica del entorno de la villa ducal y los recursos turísticos existentes en dichas tierras, pueden establecerse varias rutas que comentaré a continuación para que sirva de orientación a quienes deben promocionarlas y para conocimiento de los que las hagan, que, esperamos sean muchos, movidos por la oferta y los comentarios que hacemos en este modesto trabajo. Son las siguientes:

1.ª *El curso medio del Tormes. Unión de paisaje, historia y cultura.*
2.ª *Las iglesias románico-mudéjares en las campiñas del NE provincial. Mudos testigos de la historia.*
3.ª *Lugares del entorno de Alba, con destacada participación histórica: Carpio y los Arapiles.*
4.ª *Ruta carmelitana, Alba de Tormes-Fontiveros, por su estrecha relación con Sta. Teresa y S. Juan de la Cruz.*
5.ª *Las fundaciones de Sta. Teresa en Castilla y León. Importancia religiosa y turística.*

Los comentarios que haré sobre estas rutas darán a conocer su itinerario y los lugares de interés que hay en ellas, también la geografía e historia de estas tierras, así como su interés paisajístico e importancia histórica y cultural, como ha quedado de manifiesto en los apartados anteriores. Servirá, también, para conocer otros aspectos de la estrecha relación del famoso ducado de Alba con su villa originaria y Sta. Teresa, motivo por el que tiene la doble nominación de villa ducal y teresiana, singular característica histórica que no tiene ningún otro núcleo en la historia de España, pese a que hay muchos también con rica y variada trayectoria histórica. Igualmente, espero que sirva para aprovechar mejor los recursos turísticos existentes en el entorno de Alba por donde se desarrollan las citadas rutas y que, con su promoción, se impulse la actividad turística en Alba y su entorno, y con ella su economía, muy necesitada de que se haga algo en tal sentido. Pretendo, además, animar, estimular a los que estén relacionados con esta temática a que se pongan las pilas, dejen de mirarse su ombligo y trabajen por el bien común, y que aprovechen lo que otros han hecho antes o les pueden aportar si buscan su colaboración, sin sectarismos, algo que está a la orden del día en estas y otras cuestiones, y así nos va. De esta forma la villa ducal puede obtener las ventajas derivadas de ser centro turístico, con interés en sí mismo y también como lugar de salida y llegada para las excursiones que se hagan por el NE provincial. Dado el interés y la diversidad de los recursos existentes en las citadas rutas, estoy seguro de que quien las haga quedará satisfecho y las recomendará para que otros hagan lo mismo.

Peregrinos en la 35.ª edición de la *marcha teresiana*: Medina del C.-Alba de Tormes.

1.ª Ruta. *El curso medio del Tormes.* Unión de paisaje, historia y cultura

> *Los ríos son mucho más que una corriente de agua. Son corriente de vida, fuente de naturaleza, garantía de supervivencia, semillero de obras públicas, destacados agentes en el modelado del territorio, creadores de riqueza en sus cuencas, atractivos para el asentamiento de la población en sus orillas, memoria del tiempo, viejo almacén de culturas y sedimento arrastrado por siglos y surcos en la historia de los pueblos que bañan.*

> G. Bustos: *Guía de los ríos de España*

La cita anterior pone de manifiesto la importancia de los ríos en los territorios por los que pasan, en la cuantía e importancia de los recursos turísticos de sus tierras, en la economía de estas y en las gentes que viven en ellas. Se ratifica que son mucho más que una corriente de agua, discurriendo sobre la superficie terrestre. Son unos eficaces modeladores de la superficie terrestre, destacados agentes del paisaje y grandes colaboradores de la acción humana para elegir como emplazamiento lugares cercanos a ellos, porque facilitan recursos agropecuarios y energéticos, y abastecen sus necesidades básicas. Son muchos los testimonios similares sobre la intensa e interesante actividad e influencia de nuestros ríos en el paisaje, en la vida y en la economía de las gentes y creación de nuevos e interesantes recursos turísticos. Así, A. Garrosa en su libro *Los ríos del Duero en la literatura* dice: *Los ríos son elementos determinantes de la naturaleza y del paisaje. A su vera se han situado normalmente, los asentamientos humanos por lo que en su entorno se congregan las grandes muestras del patrimonio histórico-artístico. Además de subvenir a las necesidades del hombre, los ríos y sus bellezas naturales han suscitado siempre gran admiración, convirtiéndose en fuente de inspiración artística en todos los campos. La literatura y, de modo especial la poesía, corroboran por doquier esta afirmación.*

Esta es la opinión que tiene también, J. Llamazares, en este caso del río Duero, pero que puede hacerse extensible al Tormes, tan influyente en la historia y paisaje del territorio cruzado por la ruta de las fundaciones; dice así: *Un río como el Duero es mucho más que agua en movimiento o represada, mucho más que un recurso de utilidad humana, amenaza posible en tiempos de lluvia, consuelo en los de sequía, línea azul en los mapas, símbolo de vida, vía de comunicación que unió a los pueblos ribereños o los aisló con foso de frontera. Es el relicario de miles de nostalgias e historias, el espíritu de todas las tierras que en él se enjugan, el eco de sonrisas y lágrimas que en él se vierten.* Pero los ríos no son solo un importante factor modelador del paisaje, de la economía y del asentamiento de los pueblos, sino que es frecuente que se establezcan comparaciones entre ellos y diferentes aspectos de la vida humana. Uno de los casos más conocidos de esta semejanza entre el fluir de un río con la vida de las personas lo tenemos en los conocidos versos del palentino J. Manrique, *Coplas a la muerte de mi padre*, y del que todos conocemos algún verso. A partir del ingenioso símil con los ríos, el poeta subraya

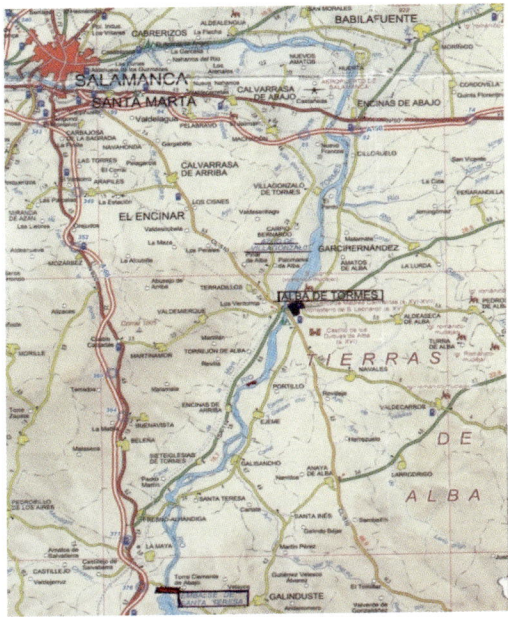

Curso medio del Tormes y privilegiada situación de Alba en el mismo.

la primacía de lo eterno, al tiempo que evoca, con honda y serena nostalgia y emoción, las cosas que han desaparecido. Es un prodigio de dignidad expresiva y dice así: *Nuestras vidas son los ríos, / que van a dar en la mar / que es el morir; / allá van los señoríos, / derechos a se acabar / y consumir; / allí los ríos caudales, / allí los otros, medianos / y más chicos, / allegados, son iguales / los que viven de sus manos / y los ricos.* Resulta muy sugerente la lectura de estos versos en Alba, desde lo alto del cerro sobre el que se alza lo que queda de su castillo.

El Tormes no es una excepción y, dadas sus características, ha cumplido a la perfección las anteriores normas del comportamiento fluvial. Hay muchos testimonios que lo ratifican. Es el principal afluente del Duero por su margen izquierda, con gran influencia fluvial, morfológica, económica, ubana, paisajística, cultural y geográfica en la provincia de Salamanca.Su influencia es particularmente notoria en la capital y Alba de Tormes, de las que se podía decir, como de Egipto respecto al Nilo, que son un don del Tormes. Sus tramos del curso medio y bajo discurren por la provincia, que la cruza de SE a NO, y cambia varias veces de dirección, como si quisiera alargar su estancia y positiva influencia por la provincia, como si no la quisiera abandonar o retardarla. En el primero de dichos tramos del Tormes por la provincia, su curso medio, están la capital y Alba de Tormes, ambas con privilegiado emplazamiento, junto a un vado del río que facilita su cruce y sobre un cerro para defenderlo y aprovecharse de las fértiles riberas cercanas. Por eso el Tormes ha tenido tanta influencia en el origen y en la evolución de ambos núcleos.

El curso medio del Tormes, desde que entra en la provincia por El Tejado hasta cerca de Ledesma, sirve de límite o separa dos espacios geográficos importantes y diferentes de la cuenca del Duero y también en la provincia salmantina. En la margen derecha están las campiñas cerealistas del NE, y en la izquierda la penillanura, montaraz y ganadera, que forma la conocida macrocomarca del Campo Charro en el centro y O. Por tal motivo, es un tramo con gran diversidad paisajística e importancia geográfica a ambos lados del río, y muy diferente del de las interesantes vegas o riberas que forma el Tormes entre ambas zonas y a lo largo de dicho tramo. La diversidad paisajística y geográfica de estas tierras, por causas naturales e históricas, se ha visto incrementada con la construcción del embalse de Sta. Teresa, azud de Villagonzalo, el humedal de Riolobos y los regadíos consiguientes.

Emplazamiento de Alba en lo alto de un cerro, junto al Tormes y la vega, entre las campiñas y el Campo Charro.

Resulta así un espacio caracterizado con aspectos relacionados con las obras citadas, particularmente los regadíos, las alamedas y los pueblos de colonización, en claro contraste con los encinares del Campo Charro y los secanos del campo de Peñaranda y la Armuña. La existencia de varias superficies extensas de agua ha atraído a muchas aves migratorias, que aprovechan estas zonas lacustres en sus desplazamientos al N y S de España, más lejanos o para residir en ellas de forma permanente. Resulta así una zona con diversidad paisajística, causa también de la variedad e interés de los recursos económicos y turísticos y en los que el río Tormes ha tenido y tiene destacada y positiva participación, directa o indirecta. Este singular comportamiento del Tormes en su recorrido por la provincia de Salamanca es consecuencia de la evolución geomorfológica que ha tenido y que ha estudiado y expuesto el prof. Jiménez en un interesante trabajo sobre esta temática. Hasta comienzos de la Era Cuaternaria, el curso del actual Tormes estaba repartido entre dos ríos. Uno, serrano, que nacía en Gredos y desembocaba en un gran lago existente en la zona de Huerta, Matacán y Encinas, y otro que desde el otro lado del cerro de los Pizarrales, más extenso y alto que ahora, se dirigía hacia el O para desembocar en el Duero. El menor nivel de base de este río y su mayor poder de erosión remontante en la cabecera, zona de Pizarrales, hizo avanzar su curso alto por la zona de la Salud, hasta llegar a la laguna donde desembocaba el Tormes serrano, Huerta y Encinas, la vaciaba y enlazaba con el río que venía desde el Sistema Central, y daba origen al actual Tormes. Se produce así la captura de un río por otro y la colmatación del lago existente con materiales arrastrados. Esta es también la causa del brusco cambio de dirección del Tormes en esta zona, sin motivo aparente para ello.

La consecuencia de esta captura, de la desaparición del lago y del surgimiento de un único río, con los dos anteriores, será una gran llanura de origen aluvial, con materiales arrastrados por el Tormes desde Gredos, suelos de bastante fertilidad y a escasa altura del cauce actual del río. La participación del Tormes en su formación, morfología y paisaje en la zona están fuera de toda duda, al igual que el atractivo de estas tierras para la población, por sus favorables condiciones agrícolas. El predominio de materiales aluviales a lo largo de este tramo fluvial y en el espacio del antiguo lago también se produjo aguas abajo, en la zona de Villamayor. Aquí, antes y debajo del depósito de suelos fértiles que hoy forman las huertas, el río depositó arenas de diferente grosor, procedentes del macizo de Gredos y que, con el paso de los siglos, han dado lugar a la famosa piedra arenisca o de Villamayor, con la que están construidos todos los monumentos de Salamanca y otros muchos edificios modernos. Otro motivo más, salvando las diferencias, para decir, como Herodoto en relación con el Nilo y Egipto, que Salamanca es un don del Tormes.

Nuevo Naharros, pueblo de colonización, 1967, muy diferente de los antiguos en emplazamiento y configuración.

Las características del Tormes y su diferente uso humano a su paso por la provincia explican la diversidad existente en los emplazamientos de núcleos a lo largo de su curso, como lo ratifican Alba, Huerta, Cabrerizos, Salamanca, Ledesma y Villarino, entre otros. En el tramo de Alba, alternan los emplazamientos que buscan algún vado y la fácil defensa sobre un cerro junto al río, como Alba y Salamanca, y los que buscan beneficiarse de la abundancia de agua y fertilidad de las vegas, como Huerta, Calvarrasa de Abajo, Sta. Marta y Villamayor, entre otros, acrecentados con los regadíos instalados en estas tierras. Esto contribuye a incrementar la diversidad geográfica y de los recursos turísticos relacionados con el citado río. Esta importancia geográfica y paisajística fue objeto de un interesante poema de Unamuno, *Al Tormes*, que dice así: *Desde Gredos, espalda de Castilla, / rodando, Tormes, sobre tu dehesa, / pasas brezando el sueño de Teresa, / junto a Alba, la Ducal dormida Villa. / De la Flecha gozándote en la orilla / un punto te detienes en la presa / que el soto de Fray Luis cantando besa / y con tu canto animas al que trilla.* Ya he destacado antes la importancia geográfica del Tormes a su paso por la provincia, pese a tratarse de un río pequeño. Esto es algo común en todos, aunque pueden señalarse diferencias entre ellos, el Tormes está, en su curso medio, entre los que tienen una incidencia geográfica notoria y más evidente. Su influencia morfológica y en el modo de vida de las gentes, instaladas desde hace milenios en su cuenca, en las actividades que han realizado y en el emplazamiento de los núcleos en los que viven han sido y son muy grandes. De ahí que podamos considerar dicho río a su paso por la provincia como destacado factor geográfico, por su fuerte incidencia en los aspectos citados, modelación del paisaje, recursos económicos, formas y modo de vida de sus gentes, aunque no sea un río caudaloso.

Bandada de grullas en los regadíos del azud de Villagonzalo. Hay otras muchas especies.

Esta estrecha relación e interinfluencia del Tormes, las gentes que viven en su cuenca y la variedad del paisaje resultante es más intensa y notoria en el curso medio de dicho río, que comprende desde la presa del embalse de Sta. Teresa hasta algo antes de llegar el río a la histórica Ledesma. Las formas paisajísticas resultantes son muchas, variadas e interesantes geográficamente, por su intensidad, antigüedad y diversidad, y se han acrecentado después de la construcción del citado embalse en 1963. Son muchos los que se han interesado por describir el paisaje de las tierras recorridas por el Tormes entre Alba y Salamanca. Uno de ellos fue D. Miguel, y lo hace desde un lugar mítico que le gustaba mucho, los altozanos de La Flecha, donde se retiraba a descansar y elaborar sus maravillas poéticas y reflexiones espirituales otra gran figura de nuestra Universidad, Fr. Luis de León. Así describe Unamuno el interesante paisaje de las tierras que cruza el Tormes para llegar a la universitaria Salamanca, desde la villa ducal y teresiana; dice así en su extenso artículo «La Flecha»: *De ninguna parte, desde los alrededores de la ciudad de Salamanca, se abarca paisaje más espléndido que desde el alto del Rollo. Tiéndese hacia el naciente y más allá del río una extensa llanura de suaves y amplias ondulaciones, quebradas por tal o cual teso, como el del Carpio y los famosos Arapiles; llanura que semeja vastísimo tapiz, abigarrado de retazos verdes, rojizos o azulados. Quiebra la línea del horizonte la Sierra de Gredos, como si el llano, al acabarse, se alzara al cielo en gigantesca oleada de espuma petrificada.* Esto es lo que vemos desde los escarpes que forma el Tormes cerca de Salamanca en La Flecha, mirando hacia Alba. No podía ser descrito con más sencillez, profundidad geográfica y perfección literaria. Es D. Miguel quien lo mejora.

Arapil de Carpio Bernardo, con ruinas del castillo, sobre la ribera del Tormes.

Además de los recursos citados en la zona y cerca de Alba, hay otros debidos a la acción humana para aprovechar la red fluvial o el paisaje que ha modelado en sus cercanías. Así con la construcción del puente sobre el

Tormes en Alba o la del castillo de Carpio sobre un elevado arapil desde el que se domina un largo tramo del cauce y vega del río, causa de tan singular emplazamiento. Su estratégica situación fue reconocida ya por Alfonso X el Sabio, en su *Crónica*, refiriéndose a Bernardo del Carpio; dice así: *Llegó a un otero que es tres leguas de Salamanca, arremetió con su caballo e subió al otero, entró a toda prisa e vio toda aquella tierra tan fermosa e complida de todas las cosas que son menester al omne, e fizo en aquel lugar un castillo muy fuerte e muy bueno e púsole nombre Carpio, et allí adelante, llamaron a él, Bernardo del Carpio.* El arapil de Carpio, como los históricos de la conocida batalla y los escarpes de algún tramo del río, como en La Flecha, son los únicos accidentes orográficos que rompen la monotonía de las campiñas y riberas.

Ya en nuestro tiempo se han realizado otras obras que han modificado el comportamiento del río, sus usos por la población, su incidencia tradicional en el paisaje, tipo de aprovechamiento agrícola y nuevos recursos turísticos. Se ha construido el embalse de Sta. Teresa, aguas arriba de Alba, en el último estrechamiento del valle fluvial en la penillanura y antes de iniciar su andadura por la fértil vega que forma hasta Salamanca, con valle más abierto, suelos fértiles y pueblos cerca del río. Esta obra ha regulado el caudal del Tormes y permite mejor aprovechamiento de sus aguas para regadío, abastecimiento urbano y reducción de las repercusiones negativas causadas antes por las frecuentes crecidas y estiajes del Tormes en los nucleos cercanos. Algo parecido, a menor escala, se ha conseguido con el azud de Villagonzalo, aguas abajo de Alba, al modificar el tradicional paisaje y los usos del río, mediante la creación de otros nuevos y con otros recursos, entre ellos los turísticos,

La fértil ribera o vega del Tormes a su paso por Alba, en zona de transición paisajística.

como deportes náuticos, playas para el baño en el Tormes y observación de las aves migratorias en los humedales. El aprovechamiento turístico actual de estos recursos, sigue estando por debajo de las posibilidades, por lo que procede intentar mejorarlo.

Como es sabido, dentro del curso medio del Tormes Alba ocupa lugar destacado, privilegiado, y se puede beneficiar de las ventajas que ofrece el mismo, desde el punto de vista urbano, económico y turístico, por su emplazamiento, estar hacia la mitad del curso medio del Tormes con predominio de vegas en sus orillas y ser encrucijada de carreteras que buscan cruzar el Tormes por el puente de la villa ducal. Estos breves comentarios sobre el recorrido provincial del Tormes demuestran los variados recursos turísticos que genera, de tal modo que se puede establecer una ruta turística que siga el curso fluvial, con el consiguiente beneficio para el sector y los lugares situados junto a su cauce. Sabemos que la zona de Alba de Tormes es la que concentra o donde se halla el mayor número de recursos turísticos relacionados con el Tormes, y que la villa ducal es referencia destacada dentro de la citada ruta y, por tanto, la mayor beneficiaria si se aprovechan bien.

El simple enunciado de los principales recursos que hay 25 km aguas arriba y abajo del Tormes desde Alba, lo confirma. Está el embalse de Sta. Teresa, hoy sin apenas aprovechamiento turístico en deportes náuticos, pesca y como refugio de aves. Aguas abajo hasta Alba, está el oasis de la ribera del Tormes, descrito ya por Garcilaso de la Vega, con sus cultivos de regadío, alamedas y pequeños y variados pueblecillos históricos o de colonización, con encanto, hasta llegar a Alba. Se interrumpe la ribera tormesina en un tramo, al aflorar en ambas márgenes el basamento paleozoico, con materiales y formas propias del Campo Charro, aprovechado para emplazar sobre el mismo la villa ducal, con singulares e interesantes recursos turísticos urbanos y cuyo aprovechamiento puede mejorar con la política adecuada. La celebración de *Las Edades del Hombre* está mostrando tales posibilidades y alguna de las formas de aprovechamiento de los recursos existentes, muchos de ellos poco conocidos, valorados y, por consiguiente, poco o nada aprovechados.

Todo puede ser visto desde el peculiar emplazamiento de la ermita de la Virgen del Otero, situada en el cerro que se levanta frente a Alba, en la otra orilla del Tormes. Su privilegiado emplazamiento es narrado poéticamente por el poeta local A. Álamo Salazar: *Mirándose en el Tormes, sobre un Otero, hay una virgencita que es un lucero.* No lejos de Alba y ofreciendo una interesante panorámica del valle fluvial, en la zona del azud de Villagonzalo, con la villa ducal al fondo, hay otra elevación, de origen y configuración diferentes al ser un arapil, el cerro del Carpio, con lo poco que queda del castillo del mismo nombre, propiedad del legendario y olvidado Bernardo del Carpio, uno de los personajes medievales más romanceado con el Cid Campeador y

Fernán González. Pero no tuvo la suerte de que nadie escribiera un poema sobre su vida como el del *Mío Cid* sobre Rodrigo Díaz y, además, era leonés, por lo que quedó postergado como dicho reino ante Castilla.

Ermita de Ntra Sra. del Otero, con extraordinarias vistas sobre Alba de Tormes y su entorno.

Muchas de las interesantes características del histórico paisaje de estas tierras han cambiado después de la construcción del embalse de Sta. Teresa sobre el Tormes, aguas arriba de Alba, al comienzo de la fértil vega de dicho río. Este embalse se inició con proyecto presentado por F. Villalobos, diputado en Cortes en 1931, y preveía diferentes aspectos que se han ido realizando y aún no han concluido. (¡¡??) Apoyó el proyecto el ministro I. Prieto, que sobre tan interesante obra dijo: *Puede suponer una transformación agrícola y socialmente para la provincia. Con su construcción podrán quedar resueltos muchos de los problemas que en el campo salmantino han adquirido tono de angustia.* Ha pasado mucho tiempo y aún no se ha finalizado lo que empezaron entonces, con lo que ha llovido. Así se hacen las cosas para Salamanca, tarde, lentas y, por lo general, insuficientes, como lo ratifican ahora, sobradamente, con las obras del Hospital.

El proyecto consistía en una gran embalse sobre el Tormes, el 2.º más grande de la cuenca del Duero entonces, 496 millones de m³. Regulaba su caudal y disponía de agua para abastecer a la población curso abajo, Alba y la capital, y atendería los regadíos que se crearían en las campiñas del noroeste, Ribera, Tierra de Alba, Campo de Peñaranda, Las Villas y la Armuña. Tan importantes beneficios se verían empañados por la despoblación de la histórica Villa de Salvatierra de Tormes, de donde era oriundo el promotor del proyecto, Dr. F. Villalobos. Dicha villa fue capital de un señorío creado en la frontera con los árabes, bastante conflictivo y, por este motivo, se enviaban allí a los que cumplían parte de su pena o eran perseguidos por la justicia, para repoblarla y defenderla. Estos territorios, de los que hubo varios durante la Reconquista en diversos lugares, se llamaban Salvatierra.

Nueva imagen del curso medio del Tormes, cerca de Alba, con el embalse de Sta. Teresa.

Salvatierra, rodeada por el embalse que ha inundado gran parte de su término.

Esta villa tenía un puente medieval, murallas, castillo y casonas que se arruinaron al dejar casi vacío el pueblo por el embalse que inundó sus tierras. Dado su singular emplazamiento y la cierta permisividad de la confederación Hidrográfica del Duero, se ha recuperado algo tan histórico lugar. Cuando estoy escribiendo esto, ha salido una noticia de la C. H. del Duero permitiendo la restauración de casas a sus antiguos propietarios para recuperar el caserío abandonado por la expropiación para el embalse. Bien se puede decir ahora aquello de *A buenas horas, mangas verdes*. La Guerra Civil y los problemas posteriores explican que no se construyera el embalse hasta 1963 y, algo después, los regadíos proyectados en las citadas comarcas. Algunos todavía no se han realizado ochenta años más tarde y otros se han puesto en marcha hace poco tiempo.

Por todo ello, el curso medio del Tormes, aguas arriba de Alba y pasado Salamanca, presenta diversidad e interés paisajístico, con realizaciones humanas importantes, como los regadíos, nuevos pueblos y el aeropuerto de Matacán. También son interesantes algunos lugares de estas tierras por lo ocurrido en ellas, como la batalla de Arapiles, o por haber sido residencia de un personaje legendario como Bernardo del Carpio. Por todo ello, tiene recursos turísticos variados e interesantes que, si se supieran aprovechar bien, junto con los de otras procedencias, como los relacionados con Sta. Teresa en Alba, podrían dar impulso al sector en la zona y lograr que esta alcanzara un nivel bastante mayor que el que ha tenido y tiene. *Las Edades del Hombre* han puesto de manifiesto que la afirmación anterior es cierta, pero hay que ponerse las pilas, trabajar todos al unísono sin recelos recíprocos, para que no se produzca lo que tantas veces nos pasa, que, unos por otros, la casa por barrer.

Las campiñas del NE provincial tienen un paisaje peculiar, continuación de las vecinas tierras de Medina y del vino. Forman parte del extenso territorio que se extiende por las tierras centrales de la Cuenca del Duero con la *Tierra de Campos*, siempre con morfología sencilla, a diferentes alturas y ondulada por la desigual resistencia a la erosión fluvial. El Prof. Terán lo define así: *El llano es, en efecto, la forma de relieve dominante en este amplio territorio castellano de la Cuenca del Duero; Castilla no es una llanura de uniforme continuidad, sino un conjunto de planos situados a distinto nivel y encuadrados por una orla exterior de serranías*. Estas tierras pertenecientes a las más representativas del territorio castellano y cuyo paisaje ha sido obra de sus gentes desde hace bastantes siglos han suscitado el interés de los escritores de la Generación del 98 e Institución Libre de Enseñanza, con la esperanza de que de ellas partiera la regeneración de España. Uno de estos escritores, Azorín, dice así de estos paisajes de las tierras centrales de la Cuenca del Duero: *En aquel mar endurecido, las torres lejanas, parecen velámenes de barcos que se han quedado inmóviles al petrificarse el mar en que navegaban. Casas lejanas, escasos árboles, supervivientes de los que se plantaron al construir las carreteras, no logran romper la uniformidad plana de aquel suelo que se rebela contra todo lo que pretenda alterar su quietud, su horizontalidad lacustre y su tristeza reconcentrada, ensoñadora. Es el paisaje elemental, el descanso de los ojos y el suplicio de la imaginación.* Descripción inigualable del paisaje de estas tierras por el maestro Azorín.

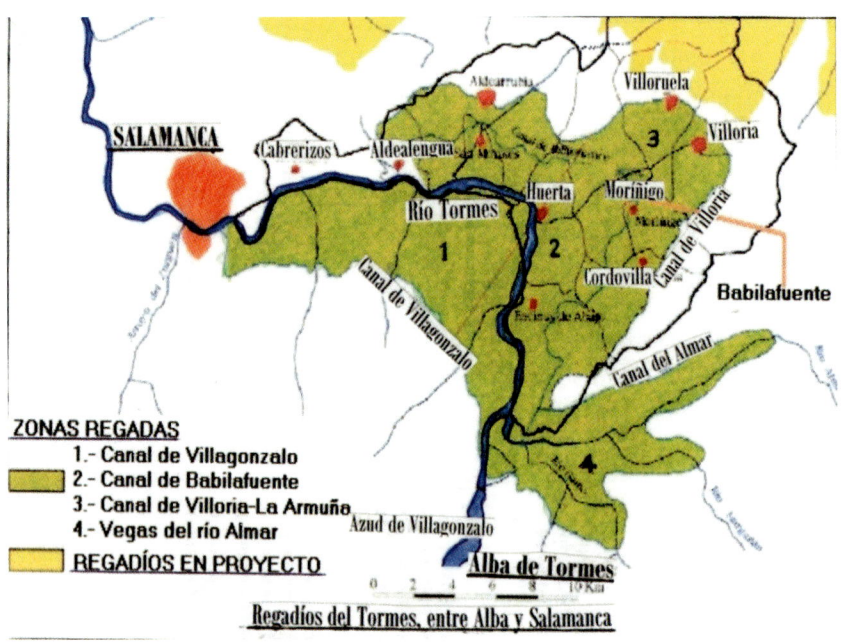

Cambios paisajísticos y económicos con los regadíos del Tormes, programados en 1934 y todavía no concluidos.

2.ª Ruta. Románico-mudéjar, con interesantes iglesias, testigos del pasado histórico

Dicha descripción es aplicable a estas tierras del NE provincial, conocidas como las campiñas cerealistas y dominadas por las serranías de Gredos y sierra de Béjar, que vemos despuntar azuladas en el horizonte. Cuentan, además, tanto la Tierra de Alba como el Campo de Peñaranda, con suelos con favorables condiciones para el aprovechamiento agrario como se ha hecho secularmente. Tales características agrarias muestran mayor desarrollo a lo largo de los pequeños cursos fluviales que cruzan estas tierras, formando fértiles riberas, antes de desembocar en el Tormes, y en este, antes de hacerlo al padre Duero. Además, son tierras sedimentarias en las que no hay ningún tipo de piedra para las construcciones, por lo que han recurrido al ladrillo para dar consistencia a los edifícios, que adquirieron ciertas características peculiares por el uso de tal material y la técnica constructiva empleada en los mismos, conocida como estilo mudéjar.

Al instalarse los repobladores medievales en la zona, surgió un poblamiento, como en el resto de la provincia, con muchos pequeños núcleos, cercanos entre sí, con apretados caseríos en torno a una sencilla iglesia que destaca sobre el resto. Participaron en la repoblación gentes de procedencia heterogénea, como indican los topónimos de los pueblos. También se incorporaron gentes de cultura árabe convertidos, mudéjares, que vinieron de las tierras recién conquistadas al sur del Tajo y aportaron sus características en el uso del ladrillo, que incorporaron al estilo románico de entonces, particularmente en muchas de las iglesias románico-mudéjares que hay en estas tierras. La importancia cultural de este colectivo, su buena relación con los cristianos y su habilidad para la construcción los convirtió en mano de obra especializada para levantar en los pueblos estas pequeñas construcciones, seña de identidad cultural de estas comarcas. Otros dicen que pudieron hacerlas cristianos que habían vivido o mantenido relaciones con los árabes, que estaban islamizados y que conocían sus técnicas constructivas. El resultado es el mismo, un estilo diferente, original, mudéjar, realizado en tierras cristianas por gentes de cultura árabe o españoles islamizados, con técnicas islámicas y estructuras y usos cristianos. Con un material muy sencillo y originales recursos constructivos, hacen las pequeñas iglesias llenas de encanto, formando un conjunto peculiar, interesante con los caseríos y desconocido para muchos, que no defrauda ahora que han sido restauradas. Es un estilo exclusivamente español, con bastante difusión por las tierras centrales de Castilla, en Salamanca en las campiñas del NE, que no se limita al ámbito rural, aunque tenga preferencia por él; en la capital tenemos algún ejemplar, como la iglesia de Santiago junto al Puente Romano.

Sencillez morfológica y dedicación agraria, paisaje típico de las campiñas.

Nuevo Naharros, ultimo pueblo de colonización, 1967. Zona de viviendas.

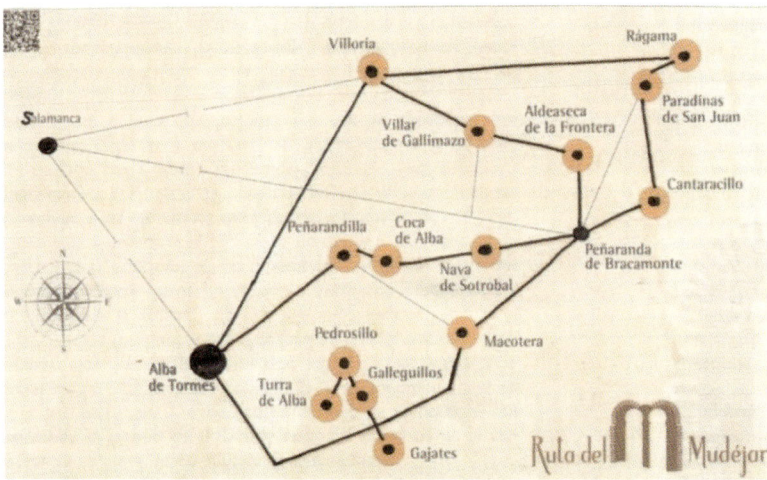

Iglesias románico-mudéjares de las campiñas del NE provincial y ruta por las mismas.

El elevado número de pueblos en los que hay una iglesia de este estilo en las citadas campiñas y la cercanía de los mismos dificultan el poder establecer una ruta que permita visitarlos todos de forma racional y relativamente cómoda. Por eso se aconseja al interesado conocerlas y que él se trace la ruta y decida las que va a visitar, al ser difícil hacerlo y visitar todas, si no se tienen intereses concretos en tal sentido. Ha habido intentos de organizar dicha ruta por la Diputación y empresas turísticas, pero no han resultado eficaces y pronto han caído en desuso y olvido. Tropiezan con las dificultades antes citadas y adolecen de las deficiencias habituales en el turismo provincial, falta de planificación, deficiencias en infraestructuras y servicios, mala señalización, información, escasa atención de los recursos y política de promoción inadecuada e ineficaz. Para que cambien y mejoren las cosas, deberán ponerse de acuerdo los pueblos donde hay una de estas iglesias, tener el apoyo de las instituciones pertinentes y realizar una promoción conjunta, coherente, lógica y eficaz, sin ir cada uno por su lado como se hace ahora, y ahí están los resultados. Se está empezando a hacer algo en tal sentido. Solo si se superan estos problemas, dicha ruta y los recursos que hay en ella mejorarán, se podrán visitar y redundarán, cultural y turísticamente, en beneficio de los pueblos por los que pasa y de la zona en que se encuentran.

El ejemplar más interesante de este grupo de iglesias, por el edificio en sí y, sobre todo, por el interés y variedad de las piezas en su interior, como ya comenté antes, es la iglesia de S. Juan en la villa ducal. Está en la Plaza Mayor y su ábside es la parte más singular y atractiva de dicha plaza. Además, tiene dentro un conjunto de piezas, propias o procedentes de otras iglesias, que la convierten en un pequeño e interesante museo que no defraudará a

Iglesias románico-mudéjares de El Salvador y S. Pedro en Gajates y Villoria, sencillas e interesantes.

la quien visite. Ya señalé antes que destacan en ella un apostolado románico-bizantino, sin igual en su género en España; un calvario románico, de la iglesia de Santiago, donde estuvo emparedado por no gustar. También hay una Piedad y la pintura de *Cristo atado a la columna* de V. Masip. Junto con la más sencilla de Santiago, siglo XII, ratifican que la ruta del románico-mudéjar por tierras de condados y ducados tiene en Alba un lugar singular, y por eso es punto y final de la ruta. El pequeño mapa adjunto recoge las iglesias mudéjares en el entorno de Alba y presenta una ruta que permite visitar la mayor parte de las mismas en las campiñas cerealistas del NE provincial salmantino. Configuran un espacio en el que hay muchos e interesantes ejemplares en el citado estilo que acrecientan su interés y el atractivo de la mencionada ruta. Además, tiene una estrecha vinculación con Alba de Tormes, en la que hay varios más, además de tener interesante historia y su doble condición de ducal y teresiana.

Iglesias de Villar de Gallimazo y Peñarandilla. Esta última, una de las más interesantes en estas tierras.

Se trata de una ruta que permite conocer mejor las características paisajísticas de la Tierra de Alba, en las campiñas del NE, con su sencillez morfológica, apertura de horizontes y predominio del aprovechamiento cerealístico desde siempre, junto con un creciente regadío. También porque en estas tierras está el mayor número y la mejor muestra de peculiares iglesias románico-mudéjares representativas de la historia y cultura de estas tierras y sus gentes. No hay otra comarca española con tantas como aquí y con un trazado y unas características estilísticas tan puras y sencillas como las que se verán realizando esta ruta. Son pequeñas y sencillas realizaciones de los artesanos de estas tierras y para su uso. De ahí la importancia e interés de la misma. En un interesante trabajo sobre esta temática, *Arquitectura románico-mudéjar en la provincia de Salamanca*, realizado por M. R. Prieto Paniagua y publicado por el Centro de Estudios Salmantinos, se ratifica lo anterior cuando dice: *La inmensa mayoría de iglesias románico-mudéjares salmantinas están en la zona NE provincial, formando un abanico con el vértice en*

Iglesias de S. Juan y El Salvador de Coca de Alba y Rágama, respectivamente.

S. Pedro, Pedrosillo de Alba, sencilla.

Interesante artesonado de la de Macotera.

la capital y los puntos más extremos en Cantalapiedra y Gajates. Abarca los partidos judiciales de Alba y Peñaranda y la mayor concentración de ellas se encuentra en un eje que va desde Alba a Rágama; es decir, que en torno a la primera, Alba, y Peñaranda se hallan la mayoría de dichas iglesias.

3.ª Ruta por importantes lugares históricos de la zona, con destacada participación histórica

En apartados anteriores comenté la importancia histórica de Alba, por las favorables condiciones geográficas de su situación y emplazamiento, como nudo de comunicaciones en estas tierras al sur de la cuenca del Duero y que hicieron de ella un núcleo importante, tras la repoblación medieval. También por su estrecha relación con la casa ducal a la que ha dado nombre y que ha sido una de las casas nobiliarias más importantes de las muchas existentes en España, por el destacado papel de alguno de sus personajes en nuestra historia, como el Gran Duque. También por su estrecha relación con Sta. Teresa y el destacado papel que ha tenido y tiene Alba en el mundo teresiano. Además, en el entorno de Alba han vivido personajes importantes, como el legendario y desconocido para muchos Bernardo del Carpio, muy celebrado en el Romancero, o han ocurrido cerca de ella acontecimientos destacados de nuestra historia, como la batalla de los Arapiles, la más importante de la guerra de la Independencia, ya que marcó el comienzo del declive napoleónico en Europa. Tal interés se acrecienta si, como es lógico, incluimos a Salamanca en esta ruta, por su brillante trayectoria universitaria y su proximidad a Alba y por la importancia que tuvo en ciertos aspectos de la vida y obra de la Santa, con un convento reformado en 1570 y fundado con gran satisfacción por la Santa, como el de Alba.

Todavía subsiste dicho convento pero fuera de Salamanca, en el cercano Cabrerizos, al caer el antiguo bajo la piqueta de la especulación urbana en los años setenta del pasado siglo, y quedar hoy solo la iglesia, como un estorbo entre bloques de viviendas modernas. Conviene recordar el reconocimiento que hizo su universidad de la obra literaria teresiana, al concederle el primer doctorado *honoris causa* de dicha institución en 1922, en una comisión presidida por D. Miguel de Unamuno. Se trata de un ruta con pocos kilómetros de recorrido, al no ser muchos los lugares históricos que se visitan, estar cerca de Alba y tener cierta relación con ella lo ocurrido en los mismos. Según el orden en que los vamos a visitar, estos son: monasterio jerónimo de S. Leonardo, ermita de Ntra. Sra. del Otero, ruinas del castillo de Bernardo del Carpio, fuente de Sta. Teresa y el lugar histórico de los Arapiles, escenario de la importante batalla del mismo nombre en la guerra de la Independencia.

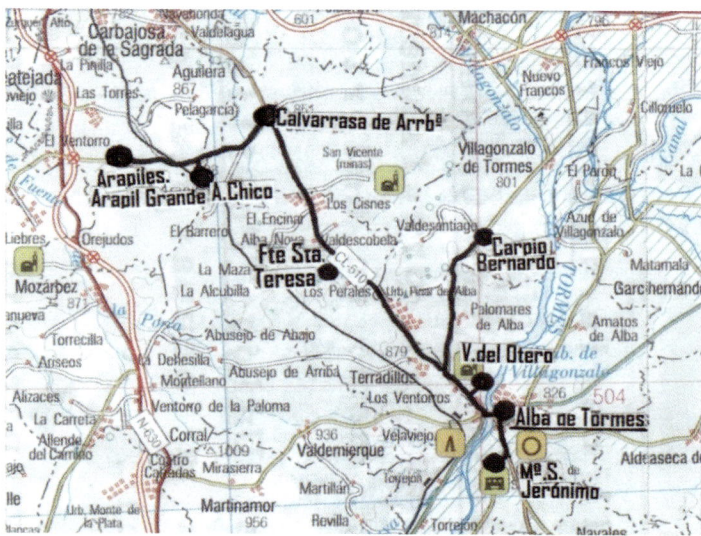

Itinerario de la ruta por *lugares históricos* en torno a Alba de Tormes:
Carpio Bernardo, Arapiles…

Monasterio de S. Leonardo. Iniciamos el recorrido de esta interesante ruta histórica visitando el monasterio de S. Leonardo, que, como tantos otros, tiene una destacada trayectoria histórica, por la importancia de lo ocurrido en ellos y la de personajes residentes en el mismo que han aportado interesantes páginas a nuestra historia y cultura. Está fuera de Alba, pero cerca de ella, en la vega del Tormes, como tantas otras instalaciones de este tipo. Fue fundado por Alfonso VI en 1154, para monjes premostratenses. En 1447 se marcharon a Ciudad Rodrigo, por deseo del nuevo señor de Alba, D. Gutierre Álvarez de Toledo, quien se lo cedió a los jerónimos, que lo convertirán en un importante centro, a juzgar por los personajes que vivieron en él. Tal es el caso de Fr. Hernando de Talavera, catedrático de la Universidad, presidente de la comisión que escuchó y valoró el proyecto de C. Colón y primer arzobispo de Granada, donde entró con los RR. CC. al conquistarla.

Su interesante biografía está sintetizada en la placa que hay en la Colegiata de S. Juan de los Reyes de Toledo en la que dice: *A Fr. Hernando de Talavera, 1430-1507, protegido de los Álvarez de Toledo, señores de Oropesa, niño cantor de la Colegiata de Talavera de la Reina, catedrático de la Universidad de Salamanca, monje jerónimo en S. Leonardo de Alba de Tormes, prior de Ntra. Sra. del Prado de Valladolid, confesor de Isabel la Católica y consejero real, supremo organizador de Castilla a finales del siglo XV, obispo de Ávila y administrador de Salamanca, impulsor de la Grámatica de la Lengua de Nebrija, examinador de los proyectos de Colón, a propuesta de los RR. CC. y su protector, reformador de la nobleza y de las órdenes*

*religiosas, primer arzobispo de Granada, santo alfaquí, apóstol de los mo-
riscos, impulsor de la evangelización de América, detractor y, finalmente,
víctima de la Inquisición, varón integérrimo y castellano.*

Otro personaje fue Fr. Juan Ortega, para muchos con fundadas razones,
autor de la conocida novela picaresca *El Lazarillo de Tormes*. Lo afirma así
el historiador Fr. Sigüenza, también fraile jerónimo, compañero y estudiante
en Salamanca como el citado autor. Dice que vio a Fr. J. Ortega una copia
de la citada novela antes de su publicación. Las razones de no querer asumir
su autoría es que era muy crítica con mucha gente y, como le iba a traer problemas, cosa que no deseaba, decidió no aparecer como autor. Además, la
iglesia del monasterio sirvió como panteón para los primeros miembros de la
casa ducal; así, el Gran Duque estuvo enterrado en él hasta que, en 1619, fue
trasladado al de los dominicos de Salamanca, donde está. Como otros, sufrió
los efectos desastrosos de la desamortización y, desde 1962, es un colegio y
centro de formación de los PP. Reparadores. Además, uno de ellos, P. Belda,
experto en prehistoria y arqueología, montó un interesante museo sobre tales
temáticas con piezas de sus excavaciones que bien merece una visita.

Monasterio de S. Leonardo, siglo XII, con interesante historia y activo.

Ermita de Ntra. Sra. del Otero. En un cerro, otero, cueto, cerca de Alba
y de la carretera a Salamanca, se levanta la ermita de Ntra. Sra. del Otero,
antigua parroquia de la aldea Martín Valero, destruida cuando la Guerra de
la Independencia. Se salvó la iglesia, sencilla, al serlo de un pequeño pueblo,
y se convirtió en ermita popular por los albenses, en honor a Ntra. Sra. del
Otero, por su privilegiada situación y vistas sobre la vega del Tormes, Alba y
el entorno. Su fiesta se celebra el 8 de septiembre, es muy popular y conocida

como el Día de la Sandía, ya que muchos albenses suben hasta ella para disfrutar de tan refrescante producto y gozar de las vistas que hay desde allí. Recomiendo que la visiten los que hagan esta ruta.

Arapil, con las ruinas del castillo de Carpio, destruido por Fernando el Católico en 1505.

Lápida de un señor de Carpio. Catedral Vieja.

Sigue la ruta por la carretera comarcal a la derecha de la de Salamanca y pasa por las ruinas del **castillo de Carpio Bernardo** en el que residió el legendario personaje que tomó nombre de dicho lugar, Bernardo del Carpio. En lo más alto del Arapil, sobre el que se alza el pequeño pueblo, están las ruinas del castillo del citado personaje, uno de los más romanceados de nuestra historia, junto con el Cid Campeador y Fernán González. No fue tan afortunado como el primero de tener un cronista que escribiera un poema tan elogioso y extenso como el *Poema del Mío Cid*. Pero sí tuvo importancia, como lo ratifica la atención que le prestó Menéndez Pidal a los romances de los que fue protagonista Bernardo del Carpio y publicó varios sobre dicho personaje en su *Flor nueva de romances viejos*. Dicho pueblo siempre ha sido pequeño, y ahora más a causa de la emigración, el envejecimiento y el crecimiento natural negativo, con solo 41 habitantes, y en regresión, menos de la mitad que hace un par de décadas. Pero su escasa cuantía demográfica, también en tiempos pasados, no fue óbice para tener cierta importancia en la Edad Media, por su privilegiada situación junto a un cerro, arapil, donde, desde antiguo, hubo un castillo que se hizo famoso. Está cerca del Tormes y del vado de dicho río al que confluyen muchos caminos para cruzarlo, sobre todo desde época romana en que construyeron el puente que sigue prestando dicho servicio, ya con evidentes limitaciones por el mucho tráfico existente.

La popularidad le viene por la presencia en él de un personaje, sobrino del rey Alfonso II el Casto, 760-842, con el que tuvo serios enfrentamientos al haber encerrado a su padre, por haberse casado sin el permiso real con la hemana del citado rey. También lo relacionan con el mítico Roldán y Carlomagno a los que se enfrenta y vence en la batalla de Roncesvalles. Todo esto está recogido con bastante detalle en el citado Romancero y ratificada su importancia con un medallón en la Plaza Mayor de Salamanca en el pabellón de S. Martín, como uno de los grandes de la historia de España. Era hijo natural de la hermana de dicho rey y del conde de Saldaña, casados sin conocimiento ni permiso del rey. Al enterarse, encerró al conde en el castillo de Luna y a su hermana en un convento, y se hizo cargo del niño, procurando que no se enterara de su origen ni de la situación en la que estaban sus padres. No pudo evitarlo, pues alguien se lo contó años más tarde y montó en cólera contra su tío, como manifiesta en un romance de la *Flor nueva de romances viejos*, donde cuenta las aventuras del legendario personaje así: *En los reinos de León / el Casto Alfonso reinaba; / hermosa hermana tenía, / Doña Jimena se llama. / Enamorose de ella / ese conde de Saldaña, / más no vivía engañado / porque la infanta le amaba. / Muchas veces fueron juntos, / que nadie lo sospechaba; / de las veces que se vieron / la infanta en cinta quedaba; / de ella naciera un infante / Bernardo le puso de nombre / para su desdicha mala.* Pese al interés del rey por mantener oculto su origen a Bernardo, este se entera y se enfurece: *En la corte del Casto Alfonso / Bernardo a placer vivía, / sin saber de la prisión / en que su padre yacía; / a muchos pesaba de ella / mas nadie lo descubría; / halo defendido el rey / que ninguno se lo diga. / Dos dueñas se lo descubren / con maña y con maestría. / Cuando Bernardo lo supo, / la sangre se le volvía.*

Medallón de Bernardo de Carpio.
Plaza Mayor.

Escultura a Bernardo del
Carpio en el pueblo.

Tras conocer la penosa situación de sus padres, se enfrentó a su tío exigiéndole la libertad y reparación moral de tanto mal causado: *Bastardo me llaman rey / siendo hijo de tu hermana; / tú y los tuyos lo habeis dicho, / que otro ninguno lo osara; / más quienquiera lo haya dicho, / miente por medio la barba, / que ni mi padre es traidor / ni mala mujer tu hermana, / porque cuando yo nací / ya mi madre era casada. / Metiste a mi padre en hierros / y a mi madre en orden sacra, / y porque no herede yo / quieres dar tu reino a Francia; / morirán los españoles / antes de ver tal jornada. / Mi padre pido que sueltes / pues me diste la palabra, / si no, en campo como quieras, / te será bien demandada.* El rey accedió a sacar a su padre de la prisión, pero acababa de morir cuando iban a hacerlo. Esto enfureció a Bernardo, que se marchó de la corte a la frontera con los árabes, a la Tierra de Alba, y levantó un castillo con su nombre, Carpio Bernardo, desde el que guerreó con éxito contra unos y otros. El lugar elegido tenía unas buenas condiciones defensivas, en lo alto de un arapil, privilegiada situación sobre la fértil vega del Tormes y cerca del nudo de comunicaciones creado con el puente sobre el Tormes y que extendía su influencia en ambas márgenes. Alfonso X describe tan privilegiado lugar en su *Crónica General*: *Llegó a un otero que está tres leguas de Salamanca, arremetió con su caballo e subió en suma del mismo; entró a toda prisa, vio toda aquella tierra, tan fermosa e complida de todas las cosas que son menester al omne, e fizo en aquel lugar un castillo muy fuerte e muy bueno e púsole por nombre Carpio; et de allí en adelante llamaron a él Bernardo del Carpio.*

A sus luchas contra los moros hace referencia el romance, que señala la situación del castillo: *Bernardo estaba en el Carpio, / el moro en el Arapil, / como el Tormes va por medio, / no podían combatir.* Hoy solo quedan ruinas, ya que fue uno de los muchos que destruyeron los RR. CC. para someter a los nobles tras el Tratado de Toro, 1504. Bernardo del Carpio es el protagonista de muchos romances, solo igualado por el Cid Campeador y Fernán González. Su historia fue lograr del rey Alfonso el Casto que liberara a su padre, encarcelado por haber deshonrado a la infanta. Antes de que ocurriera esto, Bernardo participó en otros hechos históricos también interesantes que contribuyeron a darle popularidad y que quedaron recogidos por el Romancero. Así, en la conocida batalla de Roncesvalles, como recoge el popular romance que dice: *Cuéntame una historia, abuela. / Siglos ha que con gran saña, / por esa negra nontaña / asomó un emperador. / Era francés y el vestido / formaba un hermoso juego: / capa de color de fuego / y plumas de azul color /¿Y qué pedía? / La Corona de León. / Bernardo el del Carpio, un día / con la gente que traía, / «¡Ven por ella!», le gritó. / De entonces suena en los valles / y dicen los montañeses: / ¡Mala la hubisteis, franceses, / en esa de Roncesvalles! / Don Carlos perdió la honra / y Francia los Doce Pares.*

Mapa de Tomás López, 1801, con el topónimo del Carpio, cerca de Alba.

La información sobre tan singular personaje y su aventurada vida es, sobre todo, la tradición y la documentación literaria escrita a partir de lo anterior. Según estudiosos de Historia Medieval de España, los datos sobre Bernardo y sus gestas son fantásticos y anacrónicos, aunque pueda haber un pequeño fondo de verdad. Se debería a la necesidad de tener un héroe que emulara a los trovadores franceses de su tiempo. Además, Bernardo del Carpio pertenece al reino de León, en el periodo que Castilla y León estuvieron separados, 1157-1230. Con su invención se buscaba crear personajes leoneses populares para contrarrestar y contraponer a la importancia de los castellanos, Cid Campeador y Fernán González, y de los creados por los trovadores franceses, Carlomagno y Roldán. Lo conseguirán en parte. Así, en un primer momento, habría canciones de gesta leonesas, luego serían recogidas en la *Crónica General* de Alfonso X el Sabio, en el siglo XIII. Y de esta obra surgirían los demás testimonios. Otra hipótesis apunta a que es una leyenda, cuya meta era engrandecer la independencia de León frente a Castilla en el siglo XII. Además de su importancia en el Romancero, también sirvió de inspiración para piezas teatrales, obras caballerescas en prosa y poemas, en español y portugués, en el Siglo de Oro. Miguel de Cervantes, atraído por su carácter legendario, pensó escribir un libro de caballerías sobre este singular personaje.

Según documentación literaria, fue enterrado en una tumba excavada en una roca cerca del monasterio de Sta. María la Real de Aguilar de Campoo y fue lugar conocido y visitado en los siglos siguientes. Se sabe que, en uno de los viajes que hizo Carlos V en 1522, desde Santander, Laredo, hacia Madrid, lo visitó y se llevó una espada que había en la tumba y que, desde entonces, está en la armería del Palacio Real de Madrid. Tuvo cierto resurgir en el siglo XVIII, cuando colocaron un medallón en la Plaza

Mayor. Después ha habido varios intentos de rehabilitarlo en el siglo XIX sin resultado alguno. Lamentablemente hoy es un personaje desconocido incluso para los salmantinos, no así para los de la Asociación Cultural Bernardo del Carpio, que hacen cuanto pueden para reivindicar y dar a conocer a tan singular personaje de nuestra historia y que, como a otros muchos, lo tenemos en el más absoluto olvido. Pero no era así en su tiempo o en el siglo XVIII. Debería hacerse algo para rehabilitarlo, aunque sea más fantástico que real. De ilusión también se vive.

La ruta regresa a la carretera de Alba a Salamanca y, poco después, pueden verse cerca de ella pequeños tramos recuperados de la antigua calzada romana que iba desde Salamanca al Puerto del Pico, cruzando por el vado del Tormes en Alba, y ser esta una de las causas del origen e importancia de Alba ya en época romana y siglos siguientes, sobre todo cuando la repoblación medieval. Cerca de la carretera están las urbanizaciones de Alba Nova y El Encinar. Esta última, con sus dos tipos de instalaciones, chalets y bloques de viviendas, se levantó para atender las necesidades de la actividad militar que, según algunos, iba a establecerse en Alba, según proyecto de la UCD. Como ya comenté antes, el triunfo del PSOE en 1982 tiró por tierra dicho proyecto, si es que fue cierto o más bien solo un rumor o bulo de algún listillo que así hizo un buen negocio al comprar terreno rústico y urbanizarlo. Pero ya no se podía dar marcha atrás con las citadas urbanizaciones y, aunque fuera de lugar, han seguido adelante vinculadas al municipio de Terradillos, como una prolongación anacrónica del barrio Garrido en medio del monte y a 15 kilómetros de Salamanca.

Bloques de viviendas de El Encinar, en Terradillos, como continuidad de un barrio urbano.

Sigue la ruta por el paisaje adehesado del Campo Charro, con encinares y pastizales en un terreno ondulado en el que se alza una de sus interesantes estampas, las instalaciones de una dehesa, antigua aldea, Los Perales. Junto a la carretera destaca la existencia de una fuente dedicada a Sta Teresa, con la que se relaciona. Según parece, viniendo de Salamanca a Alba, se perdieron en una tormenta, y las tranquilizó la Santa. Las encaminó hacia una luz que veían a lo lejos. Era una antorcha portada por un joven que estaba junto a un manantial en el que saciaron su sed y les señaló el camino para Alba. En recuerdo de esta leyenda, en 1877, el obispo Narciso M. Izquierdo, devoto de la Santa, mandó levantar una fuente que mejoraría el P. Cámara y colocaría en ella una escultura de la Santa, cuando empezó la basílica en 1892 y que, por su temprana muerte, no pudo terminar, pero sí nos quedó la popular fuente. Esta es un caño de agua en un pilar de piedra sobre el que hay una capillita de ladrillo rojo, con una esculturilla de la Santa. Dicha fuente ha desempeñado un destacado papel en las comunicaciones entre Alba y Salamanca, cuando eran de otra forma respecto a ahora y, sobre todo, es un recuerdo más de la presencia de Sta. Teresa por estas tierras, al relacionarse directamente con su estancia en ellas.

Sencilla e histórica fuente de Sta. Teresa, en la carretera Alba-Salamanca.
Fotos de 1922 y actual.

Continúa la ruta entre encinares que se interrumpen antes de llegar a Calvarrasa, al aparecer un paisaje diferente, al que hace referencia el topónimo del pueblo, relacionado con las campiña del NE provincial del Tormes. Forman un pequeño enclave de tierras sedimentarias, con ligeras ondulaciones, cerros, conocidas como arapiles. Es similar al de la pequeña Armuña, situada más al oeste y de la que está separada por el espacio paleozoico, montaraz y ganadero de los Montalvos y la ribera de la Valmuza, pero en la que no aparecen las citadas alteraciones morfológicas, como tampoco lo hacen en la Armuña, al norte. Es un enclave sedimentario, ligeramente ondulado al sur de Salamanca, margen izquierda del Tormes y ya dentro del Campo Charro, cuyos encinares de los Montalvos marcan los límites entre esta prolongación de las campiñas cerealistas de la Tierra de Alba y de la ganadera de la macro-comarca charra.

En Calvarrasa de Arriba la ruta abandona la carretera a Salamanca, para dirigirse a otro destacado lugar histórico, no solo en estas tierras, sino también en la historia de España y europea, **Arapiles**. Aquí tuvo lugar la batalla del mismo nombre, la más importante de la guerra de la Independencia y segunda de las que libró Napoleón en Europa tras la de Waterloo y con la que las tropas francesas inician su declinar en Europa. Cerca de Calvarrasa el terreno se accidenta algo y aparecen conglomerados de areniscas sobre las que levantaron en el siglo XVII la pequeña ermita de Ntra. Sra. de la Peña, sencilla, austera y con una elemental placita de toros. Tuvo un destacado papel en la citada batalla, al tener en ella el puesto de mando el general francés Marmont, derrotado por el duque de Wellington en la citada batalla.

Ermita de Ntra. Sra. de la Peña, puesto de mando del general Marmont en la batalla de Arapiles.

Siguiendo hacia Arapiles, se acentúa la monotonía y la sencillez del paisaje de campiña cerealista, donde se alzan varios pueblos que tienen total orientación agrícola. En medio de este espacio, situado a unos 800 m sobre el nivel del mar, se alzan dos cerros coronados por conglomerados calcáreos, aplanados, resistentes a la erosión y que se elevan unos metros sobre el entorno. Hay más en la zona, como el de Carpio, y son conocidos como *arapil* y tienen cierta semejanza con otras elevaciones llamadas viso, alcor o mesa, entre otros. Por su diferente amplitud se los conoce como arapil grande y chico. Son meras formaciones con escaso interés morfológico, pero excelentes atalayas sobre el aplanado entorno. Desde ellos, los generales contendientes siguieron el desarrollo de los encarnizados combates que se libraron en la zona, hace poco más de doscientos años, dos grandes ejércitos europeos, en un enfrentamiento con importantes repercusiones en España y también en Europa. Como han señalado muchos autores, fue la más importante derrota de las tropas francesas tras la de Waterloo, y supuso el declinar de Napoleón en Europa, cosa que él no supo ver cuando ocurrió. Así lo pone de manifiesto un historiador contemporáneo que dice: *El encargado de llevarle tan mala noticia a Napoleón fue el capitán Febvier, que cabalgó durante 32 días hasta alcanzar el cuartel general imperial, en ese momento en tierras rusas, camino de Moscú. Napoleón no prestó apenas atención a lo ocurrido en Salamanca, pues estaba más preocupado por hacer una entrada triunfal en Moscú. Más tarde se daría cuenta de su grave error pues, en gran medida, la batalla de los Arapiles significó el principio del fin de su imperio.* Todos coinciden al afirmar la importancia de esta batalla, pero son pocos los que recuerdan las terribles y negativas repercusiones que tuvo la misma para la monumentalidad de Salamanca y Ciudad Rodrigo, al hacerse fuertes en ellas los franceses y destruir monumentos para, con sus piedras, reforzar las defensas.

El general que ganó las dos, el duque de Wellington, concedió más importancia a esta batalla que a la de Waterloo en lo referente a la estrategia y las repercusiones en el devenir de los acontecimientos posteriores. Sin ella, la historia europea posterior hubiera sido muy diferente. Al que visite este lugar le aconsejaría que leyera antes la novela de B. Pérez Galdós sobre dicha batalla, *Los Arapiles*, en la que describe, con detalle y conocimiento del territorio y la historia lo ocurrido en dicho lugar, y así podrá imaginarse cómo ocurrieron las cosas en el mismo escenario, pues apenas se han producido cambios después. Encarámese a cualquiera de los miradores de la historia, arapil grande y chico, para imaginar y revivir un tiempo en el que el estruendoso fuego de los cañones, las imponentes cargas de caballería y el avance en líneas y columnas de la infantería de ambos ejércitos dirimieron el destino de Europa y, en gran medida, del mundo, hasta la Primera Guerra Mundial.

El citado autor, Pérez Galdós, aunque de forma novelada, pero sin faltar a la realidad histórica, describe con bastante verosimilitud el escenario en el que tuvo lugar. Para ello se documentó y visitó Los Arapiles, antes de escribir sobre la misma. Por eso, lo que nos cuenta en la citada novela es como una crónica periodística de lo ocurrido en dicho lugar, con muchos visos de verosimilitud, sobre todo en lo referente al escenario, a los principales protagonistas y a los acontecimientos de dicha batalla. Describe así el escenario de la misma: *¡¡El Arapil grande!! Era la mayor de las dos esfinges de tierra, levantadas la una frente a la otra, mirándose y mirándonos. Entre las dos se desarrollaría al día siguiente uno de los más sangrientos dramas del siglo, verdadero prefacio de Waterloo, donde sonaron por última vez las trompas de la Ilíada del Imperio napoleónico. A un lado y otro del lugar llamado Arapiles, se elevan los dos célebres cerros, pequeño el uno, grande el otro. El primero nos pertenecía, el segundo no pertenecía a nadie en la noche del 21 de julio y era la presa más codiciada. El leopardo de un lado y el águila del otro lo miraban con anhelo, deseando tomarlo y temiendo tomarlo, al mismo tiempo. Cada cual temía encontrarse allí al contrario en el momento de poner la planta sobre la preciosa altura.* El mismo escritor sigue con la descripción de lo ocurrido después en la batalla, con todo detalle, como si lo estuviera viendo.

Mapa del escenario geográfico de la batalla de Arapiles, 1812.

Medallón de Wellington en la Plaza Mayor.

Describe con detalle el escenario de la batalla y el papel que hicieron sus principales protagonistas, los jefes militares con sus tropas, al participar en tan importante acontecimiento histórico, sin ser conscientes de ello, como era lógico. Dice así dicho autor: *Un recorrido por el campo de batalla nos lleva a localizar hitos perfectamente visibles y dignos de una visita, lugares como la ermita de Nuestra Señora de la Peña, en el término municipal de Calvarrasa de Arriba, donde se produjeron las primeras escaramuzas de la batalla; las cimas de Los Arapiles, sobre las que se establecieron poderosas baterías artilleras; el Teso de San Miguel, puesto de mando del ejército aliado durante gran parte de la batalla; las alturas de Aldeatejada, donde Wellington se encontró con el general Pakenham para ordenarle el inicio del ataque aliado; el Pico de Miranda, sobre cuya cima murió el general francés Thomières, el pueblo de Las Torres, desde donde se inició la carga de caballería liderada*

por el general Le Marchant; la localidad de Arapiles, en cuyas calles comba-
tió la Guardia Real británica; las lomas de El Sierro, donde la División del
general Ferey defendió la retirada de sus camaradas derrotados... Todavía
hoy son muchos los interesados por este acontecimiento y que recorren el
escenario en el que tuvo lugar dicha batalla, rememorando y reconstruyendo
la historia, a la vez que disfrutan con la sencillez y grandiosidad del paisaje,
sus alrededores y sus acogedoras gentes.

Los históricos y sencillos cerros
de los Arapiles.

Monolito sobre el Arapil Grande
y el Chico al fondo.

Además del citado novelista canario Pérez Galdós, ha habido otros interesados por este acontecimiento, dada su importancia, y que lo han dado a
conocer con otras perspectivas. Tal es el caso de historiadores contemporáneos, militares y estudiosos de los principales sucesos ocurridos en los dos
últimos siglos, que nos ofrecen interesantes visiones de tal acontecimiento.
Por ejemplo, el general M. Alonso Baquer, profesor de esta materia en la
Academia General Militar de Zaragoza quien, en una visita a dicho lugar desde Salamanca, decía: *La batalla de los Arapiles fue uno de los episodios más*
destacados de la guerra de la Independencia ya que se saldó con la absoluta
derrota del ejército francés. Privó a estos de las bases y arsenales necesarios
para realizar la invasión de Portugal, imprescindible para librarse de la
amenaza del ejército aliado de Wellington y presionar sobre Inglaterra. Esta
derrota marcará, junto con la desastrosa campaña de Rusia, el principio del
fin de la Europa napoleónica. En otro de sus trabajos, el citado autor dice: *Es*
la batalla más decisiva de la guerra de la Independencia... Señala el prin-
cipio del fin de la dominación francesa en Europa y, sobre todo, el primer
gran paso hacia la liberación del territorio peninsular. Estos testimonios de
un experto, como los de otros muchos, ratifican la importancia histórica de lo
ocurrido en este lugar y la obligación que tenemos de ponerlo de manifiesto,
para que la gente de hoy lo sepa, lo valore y lo ponga en valor visitándolo.

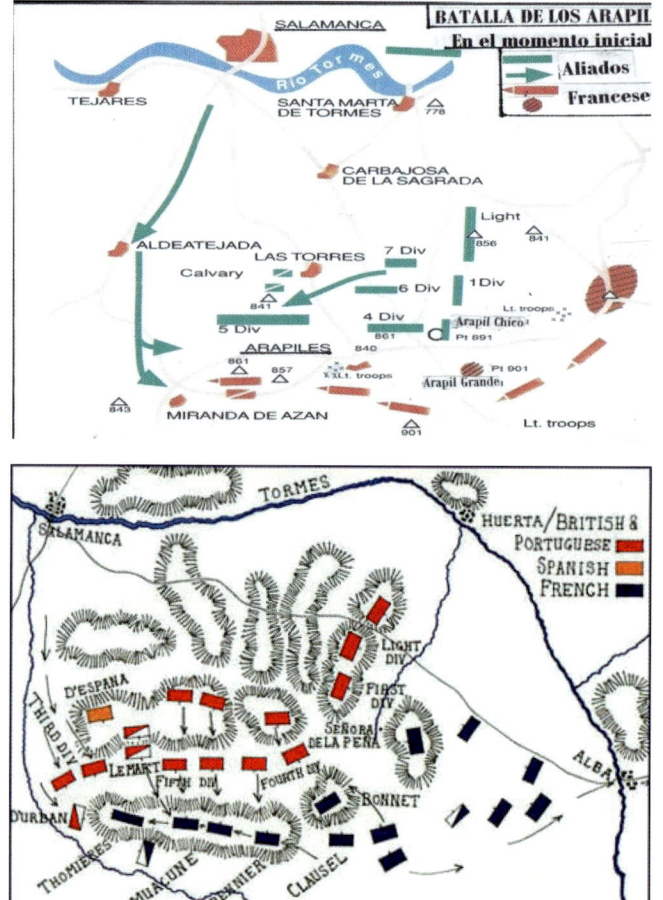

Dos planos sobre la situación de los ejércitos en la batalla de los Arapiles.

Una de las muchas reproducciones figuradas que se hicieron después
de la batalla de los Arapiles.

Las consecuencias, inmediatas y negativas para los franceses fueron muchas e importantes: pérdida definitiva de Portugal, levantamiento del cerco a Cádiz donde estaban reunidas las Cortes, retirada de Andalucía, repliegue en la Cuenca del Duero, abandono de Madrid de José Bonaparte hacia Valencia para reorganizarse desde allí... Además, Napoleón tuvo que replantearse su estrategia en el frente ruso, al tener que prestarle más atención y destinar tropas a la guerra que estaba librando en la Península Ibérica. Según muchos historiadores, fue el comienzo del fin de Napoleón. Pero las repercusiones de tal acontecimiento en el urbanismo y en la monumentalidad de Salamanca también fueron muchas, importantes y nefastas, al haber tenido lugar cerca de ella. Los franceses se retiraron a Salamanca y se hicieron fuertes en ella, y destruyeron muchos e importantes edificios, como el monasterio de S. Vicente, colegios mayores y conventos, antes de ser expulsados.

Además de tantas desgracias repetidas, porque los franceses volvieron otra vez, aunque por poco tiempo, sufrió la explosión de un polvorín en la Vaguada de la Palma que destruyó tantos edificios que hasta los años sesenta del siglo XX muchos seguían llamando a dicha zona urbana el Barrio de los Caídos, parte del cual, más tarde, será el conocido Barrio Chino, por las humildes casas que se levantaron y la importancia de la prostitución, con la recuperación de la actividad universitaria. El cronista madrileño, contemporáneo de los acontecimientos y salmantino de origen, Mesonero Romanos visitó Salamanca en 1813 y dice así sobre lo que vio: *La verdad es que esta antiquísima y monumental ciudad había sucumbido casi en su mitad, como si un inmenso terremoto, semejante al de Lisboa a mediados del pasado siglo, la hubiese querido borrar del mapa. El sitio puesto por los ingleses, antes de la batalla de los Arapiles, la toma de los monasterios fortificados de San Vicente y de San Cayetano y el incendio del polvorín y la feroz revancha tomada por los franceses la noche de San Eugenio, 15 de noviembre, a su vuelta a la ciudad, fueron sucesos ocasionales de tanta ruina que no se borrarán jamás de la memoria de los salmantinos, ni de la historia de la ciudad.* La funesta desamortización de Mendizábal poco después, 1835, y la profunda decadencia de la ciudad y de la Universidad por tal motivo, contribuyeron a que fueran mucho más graves e intensas las consecuencias de la ocupación francesa de Salamanca. Algo similar pasó en Alba por tal motivo, al retirarse las tropas francesas para cruzar el Tormes por su puente y expoliar el castillo, pero no fueron tan notorias las pérdidas urbanas como en Salamanca.

En los últimos años la situación ha cambiado mucho en la zona, tras el olvido en que ha estado lo relacionado con esta temática y, en general, con nuestra historia, cuando no se la ha tergiversado como ha ocurrido con el caso de los Comuneros y Villalar, hasta el punto de ser la fiesta de la región pese a tratarse de una derrota. En los últimos años ha habido interés por conocer lo ocurrido y aprender con ello. Además de levantar un monolito en el arapil grande, se ha señalizado el escenario de la batalla para conocer mejor cómo ocurrieron las cosas y se ha creado un aula de interpretación en el pueblo. El viajero tiene una mejor y veraz información de la batalla y del escenario, con un interesante audiovisual, instructivos paneles, reproducciones de armas de la época y maquetas, una de 5 metros, y más de 5000 figuras representando personajes y momentos claves de la batalla.

Plano de Salamanca, 1858, con los solares de los edificios destruidos con motivo de la invasión francesa.

Como españoles y universitarios salmantinos, tenemos la obligación moral e histórica de conocer, y de que otros también lo hagan, estos lugares, personajes y acontecimientos, por su importancia y por las repercusiones diversas que han tenido, como el caso que nos ocupa. Debemos estudiar con equidad y justicia a los personajes destacados de nuestra historia, no solo al Gran Duque y Sta. Teresa; reconocer sus méritos porque los tienen, y muchos; reivindicar su memoria; lograr que sean reconocidos y que ocupen el lugar que por sus méritos se merecen y no condenarlos al olvido, en el mejor de los casos, como ha ocurrido hasta la fecha. Además, debemos interesarnos por otros acontecimientos ocurridos en estas tierras posteriormente y conocerlos de forma verídica y completa, y procurar que otros también lo hagan y que no vuelvan a repetirse errores similares. No ha sido esto lo habitual en nuestra historia, en la que frecuentemente hemos sido nosotros los que menos la hemos valorado y más hemos tergiversado los acontecimientos, personajes y sus consecuencias. Son muchos los casos y el Gran Duque es uno de ellos.

En otras ocasiones damos por bueno lo que han dicho otros de nuestra historia, sin molestarnos en ver si es correcto o está manipulado o tergiversado, cosa que ha ocurrido con demasiada frecuencia. Así en el caso del Gran Duque y con nuestra participación en América, entre otros casos. Si alguien habla mal de España y de los españoles, muchas veces ni nos inmutamos y, no pocas veces, añadimos más leña al fuego. No es necesario esforzarse mucho para encontrar flagrantes ejemplos. Donde más visible es ahora mismo esta situación es con muchos políticos que, por defender sus intereses, no dudan en interpretar la historia y juzgar a sus personajes como más les conviene, muchas veces todo lo contrario de como fueron las cosas y las gentes. Pero quizás lo más aberrante es en relación con el Himno Nacional, ¿en qué país del mundo el público chilla y berrea cuando se toca su himno nacional o se considera facha a alguien por hablar bien de su historia? Es triste reconocer que lo mejor que le ha podido ocurrir a un personaje y a lo que hizo es que se olviden de él. Simultáneo a este comportamiento está el no reconocer de forma justa, veraz y equitativa lo que ha hecho un personaje. Con tal comportamiento no es extraño que, entre los mejores impulsores de la leyenda negra contra España, haya habido muchos españoles y que se mire mal a quienes hablamos de forma loable y positiva y sin faltar a la verdad. Si no consiguen callarnos, hacen lo posible por ignorarlo o emponzoñarlo todo.

Pero lo que ocurre a nivel nacional con nuestra historia y personajes sucede también, y en similar escala, en nuestra historia local y con los personajes importantes de la misma. ¿Quiénes de los que leen esto y que hayan sido estudiantes en Salamanca conocen, en general, la aportación a la institución universitaria y a la historia de Salamanca y de España de personajes como Alfonso IX, cardenal Luna, H. Pérez de Oliva, Nebrija, Lucía de Medrano, P. Deza y F. de Vitoria, entre otros? ¿Acaso saben que la Universidad se salvó de desaparecer en 1861 gracias a la decisiva intervención del Ayuntamiento y la Diputación, que incorporaron las Facultades de Medicina y Derecho a sus presupuestos hasta 1904? ¿Se han parado a pensar que nuestra interesante fachada universitaria tiene muchas más cosas y más interesantes y justificadas que la rana y la calavera? Es evidente que esta ignorancia de nuestra historia, extensible también a muchísimos profesores, se debe al desinterés y desprecio olímpico de la misma, en el mejor de los casos. También a la bobalicona admiración por lo ajeno y el malévolo deseo de otros de que, lo nuestro, pase al más absoluto olvido o sea menospreciado.

Esto que ocurre en el caso de la historia de la Universidad más antigua e importante de España, y que figura entre las históricas del mundo, por parte de los que hemos estudiado en ella y deberíamos conocerla y estar orgullosos de la misma, ocurre en igual o mayor medida y proporción con personajes de nuestra historia como el Gran Duque, Sta. Teresa y Bernardo del Carpio. ¿Serían capaces la mayor parte de los albenses de contarnos los aspectos más destacados de los citados personajes y de valorar su actuación con relación a Alba como se merecen? Sirva este modesto trabajo como reparación a los citados personajes y para contribuir a tener un conocimiento mejor y más completo de Sta. Teresa, actualmente un poco mojigato, cuando fue una gran reformadora, con recio carácter y personalidad, gran escritora y feminista destacada, y reconocer la importancia histórica de lugares como el Carpio, Arapiles y Alba, acontecimientos ocurridos en ellos y los personajes que los llevaron a cabo y que estaban estrechamente relacionados con los citados lugares.

No debe servirnos de excusa decir que estas cuestiones no nos afectan, porque sería tanto como renunciar a nuestra historia. Tampoco basta con decir que eso ocurrió hace tiempo, como arguyen algunos, y que es cosa local, por lo que no tiene importancia para ellos y ya nadie se acuerda. Pero cuando queremos, un asunto lo mantenemos vigente, aunque haya pasado mucho tiempo, o incluso, para que no se olvide o poder manipularlo a nuestro antojo, inventamos lo de la memoria histórica, (¡¡??) aunque eso se ha hecho por otro motivo muy diferente. Estudiar, conocer nuestra historia tanto general como local correctamente y aprender de ellas es algo en lo que los españoles estamos muy lejos de hacer. No nos extrañe que, por tal motivo, se cumpla en nosotros la sentencia de que, todo pueblo que no conoce su historia se verá obligado a repetir lo malo de ella. Eso es lo que nos pasa a nosotros, en relación con la Guerra Civil, que seguimos embarcados en ella, de forma incruenta, pero enfrentados entre nosotros.

Otro tanto ocurre con la ordenación territorial en comunidades autónomas. Ya hicimos antes algo parecido en dos ocasiones, 1.ª y 2.ª República, como no aprendimos de ellas, aunque la última terminó en la violenta Guerra Civil, ya hemos vuelto al mismo modelo administrativo y estamos viendo los catastróficos resultados y no intentamos enmendarlo, sino que continuamos cada vez más enfangados en lo mismo. Nos parece normal que seamos extranjeros en las otras dieciséis comunidades y que tengamos diecisiete modelos de sanidad y de planes de estudio, por ello costosos e ineficaces. Y lo peor de todo es que los que podrían y deberían ponerle remedio a tan caótica y costosa situación son los más interesados en que siga igual, hasta que la burra aguante. Pongámosle remedio, por lo menos en el caso de nuestra historia local, en la que podemos participar e influir, y conozcamos bien y mejor a personajes importantes de ella como Sta. Teresa, el Gran Duque y Bernardo del Carpio, entre otros. Conozcamos y valoremos lo mucho y bueno que hicieron o contribuyeron a que se hiciera, démoslo a conocer a los jóvenes para que las nuevas generaciones no incurran en errores similares a los que hemos cometido nosotros por tal motivo, y parece que no tenemos remedio, pues repetimos. Además de conocer mejor nuestra historia, podemos hacer que sean interesantes recursos turísticos los que contribuyan a incrementar la importancia de dicha actividad, con las consiguientes repercusiones culturales, sociales y económicas. Hagamos que vengan gentes a conocer nuestra historia y los recursos turísticos relacionados con ella. Confío en que se logre algo en tal sentido a favor de Alba, con la puesta en marcha de la ruta turística comentada antes.

4.ª Ruta carmelitana Alba de Tormes-Fontiveros. Muy importante por su relación con Sta. Teresa y S. Juan de la Cruz. Predominio del paisaje de las campiñas

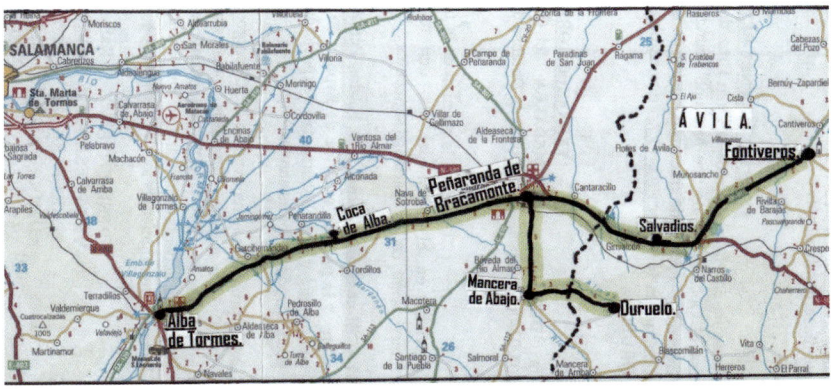

Ruta entre dos lugares emblemáticos en el mundo teresiano: Alba y Fontiveros.

Siguiendo el criterio de las rutas anteriores, diseñar y comentar una serie de lugares relacionados con Sta. Teresa y Alba, nos queda por establecer otra con gran importancia en el mundo teresiano, por su vinculación con sus dos personajes más destacados, Sta. Teresa y S. Juan de la Cruz. Se trata de una ruta que, partiendo de Alba como todas, nos lleve a un lugar también con gran importancia en el mundo carmelitano como es Fontiveros, patria chica de san Juan de la Cruz, esto es, lugar en el que nació. Como sabemos, fue el principal colaborador de Sta. Teresa en su obra reformadora y responsable, pues él mismo realizó la de los varones y fundó catorce conventos al tiempo que la Santa hacía igual con los diecisiete de mujeres, entre 1562-82. Su paisaje difiere bastante del que tienen otras de las rutas comentadas, porque el de esta discurre por la margen derecha del Tormes y todo él cruza tierras pertenecientes a las campiñas cerealistas que cubren tan extensas zonas de la mitad oriental de la cuenca del Duero y están cubiertas por pinares, cereales, viñedos y regadíos. Es lo que ocurre en el itinerario de esta ruta que cruza las conocidas comarcas de estas campiñas, como son Tierra de Alba, campo de Peñaranda y La Moraña abulense.

Como consecuencia de esto, el paisaje que nos vamos a encontrar es muy similar a lo largo de todo el recorrido y similar al que hemos cruzado en otras rutas que recorrían tierras del Curso medio del Tormes o lo hacían por otras de la parte central de la Cuenca del Duero, como en el caso de la ruta de las fundaciones de Sta. Teresa en Castilla y León, que llega hasta Burgos por Valladolid y Palencia. Fue este paisaje, sencillo, severo y grandioso, el que Unamuno contemplaría en sus viajes entre Salamanca y Madrid, el que le inspiró y describió magistralmente en muchos de sus escritos, con las gentes que lo han creado y viven en él. En un ejercicio de antropomorfización, aplicó dichas características de sencillez, austeridad, grandiosidad y reciedumbre de las gentes que le han dado origen y que siguen viviendo en estas tierras, con grandes cambios en su forma de vida. La visión unamuniana de este paisaje y de sus habitantes fue compartida por insignes escritores de la Generación del 98, como Azorín y Giner de los Ríos, entre otros, que esperaban que fueran estas gentes las que impulsaran lo necesario para la regeneración y la recuperación de España, tan abatida entonces, al igual que lo habían hecho sus antepasados siglos antes.

Azud de Villagonzalo y su influencia paisajística, con el embalse y los regadíos.

Paisaje de los regadíos del Tormes. Aldeaseca de Alba.

Es un territorio sencillo, accidentado por escasas elevaciones amesetadas que se alzan sobre las pequeñas corrientes fluviales que lo cruzan, con sus escasos e intermitentes caudales, pero con gran influencia paisajística por la construcción de varios embalses y, sobre todo, los regadíos instalados en buena parte de estas tierras. La incidencia humana ha sido antigua, intensa e influyente, y ha creado un paisaje peculiar con dichas características y que los de la Generación del 98 y la Institución Libre de Enseñanza, admiradores del mismo, asociaban con el carácter y la forma de vida de las gentes que le han dado origen. Lo hacían porque tenían una opinión geográfica del paisaje que consideraba a las gentes que han vivido en estas tierras no como una consecuencia del mismo, como dicen los deterministas, sino como los principales agentes del paisaje existente en ellas, junto con el dinamismo y los cambios que se registran en el mismo. J. Llamazares en su libro *El río del olvido* define cómo entendían el paisaje los escritores citados y que así lo consideramos también los geógrafos, como el resultado de la acción humana sobre el medio natural a lo largo de los siglos; dice así: *El paisaje es memoria. Más allá de sus límites, el paisaje sostiene las huellas del pasado, reconstruye recuerdos, proyecta en la memoria del viajero o del que, simplemente, sigue fiel al paisaje en el que se ha criado.*

Muchos testimonios avalan esta interesante visión del paisaje. Azorín lo ve de forma positiva en *El paisaje de España visto por los españoles* en el que dice: *Entre la Mota y Madrigal, caminando hacia la cuna de Dña. Isabel, sentí la llanura con impresión hondísima. Es la perfecta planimetría sin accidentes, un mar convertido en tierra... En aquel mar endurecido, la torre de Rubí, la de Pozáldez y las que, lejanas, se ven a un lado y otro, parecían velámenes de barcos, inmóviles al petrificarse el mar en el que navegan. Casas lejanas, escasos árboles, supervivientes de los que se plantaron al construir la carretera, no logran romper la uniformidad plana de aquel suelo que se rebela contra todo lo que pretende alterar su quietud, su horizontalidad lacustre y su tristeza reconcentrada, ensoñadora. Es el paisaje elemental, el descanso de los ojos y el suplicio de la imaginación.* Magistral descripción, objetiva y realista del paisaje de las extensas campiñas de la cuenca del Duero que encontraremos también a lo largo de esta ruta, al pertenecer al citado espacio duriense.

Esta visión optimista del paisaje y de las gentes de estas tierras por parte Azorín difiere radicalmente de la que tenían otros escritores contemporáneos, como los hermanos Machado que, como otros en nuestros días, son pesimistas y deterministas, y no dudaron en tergiversar la historia y no vislumbrar la mínima posibilidad de recuperación de estas tierra y de España, como confiaban los de dicha Generación del 98. Azorín coincide plenamente en su visión de estas tierras y sus gentes con D. Miguel de Unamuno, buen conocedor de ambas, por su larga estancia en Salamanca y el conocimiento directo, y por sus frecuentes viajes con dicho fin, como el mismo reconoce. Dice así en uno de sus muchos artículos sobre esta temática y que bien podemos aplicar también a estas tierras y sus gentes: *Para mí no hay paisaje feo. Al llegar acá a Castilla, cuyos campos presentan no poca semejanza con los que dicen ser la Pampa, me hablaban todos de la tristeza y fealdad de esta campiña, sin árboles ni arroyos. Y les sorprendía al oírme decir que prefiero este paisaje amplio, severo, grave, esta única nota, pero nota solemne y llena, como la de un órgano, a aquella sonata de flauta de tres o cuatro notas verdes, de un verde agrio.* Más efusivo y vibrante aún es su positiva visión de estas tierras y sus gentes, expresada en otro de sus conocidos poemas, *Tú me levantas Castilla*, en el que dice: *Tierra nervuda, enjuta, despejada, / madre de corazones y de brazos, / Toma el presente en ti viejos colores / del noble antaño. / Con la pradera cóncava del cielo / lindan en torno tus desnudos campos, / tiene en ti cuna el sol y en ti sepulcro / y en ti santuario. / Es todo cima tu extensión redonda / y en ti me siento al cielo levantado; / aire de cumbre es el que se respira / aquí, en tus páramos. / Altar gigante, tierra castellana, / a ese tu aire soltaré mis cantos, / si te son dignos, bajarán al mundo / desde lo alto!*

Esta apoteosis de D. Miguel ensalzando el paisaje de estas tierras y sus gentes y su importante papel en la historia de España culmina con otros versos aún más entusiastas, sobre las características de las gentes de estas tierras y que dicen: *Hundirse en esta Castilla, / cumbre de enorme montaña, / y sentir que se agavilla / desde ambos mares España.* Leyendo estos escritos de D. Miguel no parece que se refieran a la misma tierra y gentes que las que describen los hermanos Machado y otros con parecida opinión, ni que fueran contemporáneos de ellos y, sin embargo, son ambas cosas. Esta opinión positiva del paisaje y de las gentes que viven en las tierras cruzadas por esta ruta teresiana, coincide con la que recoge la cultura popular en la coplilla en la que, además, se ensalza la hospitalidad de sus gentes, otra importante y positiva característica de las mismas: *Cuando se llega a Castilla, / hay que pasar sin llamar. / Que en Castilla están las puertas / abiertas de par en par.*

Las gentes de estas tierras por las que pasa esta ruta teresiana, aunque están entre las de más alto nivel de desarrollo del mundo rural de Castilla y León, están atravesando un momento muy difícil demográficamente, por el intenso éxodo desde los años sesenta y las consecuencias del mismo, reducción de la población, envejecimiento de esta, caída de la natalidad y crecimiento natural negativo. Por tal motivo, los pueblos tienen la mitad o menos de la población que hace cuarenta años, lo que augura un futuro nada halagüeño del que saldrán solo los mejor situados, pero con muchos cambios socioeconómicos y en sus caseríos, por la pérdida de importancia económica, social y demográfica. Tal situación se ha producido por diversas causas propias y sobre todo ajenas, como política socioeconómica contraria a los intereses del mundo rural y predominio del modo de vida urbano, con evidente perjuicio para regiones como Castilla y León. Por tales motivos, en otras zonas de Salamanca ya se han despoblado algunos pequeños pueblos, pronto le seguirán otros más y todos han registrado profundos cambios en el caserío, en el paisaje y en el modo de vida. Esto hace que la situación actual del mundo rural de estas y otras tierras provinciales y regionales y su futuro inmediato sean poco halagüeños.

La ruta sale de Alba en dirección este, sin pasar el Tormes ni cruzar tierras diferentes a las de las campiñas del NE provincial. En su recorrido hasta Fontiveros pasa por tierras cuyo medio natural, usos del suelo, características del poblamiento (a lo largo de los siglos y en el momento presente) y del paisaje resultante, son muy similares en todas ellas, como he puesto de manifiesto en los comentarios y citas anteriores. En los comienzos aparecen las influencias de la proximidad del rio, con el azud de Villagonzalo sobre el Tormes, lo que produce importantes cambios económicos y paisajísticos aguas abajo, con los regadíos instalados gracias a sus aguas. El cruce de la riberas de varios pequeños afluentes del Tormes, Gamo, Margañán y Almar produce pequeñas alteraciones paisajísticas, pero con escasa incidencia económica, y también escasa en el emplazamiento de los pueblos de estas tierras. El haber tenido siempre suelos con mejor capacidad productiva que las comarcas del Campo Charro explica que hayan sido pocos los despoblados que se produjeron en el pasado, siglos XVI-XVIII, y, por consiguiente, sean ahora más escasas las dehesas en estas comarcas. Su poblamiento sigue formado por muchos y y pequeños pueblos, más grandes que en otras comarcas y en los que destaca el caserío, dominado por la torre de la iglesia, muchas veces mudéjar y con el consiguiente gran interés histórico-artístico. La abundancia de este tipo de construcciones en estas tierras salmantinas es una característica destacada del paisaje de las mismas, como en Peñarandilla y Garcihernández.

Iglesias románico-mudéjares de Peñarandilla y el interior de la de Garcihernández, siglo XII.

Sigue la ruta cruzando la Tierra de Alba y pasando por los pequeños pueblos que hay junto a ella. Uno de ellos es Coca de Alba, con una iglesia románico-mudéjar y, sobre todo, patria de un personaje importante en la enseñanza de la religión católica en las escuelas españolas durante varios siglos, desde el Concilio de Trento, 1563, hasta el último realizado, el del Vaticano, 1965. Se trata del jesuita P. G. Astete, 1537-1601, autor de un catecismo de la doctrina cristiana que ha sido uno de los dos utilizados en toda España y en varios países hispanoamericanos con tal fin. Se han realizado de él cientos de ediciones con millones de ejemplares, al ser el catecismo más difundido en la enseñanza religiosa entre los hispanoparlantes, junto con el del P. Ripalda; doy fe de ello por ser uno de tantos que me tocó memorizarlo, pues esa era la forma de estudiarlo. Parece lógico recordar aquí al citado P. Astete dadas las características y los objetivos de esta ruta que pasa por su pueblo.

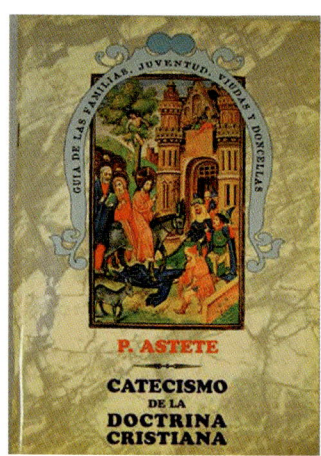

Iglesia románico-mudéjar de Coca de Alba, siglo XII.

Una de las ediciones del catecismo del P. Astete.

Otro de los pueblos de esta comarca, cercano a la ruta y que merece figurar en ella y en este estudio de forma destacada, es Tordillos. Levantado como todos los de estas tierras y de la provincia con la repoblación medieval del siglo XII, por ello, también tiene su pequeña iglesia románico-mudéjar, remodelada en el siglo XVI, y por eso con menos interés que otras muchas de estas tierras. Destaca en ella su artesonado y el retablo principal neoclásico poco frecuente en la provincia. Además tiene una ermita dedicada a la Inmaculada. Como todos los de estas tierras, ha tenido cambios demográficos importantes a causa de la intensa emigración, reflejado en las cifras de población de 1950 y 2015. Ha pasado de 987 a 395, menos de la mitad en poco más de medio siglo, con el consiguiente incremento del envejecimiento y el descenso del crecimiento natural, que es negativo ya desde hace tiempo. Pero los motivos de su derecho a figurar en la ruta derivan de que de aquí era natural y vivió en este lugar el matrimonio de Francisco Vázquez y Teresa Layz, que facilitaron los recursos necesarios para la construcción del convento de carmelitas de Alba.

No tuvo problemas en este sentido la Santa porque, en cuanto supieron de su intención, pusieron a su disposición los recursos necesarios para su construcción, como así lo reconoció Sta. Teresa en su libro de *Las Fundaciones* en el que dice: *Antes que más diga, diré quién es la fundadora de este convento y cómo el señor la hizo fundarle... Fue Teresa de Layz la fundadora del monasterio de la Anunciación de Nuestra Señora de Alba de Tormes, de padres nobles e hijos de algo y de limpia sangre. Tenían su asiento, por no ser tan ricos como pedía la nobleza de sus padres, en un lugar llamado Tordillos, que es dos leguas de la dicha villa de Alba.* El no tener problemas económicos para construirlo, el sentirse apoyada para la reforma por significadas personas muy apreciadas por la Santa y el no haber tenido oposición directa, como en otros muchos lugares, fueron las razones por las que la Santa tuvo siempre en gran estima a este convento, hasta el punto de mostrar su interés en ser enterrada en el mismo, cuando murió en él por circunstancias de la vida.

Tordillos. Iglesia parroquial y capilla de la Inmaculada.

Peñaranda de Bracamonte, *núcleo histórico*, *cultural*, *gastronómico y centro comarcal*

Sigue la ruta Alba de Tormes-Fontiveros cruzando las campiñas situadas al sur del Duero, en un paisaje muy similar al de los tramos anteriores, con morfología sencilla, abierta, cruzada por arroyos y pequeños afluentes del Duero que introducen pequeños cambios en el paisaje. Sigue el tipo de poblamiento anterior, con muchos, pequeños y cercanos pueblos de la repoblación medieval en medio de cultivos de cereales. Son frecuentes los que tienen cosas interesantes, como la tipología del caserío, su iglesia, algún castillo, convento, palacete, ermitas o ruinas de ellos. Entre todos los de estas campiñas del NE provincial destaca Peñaranda, con un interesante emplazamiento geográfico que le ha llevado a ser, desde su fundación con la repoblación medieval, un núcleo destacado dentro de los de estas campiñas, como centro comarcal de las mismas, característica que mantiene en nuestros días. Fue con motivo de la repoblación medieval realizada por Raimundo de Borgoña en toda la provincia, a comienzos del siglo XII, tras la reconquista de Toledo en 1085, la que siente las bases de lo que será después Peñaranda, al elegirle un emplazamiento que favorecerá su dinamismo, desarrollo y preeminencia sobre todos los demás de la comarca.

Los repobladores procedían del sur de la provincia de Burgos, de Peñaranda de Duero, que dejarán así constancia de lo realizado. Lo levantaron en un cruce de caminos en las citadas campiñas, y le concedieron permiso y privilegios para celebrar un mercado semanal que ha llegado hasta hoy.

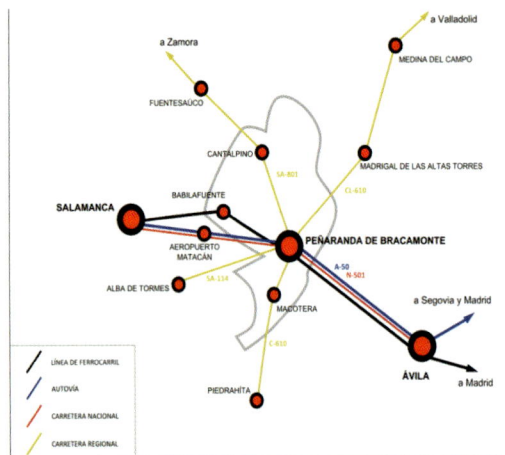
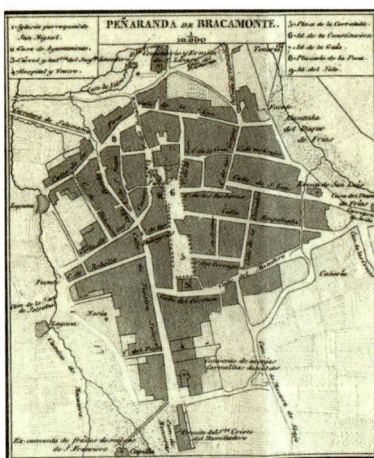

Privilegiada situación de Peñaranda en las campiñas del NE provincial.

Plano de Peñaranda de F. Coello, 1867.

Todo esto se reforzará por el impulso dado por el III conde, D. Gaspar de Bracamonte, personaje muy importante con Felipe IV. Empezó su brillante trayectoria como capellán del colegio mayor S. Bartolomé de la Universidad de Salamanca, y fue uno más entre tantos bartolomicos triunfadores. Además era persona avispada, amigo personal del papa Alejandro VI, e hizo otro tanto en lo político, hasta llegar a ser presidente de las órdenes militares y del Consejo de Indias. También fue embajador español en el Tratado de Münster, 1648, que puso fin a la guerra después de casi 30 años y dio la independencia a los Países Bajos, y fue virrey de Nápoles. Su brillante trayectoria personal no tuvo los mismos resultados para los intereses españoles en el exterior, que iniciaron su decadencia entonces para llegar a lo más bajo al final del reinado de Carlos II. Como otros personajes de su época, se interesó por embellecer la sede de su señorío, Peñaranda, con obras diversas, como la construcción de un palacete que embelleció con obras de arte traídas de Italia, y renovó la iglesia de S. Miguel con interesantes retablos barrocos que se perdieron en el incendió de 1971.

El conde de Peñaranda, en el Tratado de Münster, final de la guerra de los 30 años.

Además, levantó el convento de las MM. Carmelitas, donde está enterrado, y lo enriqueció con importantes obras de pintura barroca napolitana, hasta el punto de ser hoy lugar destacado en este aspecto en España y cuya visita recomendamos. La brillante trayectoria económica de Peñaranda estaba reflejada en el apelativo por el que era conocida, Peñaranda del Mercado. Pero la gran influencia del citado duque y el deseo de congraciarse con él, hacerle la pelota, lo cambiaron por el de Bracamonte, por el que es conocida. Continuó esa trayectoria en el siglo XIX, en el que pasó a la provincia de Salamanca por la división provincial de J. de Burgos, 1836, como cabeza del partido judicial y centro administrativo y comercial de su comarca, con las correspondientes ventajas para su continuidad como centro socioeconómico más importante.

Los datos de población ratifican esta condición de centro comarcal en las campiñas del NE provincial. En *El Libro de los lugares* de 1604 ya tenía 700 vecinos, con cerca de 2500 habitantes, y fue el más poblado en el NE provincial, lo que acredita así la citada condición con cierta importancia en las actividades propias de este tipo de núcleos, en este caso comercial y textil. En 1787 pasó a 3294 habitantes y suben a 4297 en el primer censo oficial de 1857, cuantía importante para un núcleo rural entonces. Mantiene una población similar en 1900, con 4082, para rebajarla en 1920 a 3812, al afectarle la conocida como crisis de los años veinte. Tiene después una etapa con clara evolución positiva para alcanzar 6109 en 1960, también dentro del fenómeno de incremento en el mundo rural español, al ser muy difícil emigrar, por la situación y crisis socioeconómica existente en España, como había ocurrido antes. Desde dicha fecha, 1960, hasta final de siglo tuvo un evidente estancamiento socioeconómico, que cambió algo con el nuevo siglo en que pasó a 6768 habitantes, con una cuantía algo inferior, 6471 habitantes en 2016, cuantía hasta hoy. El estancamiento es evidente, pues desde 1960 solo ha incrementado su población en un 5%, mientras que la española, tampoco muy dinámica, lo hizo en un 53%. La crisis del mundo rural, bastante intensa en nuestra región, le ha afectado mucho en sus actividades económicas como centro comarcal.

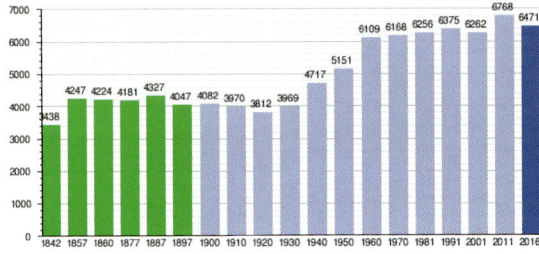

Evolución demografica de Peñaranda: 1842-2016.

Mercadillo en una de las plazas, actividad tradicional en Peñaranda.

Esta evolución demográfica de Peñaranda, con evolución negativa, es lo habitual en el mundo rural regional y de estas tierras, pese a que está entre las más favorecidas, se salvan solo las que están en las zonas de influencia de las áreas metropolitanas, esto es, en torno a las ciudades. En Peñaranda la situación es algo mejor, pero no consiguen dinamizarla las comunicaciones como antes, ni el interés de sus gentes, por la escasez de iniciativas empresariales y la poca atención que le presta la administración, más interesada por lo urbano, sobre todo de otras provincias, que por lo salmantino y por Peñaranda. Una posibilidad para ir saliendo del atolladero, insuficiente pero factible, sería provechar su condición de nudo de comunicaciones entre el Duero y puertos del Sistema Central y entre Salamanca, Ávila y Medina del Campo para impulsar su desarrollo. Pero tenía que contar con el visto bueno de Valladolid, y allí no están por la labor de impulsar otra cosa que no sea lo propio, y menos si lo que hay que impulsar es de Salamanca. También podía contribuir en el mismo sentido impulsar la actividad turística, por su importancia histórico-monumental, ser Conjunto Histórico Artístico, su interesante colección de pintura barroca napolitana en el convento de las carmelitas, tener cierta importancia gastronómica y buenas materias primas, así como promocionar esta y otras rutas turísticas, con las consiguientes repercusiones socioeconómicas. Nada de lo que se diga en tal sentido debe echarse en saco roto, siempre que sirva para mejorar la situación actual.

Esta interesante evolución histórica de Peñaranda, de la que son buena prueba los monunmentos citados, se vió reconocida con la declaración de Conjunto Histórico-Artístico en 1973. De esta forma se incrementó su interés turístico y continuará haciéndolo con su justa inclusión en la ruta teresiana Alba-Fontiveros, merecida por su importancia histórica y, también, por la existencia en dicha población de un interesante convento de carmelitas descalzas. Fue fundado por D. Gaspar en 1667, consciente de que, de esta

Peñaranda. Convento de las madres carmelitas. Retablo principal de la iglesia conventual.

Tres muestras de la riqueza artística de Peñaranda, obras de L. Giordano, P. de Mena y G. Fernández.

manera, mejoraba la imagen de Peñaranda y la suya como mecenas religioso y del arte. Además, lo enriqueció con una colección de pintura barroca napolitana que se trajo de Nápoles cuando fue virrey y que es una de las más interesantes en su género que hay en España. Lo primero que se construyó fue la capilla de Loreto, situada a espaldas del altar mayor, y después la iglesia-convento y el resto de las dependencias conventuales. La iglesia, de mediano tamaño, tiene planta de cruz latina, crucero marcado y cúpula en el centro. La nave consta de tres tramos, divididos por fajones que apean en pilastras de estilo toscano. En el tercer tramo de la nave se abre, en el lado del Evangelio, la capilla de San José, cubierta de cúpula sobre pechinas, obra de fray Pedro de la Visitación, y en el lado de la Epístola, la capilla de Santa Teresa, muy parecida a la anterior y cerrada igualmente con una reja de madera, de finales del siglo XVII. A través de dos puertas practicadas en el testero de la capilla mayor, se accede a la capilla de Loreto. Se trata de una estancia rectangular de cuatro tramos, individualizados por fajones, que se apoyan sobre sencillas pilastras. Fuera del pueblo, hoy ya dentro del casco urbano, está la ermita de S. Luis, del siglo XVII, barroca, con interesantes restauraciones posteriores y desde donde partió el 20 de octubre de 1669 la comitiva que consagró la iglesia de las madres carmelitas. Destaca en ella el Santo Cristo de la agonía, al que se le tiene mucha devoción y es muy popular entre los peñarandinos.

La zona histórica de Peñaranda no tiene monumentos destacados, pero sí un conjunto de edificaciones y espacios, como las tres plazas que configuran la parte histórica urbana, merecedora de la distinción como Conjunto Histórico en 1973. Destaca la plaza de Martínez Soler, la más antigua, pequeña, cuadrada y situada al norte de las otras. En ella está la histórica fuente de los Cuatro Caños, 1654, en granito, de base circular y estructura ochavada. También está en ella la iglesia de S. Miguel, siglo XV, con dimensiones catedralicias, del siglo XV, fachadas occidental y meridional del siglo XVI y la torre del siglo XVIII. El interior era austero y destacaba en él un interesante retablo barroco, costeado por D. Gaspar de Bracamonte, pero se perdió con otros en el grave incendio que arrasó todo en 1971. Otra es la plaza de la Constitución, la central de las tres, del siglo XVI y reformada después. Al igual que la de España fue construida para dotar de más espacio y mejores instalaciones al histórico e importante mercado realizado en Peñaranda desde su repoblación. Está porticada, hay en ella casas del siglo XIX, con interesantes miradores y el edificio del Ayuntamiento, clasicista, de mediados del siglo XVII, y que ha desempeñado tal función hasta hoy. También está el Palacio de los Bracamonte, con una trayectoria muy deplorable en los últimos tiempos. La más moderna de las tres plazas es la de España, en la que está el templete o kiosco de música, 1924, uno de los símbolos peñarandinos, y el edificio de la Fundación Germán Sánchez-Ruiperez, impulsora de una gran actividad cultural hoy en franca regresión.

Fuera de la zona histórica, en la ampliación urbana contempóranea, está la Plaza Nueva, porticada, regular y rodeada de bloques de viviendas. Es el resultado del programa de reconstrucción para compensar las graves pérdidas sufridas en Peñaranda por el estallido del polvorín en 1939.

Plaza Nueva, porticada, en zona de expansión urbana contemporánea, tras la explosión del polvorín.

Templete de la Plaza de España.

Plaza de la Constitución y la iglesia de S. Miguel.

Estas ventajas de su privilegiada situación y el dinamismo de sus gentes explican que esté entre los pueblos más importantes de estas tierras entre Salamanca y Ávila, y que entre sus gentes haya habido empresarios muy dinámicos, emprendedores y ejemplares. Entre ellos destaca D. Germán Sánchez Ruiperez, en el gremio de libreros con el Grupo Anaya, símbolo de su gran labor empresarial, y que ha afectado a la trayectoria de Peñaranda en el último cuarto del siglo XX en ambos aspectos, al no continuar sus sucesores la trayectoria cultural y editorial de D. Germán. Algo similar le ha ocurrido a Salamanca, donde también estaba presente el citado empresario, mediante la Fundación Germán Sánchez Ruipérez, que realizaba una importante labor cultural, cosa que ya no ocurre tras su muerte, pues han concentrado todo lo que hacen en Madrid.

No se puede hablar de la evolución histórica de Peñaranda, sobre todo del último medio siglo, en el aspecto empresarial y cultural, sin hacer mención especial y destacada del citado empresario, el hijo contemporáneo más ilustre de Peñaranda en tiempos actuales como gran empresario en el mundo editorial. Miembro de una familia estrechamente relacionada con el mundo cultural y con aires liberales, madre maestra y padre librero, ha sido uno de los empresarios más destacados en España e Hispanoamérica en el sector editorial, mecenazgo cultural y promoción del libro y de la lectura. En 1942 empezó a trabajar en la librería que la familia tenía en Salamanca, pero con ansias de hacer algo más que vender libros. Como reacción a ciertos problemas familiares relacionados con la librería, en 1958 decide montar su propia empresa, Editorial Anaya, que pronto empezará a llamar la atención y destacar con sus libros para el Bachillerato, particularmente los de Lengua y Literatura de F. Lázaro Carreter-Correa Calderón, y los de Religión de J. A. Ruano Ramos, por citar algunos que fueron como la punta de lanza de su iniciativa editora.

El auge de la citada empresa, además de su constante expansión, le permite montar o adquirir otras como Cátedra, Alfaguara, Pirámide, Tecnos y Alianza Editorial, formando así el consorcio empresarial en torno al libro más importante en España y entre los grandes del mundo. En 1981 crea la Fundación G. Sánchez Ruipérez para impulsar la difusión del libro, su lectura y la cultura, con Peñaranda como destacada referencia. Su actuación en este aspecto la culmina con la creación del Centro Internacional Infantil y Juvenil en Salamanca, 1985; el CITA, Centro Internacional de Tecnologías Avanzadas en el mundo rural en Peñaranda, 2006, y la Casa del Libro en Madrid en 2010, como plasmación de todo lo relacionado y realizado antes, que había sido mucho, en pro del libro, la lectura y la cultura por la citada Fundación, en los otros centros y con diferentes perspectivas, pero siempre con los citados objetivos. Tras su fallecimiento en 2012, se han producido importantes cambios en todo lo que se venía haciendo, y han centrado todo su esfuerzo en la Casa del Libro de Madrid, con claro detrimento, lamentablemente, de los otros centros, Salamanca y Peñaranda, que, primero, redujeron sus actividades a la mínima expresión, y ya han terminado desapareciendo. Esta nueva gestión de la obra cultural, con supresión de lo que se hacía en Salamanca y Peñaranda, por deseo expreso y muy interesado de D. Germán, no empequeñece la gran labor realizada por el citado mecenas peñarandino, que seguirá siendo una referencia obligada por su trayectoria e importancia empresarial y cultural ejemplar y al que, con este modesto trabajo, quiero rendirle un emocionado, profundo y sincero homenaje porque, además de su grandeza empresarial y como mecenas de la lectura y del libro, fue un gran enamorado de su tierra, Peñaranda, Salamanca y la ermita de Ntra. Sra. del Cueto, en pleno Campo Charro, que restauró a su costa y está enterrado en su modesto cementerio. Descanse en paz.

D. Germán Sánchez
Ruipérez.

Sede de la Fundación G. S. R. en Peñaranda, hoy
inactiva, lamentablemente.

Alumnos participando en las actividades del CITA de Peñaranda, hoy triste recuerdo.

La importancia de Peñaranda por su privilegiada situación en las campiñas cerealistas y al sur de la cuenca del Duero, junto con el dinamismo empresarial, demostrado desde antiguo por sus habitantes, como ratifica el apelativo de mercado que tuvo varios siglos, explican que fuera un núcleo destacado entre los de su entorno y el centro comarcal por excelencia para los mismos. En el último medio siglo mantuvo tales características y, además, las acrecentó con la labor cultural y social de la Fundación Germán Sánchez Ruiperez. Por todo ello, Peñaranda es hoy un centro con importancia histórica y cultural que contribuirá a acrecentar el interés que en tales aspectos tiene la ruta teresiana Alba-Fontiveros que queremos promocionar. Los comentarios anteriores ratifican que Peñaranda se merece que el viajero haga un alto en el camino para conocerla, pues tiene atractivos que se lo merecen. Además, es zona con buenas materias primas agroganaderas, que explican la existencia de una gastronomía interesante, desarrollada al amparo de su importancia como centro comercial y administrativo comarcal. Desde hace bastantes años, son conocidos algunos de sus restaurantes como es el de Las Cabañas, que se remonta a 1885, y al que se unen algunos más conocidos como el Oso y el Madroño, entre otros. Todos ellos tienen una cocina tradicional en la que destacan las carnes y los asados, y que han sabido adecuar a los gustos actuales para que que la visita a Peñaranda por este motivo sea un atractivo más para el que lo haga.

Restaurante El Oso y el Madroño.

Tostón asado, una de las especialidades gastronómicas de Peñaranda.

Duruelo, primer convento reformado masculino.
Referencia histórica en la Orden del Carmelo descalzo

Cuando Sta. Teresa acababa de fundar el convento de Ávila en 1562, ya pensaba en lo importante que sería para que su proyecto religioso fuera completo fundar al mismo tiempo otros iguales para varones. Tendrían una doble labor, además de atender la demanda espiritual de la comunidad religiosa reformada, realizarían apostolado con los fieles del lugar en el que estuvieran y en el entorno del convento, según criterios del Carmelo. Así se lo propuso, poco después de fundar el de S. José, al superior general del Carmelo, P. J. B. Rubeo, cuando visitó Ávila, por el obispo y gran colaborador de la Santa, D. Álvaro de Mendoza. Como era previsible y por el revuelo que había levantado el primero de los femeninos, se negó en un principio, pero la Santa continuó insistiendo y, por fin, logró respuesta afirmativa en 1567, para fundar solo dos conventos para frailes reformados en Castilla y nada más, cosa que no cumplio en ninguno de los dos casos, pues fundó muchos más y en varios territorios fuera de Castilla. Era como querer ponerle puertas al campo.

En tiempos de Sta. Teresa, Duruelo era uno de tantos pequeños pueblos, aldeas, que surgieron al sur del Duero con la repoblación medieval y que, como otros muchos, ya en esa época había visto reducir su población al no poder sostenarla con los recursos de su pequeño territorio. En tiempos de la Santa solo tenía ya unos veinte habitantes. Pero por circunstancias diversas, se convirtió en un lugar con destacada importancia histórica dentro de la reforma carmelitana iniciada por Sta. Teresa en 1567 con la creación del convento femenino de S. José en Ávila. Este pequeño lugar, Duruelo, aldea en el munipipio abulense de Blascomillán, fue donado a Santa Teresa por un admirador suyo y, pese a su sencillez, será la cuna de la reforma del Carmelo masculino, el lugar donde San Juan de la Cruz comenzó a vivir en oración y penitencia la vida renovada del Carmelo. Los primeros frailes se instalaron en una casa donada por el señor de la localidad, don Rafael Mújica Dávila, que, según Santa Teresa, tenía un portal razonable y una cámara doblada con su desván y una cocinilla. El zaguán se convirtió en iglesia, la cámara cortada verticalmente con desván a tejavana, sería dormitorio en la parte de abajo y coro en lo alto, y la cocinilla serviría de refectorio. Pero era tal la incomodidad de Duruelo que, en 1570, los frailes se trasladaron a Mancera de Abajo, a petición de D. Luis de Toledo. No volvieron los descalzos a Duruelo hasta 1646, ya con patronato real, y levantaron en el lugar una nueva iglesia de piedra de sillería y traza de uno de los artífices de la Orden. Abandonado en el siglo XIX por la desamortización, el convento fue refundado en 1944 por Santa Maravillas de Jesús, al instalar aquí el cuarto de sus conventos para la comunidad de monjas carmelitas descalzas que lo ocupa en la actualidad, en el mismo lugar donde estuvo el convento de los frailes. Del convento primitivo solo queda la tapia exterior.

Tras la donación, la Santa se puso rápidamente manos a la obra y buscó personas adecuadas que quisieran colaborar en tal empresa. Estos fueron dos frailes carmelitas que serán después los primeros miembros de la nueva comunidad reformada y muy buenos colaboradores de la Santa, Fr. Antonio de Jesús y S. Juan de la Cruz. Ya he comentado antes dónde y cómo conoció al segundo y cómo logró convencerlo para que se incorporara a su equipo de reformadores masculinos, cosa que hará con gran eficacia, a pesar de su misticismo y de dar la impresión de que no sabía de qué iba la cosa. S. Juan va a tener un papel destacado en la reforma carmelitana masculina, con un papel similar al de la Santa en la femenina, además de ser un fiel y eficaz colaborador en toda ella. Se debió a causas diversas, tales como sus extraordinarias cualidades personales, profunda fe, convencimiento de la bondad de la obra de Sta. Teresa y estrecha colaboración con ella. Tras sus estudios en Salamanca y recién ordenado sacerdote, pensó en ingresar en la Cartuja, por ser una orden religiosa exigente, pero conoció entonces a Sta. Teresa, que andaba buscando personas para llevar a cabo su reforma masculina. Lo convenció para que no ingresara en la Cartuja y se uniera a su proyecto, cosa que hizo con gran interés, entrega y eficacia, como ratifica lo realizado en pocos años, pues murió joven, pero tras haber fundado 14 nuevos conventos reformados masculinos.

Con el sexto sentido que la caracterizaba, Sta. Teresa vio en Fr. Juan una gran persona y un colaborador fundamental, hasta el punto de convertirse en el promotor de la reforma del Carmelo masculino. Todos los conventos, masculinos y femeninos, surgieron con mucha oposición y problemas, como lo refleja el que S. Juan de la Cruz estuvo casi un año en la cárcel de Toledo por imposición de los carmelitas calzados, contrarios viscerales a la reforma, quizás los que más, al considerarse muy perjudicados con ella y de ahí su oposición y trabas hasta que la Sta. Sede lo resolvió, creando dos secciones diferentes en 1575, carmelitas descalzos, los reformados, y calzados, los antiguos. Desapareció así la oposición radical anterior y quedó reducida a la indiferencia recíproca. Además, se cumplió así el refrán que dice que *No hay peor cuña que la de la misma madera.*

Desde 1947 ha vuelto a figurar este indicador con el convento de Duruelo.

Convento de Duruelo, el primero de carmelitas descalzos en 1568.

El comienzo de la gran empresa realizada por S. Juan de la Cruz como reformador del Carmelo masculino, de acuerdo con las instrucciones de la Santa, se inició en la citada aldea de Duruelo, en el municipio de Blascomillán, Ávila, con unos 20 habitantes, como dice la Santa en *Las Fundaciones: Era un lugarcillo de muy pocos vecinos, no serían veinte.* En dicho lugar, un señor de Ávila, D. Rafael Mújica Dávila, ofreció una casita para levantar uno de sus nuevos conventos. Sta. Teresa buscaba entonces, 1567, lugar para fundar el primer convento masculino, y le pareció extraordinaria porque, al ser una aldea y estar lejos de otros lugares, no tendría la oposición que en otras fundaciones tenía, nada más que empezaba a ponerlas en marcha. Sta. Teresa describe dónde estaba Duruelo, con la casita o elemental construcción para fundar el primer convento, y le pareció extraordinario, solo con pensar que la habitual oposición podría ser menor o no existir. Pero los problemas que no tuvo con la fundación los encontró al tratar de llegar hasta el lugar y habilitarlo para que sirviera como convento; dice así la Santa al volverse de Valladolid para hacer esta fundación: *Aunque partimos de mañana, como no sabíamos el camino, errámosle. Y como el lugar es poco nombrado, no se hallaba mucha relación de él. Anduvimos aquel día con harto trabajo, porque hacía muy recio sol. Cuando pensábamos estar cerca, había otro tanto que andar. Así llegamos poco antes de la noche. Tenía un portal razonable y una cámara doblada con desván y cocinilla. Estaba de tal suerte que no nos atrevimos a quedar allí por la noche, por la mucha suciedad existente y por tener mucha gente del agosto (pulgas). Este era el edificio para nuestro monasterio. En el portal se podía hacer la iglesia y en el desván el coro y dormir en la cámara. Mi compañera, harto mejor que yo y muy amiga de penitencia, no podía creer que yo pensase hacer un monasterio en tal lugar.* (¡¡??) A pesar de que las condiciones y la impresión eran tan malas, siguió adelante con el proyecto, pues era grande la ilusión por fundar este convento.

Convento de Duruelo, desde 1947 con una comunidad de carmelitas descalzas.

Sta. Teresa visitando Duruelo y a S. Juan y Fr. A. Heredia.

La casa era una sencilla, elemental construcción que servía para dar albergue temporal a unos cuantos trabajadores del campo, no tenía servicio alguno y era difícil llegar hasta ella. Durante dos meses, Fr. Juan, con la ayuda de varias personas, adaptó tan modesto edificio para convento y se les unieron el P. Antonio y otros dos compañeros, con lo que quedó así fundado el primer convento reformado de carmelitas descalzos en Duruelo, el 28-XI-1568, destacada fecha histórica dentro de la Orden. En este lugar y por este motivo, su fundador, Fr. Juan de S. Matías, cambió su nombre por el de Juan de la Cruz. De esta forma tan simple, sin alharacas y en lugar apartado y pequeño, surgió el primer convento reformado de carmelitas descalzos, al que pronto le seguirían otros catorce en lugares mayores y con instalaciones adecuadas, hasta extenderse por setenta países donde hoy están los carmelitas descalzos. Es importante destacar que no hubo oposición, porque no había población en el lugar, por lo que su costrucción pasó desapercibida, aspecto destacado entonces.

Pese a la gran importancia que tuvo y le reconoció la Santa al ser el primer convento reformado masculino, apenas cumplía con otro objetivo importante que debían cumplir los nuevos conventos, realizar apostolado en la población del lugar o en el entorno en el que estaban, porque en este caso no la había. Por eso y por las incomodidades que tenía, año y medio después, 1570, se trasladaron al cercano pueblo de Mancera de Abajo, donde estuvieron unos años para marcharse después, 1600, a Ávila, pero conservando abierto el de Mancera hasta la desamortización de 1836 cuando lo cerraron. D. Luis, señor de las cercanas Cinco Villas de Salamanca, ofreció una casa al P. Antonio de Jesús, que la aceptó y abandonó la soledad de Duruelo por un núcleo de población mejor y más acorde con el sentido apostólico del Carmelo descalzo masculino. Así, la primera fundación de los carmelitas descalzos estuvo allí unos 30 años, y después pasaron a Ávila donde, tras varios traslados, construyeron el convento actual sobre la casa natal de Santa Teresa, según los de Ávila, pero sin pruebas para ello.

Convento de Mancera de A., levantado por Sta. Maravillas en 1947.

Mancera de Abajo, iglesia parroquial.

Santa Teresa de Jesús siempre tuvo en gran aprecio al convento de Duruelo por lo que significó para su reforma, por la tranquilidad del lugar y la ausencia de los problemas habituales de otros urbanos. Pasó también por Mancera en su viaje a la fundación de Salamanca en 1570, e hizo noche en la casa del señor de Bracamonte. Y en 1944 santa Maravillas de Jesús fundó aquí un convento de carmelitas descalzas, la cuarta de sus fundaciones y que sigue abierta, como el del Cristo de Cabrera, la popular ermita del Campo Charro salmantino.

Lo ocurrido en ambos lugares, aunque no sean acontecimientos destacados por la magnitud de las obras, sí lo son al tratarse de los dos primeros conventos reformados de los carmelitas descalzos, con gran trascendencia en la Orden, motivo suficiente para ocupar un destacado lugar en la historia de la reforma carmelitana teresiana, aunque esto hoy no parece interesar ya mucho a nadie, al haber problemas de otro tipo más importantes, como es el de las vocaciones religiosas, entre otros. No acabó con esto la historia de ambos conventos, sino que han vuelto a escribir otra interesante página de la mano de Sta. Maravillas. Esta reanudó la actividad conventual en ambos lugares en los años cuarenta del pasado siglo, al levantar nuevos conventos en Mancera de Abajo, Duruelo y Cabrera que continúan abiertos esperando nuestra visita y la de los que vendrán después que nosotros con motivo de hacer esta ruta, que debemos extender a la iglesia del pueblo.

Y así, en este pequeño y pobre lugar, como un portal de Belén, de las campiñas meridionales de la cuenca de Duero, nació el primer convento del Carmelo de frailes descalzos, el 28 de noviembre de 1568, primer domingo de Adviento. Juan de la Cruz y Antonio de Jesús, los dos primeros carmelitas descalzos, abrazaron allí una vida de oración y pobreza, también de apostolado por los alrededores, algo que alegró mucho a santa Teresa. Eran los comienzos de una andadura que llevaría a Juan, más tarde, a ser formador en Alcalá y confesor de las monjas en la Encarnación, a sufrir la cárcel en Toledo y pasar después a Andalucía, a ser contemplativo y a la vez desplegar una gran actividad como confesor, director espiritual, formador, superior… y a escribir los versos de amor más hermosos en lengua castellana y algunas de las obras cumbres de la espiritualidad cristiana y la mística universal: *El Cántico espiritual, La noche oscura, La subida del Monte Carmelo, La llama de amor viva…* Eran también los primeros pasos de los frailes carmelitas descalzos, hoy extendidos por setenta países de los cinco continentes. Estos primeros y accidentados pasos del primer convento reformado de carmelitas descalzos los cuenta santa Teresa de Jesús en los capítulos 13 y 14 de *Las Fundaciones.* Es explicable que un lugar tan tranquilo le inspirara a S. Juan para hacer versos como los que escribió en el mismo y que dicen: *Yo no supe dónde estaba pero, cuando allí me vi, sin saber dónde me estaba, grandes cosas entendí; no diré lo que sentí, que me quedé no sabiendo, toda ciencia trascendiendo.*

Con la sencillez, claridad y realismo con que narraba o describía las cosas, lo hace también para contarnos la fundación del convento de Mancera de Abajo en 1570,como si fuera el de Salamanca u otra ciudad importante, y el traslado al mismo desde la primera y rústica fundación del de Duruelo, el primero de todos ellos. Dice así en el citado libro de *Las Fundaciones: D. Luis, señor de las Cinco Villas. Este caballero había hecho una iglesia para una imagen de Nuestra Señora, bien digna de poner en veneración. El padre fray Antonio de Jesús fue a aquel lugar a petición de este caballero y vio la imagen, aficionóse tanto a ella y con mucha razón, que aceptó de pasar allí el monasterio de Duruelo. Llámase este lugar Mancera. Aunque no tenía ninguna agua de pozo, ni de ninguna manera parecía la podían tener allí, labróles este caballero un monasterio conforme a su profesión, pequeño, y dio ornamentos; hízolo muy bien. No quiero dejar de decir cómo el Señor les dio agua, que se tuvo por cosa de milagro. Estando un día después de cenar el padre fray Antonio, prior, en la claustra con sus frailes, hablando de la necesidad de agua que tenían, levantóse y tomó un bordón que traía en las manos e hizo en una parte de él la señal de la cruz (a lo que me parece, no me acuerdo bien si hizo cruz; mas, en fin, señaló con el palo) y dijo: «Ahora, cavad aquí». A muy poco que cavaron, salió tanta agua, que, aún para limpiarle, es dificultoso de agotar; y agua de beber muy buena, que toda la obra han gastado de allí, y nunca, como digo, se agota.* De forma poética e indirecta y como no queriendo enterarse, también nos cuenta esta fundación a su modo S. Juan de la Cruz cuando escribe así sobre un éxtasis: *Entréme donde no supe y quedéme no sabiendo, toda ciencia trascendiendo. Yo no supe dónde estaba pero, cuando allí me vi, sin saber dónde me estaba, grandes cosas entendí; no diré lo que sentí, que me quedé no sabiendo, toda ciencia trascendiendo.*

Por tierras de la Moraña hacia Fontiveros. Campiñas, cereales, pequeños pueblos y castillos

Para continuar la ruta hacia Fontiveros, por una carretera mejor y sin los rodeos que supondría bajar hasta Blascomillán, hay que volver a Peñaranda, cuyo paisaje y características históricas, geográficas y turísticas ya las he comentado antes. Hemos regresado de nuevo a la provincia de Salamanca sin que esto supusiera cambio alguno en las características del paisaje, usos del suelo, estructura del poblamiento de pueblos pequeños con sus caseríos, muchas veces dominados por el campanario de su pequeña e interesante iglesia románico-mudéjar. Otra prueba más de la historia común de estas tierras, estén en Salamanca o Ávila, es que son frecuentes los topónimos que empiezan por el vocablo *cant* (campo), por el que empiezan algunos de sus pueblos, con el objeto de destacar la fertilidad de estas campiñas y/o su condición de zona fronteriza o campo de batalla. Esto último tendría relación con la condición fronteriza de estas tierras, y de ahí que haya varios topónimos de frontera, primero y durante varios siglos contra los árabes, y, después, por un corto periodo de tiempo, 1157-1230, entre Castilla y León, hasta que fueron unificadas definitivamente en tiempo de Fernando III el Santo.

El paisaje en todo este tramo hasta Fontiveros es similar al que hemos visto antes hasta llegar a Peñaranda, sin que apenas influya el hecho de cambiar de provincia, pasando a la de Ávila, ni de comarca, del Campo de Peñaranda a la Moraña abulense. Predominan las campiñas cerealistas que ocupan el NE de la provincia de Salamanca con las comarcas de la Armuña, Cinco

Villas, Tierra de Alba y Campo de Peñaranda, y que continúan por la de Ávila por la conocida comarca de la Moraña. La semejanza es total en el medio natural, y recursos con una morfología aplanada, solo alterada con las ondulaciones que imponen las pequeñas corrientes que cruzan estas tierras, desde el Sistema Central en la provincia de Ávila al Duero, como el Ragamón, Trabancos y Zapardiel. Su influencia geográfica, no solo en en lo morfológico, sino también en el emplazamiento de los pueblos, es también similar en una y otra provincia, antes y después de pasar por Peñaranda.

Paisaje sencillo, aplanado o con ligeras ondulaciones, con cereales y pequeños pueblos.

Es conocido por todos que el nombre de Castilla deriva de las muchas construcciones defensivas militares de este tipo que hay por todas las Tierras de la cuenca del Duero y que, despúes, continuarán también por la submeseta sur y Extremadura, tras la reconquista y la subsiguiente repoblación por los cristianos. En ella, estas instalaciones defensivas tuvieron una gran importancia real y simbólica, hasta el punto de darle nombre a la más extensa región y el más importante de los reinos cristianos surgidos en la Edad Media en la lucha contra los árabes, Castilla. A todos ellos, al igual que a los muchos que hay al sur del Sistema Central y Extremadura, se les puede aplicar los versos de la coplilla que destaca su singularidad, como barcos en el mar y con gran incidencia en el paisaje de estas tierras, al igual que la han tenido en su historia; dicen así: *Galeras de Castilla, señoriales / reliquias de la historia y la aventura, / que guardan la quietud de la llanura / por encima del mar de los trigales.*

La historia de la mayor parte de los castillos, como la de muchos conventos y monasterios, sobre todo rurales, no ha sido muy feliz, y muchos de ellos, tras ser abandonados por causas diversas, cambiado uso y perdida la importancia económica y social que antes tenían sus ocupantes, terminaron siendo abandonados y convertidos en canteras para el lugar en el que están y los del entorno, y en un motón de ruinas en muchísimos casos, como les ha ocurrido a conventos y monasterios rurales afectados por la desastrosa desamortización de Mendizábal. Por tal motivo, su contemplación nos recuerda los conocidos versos de R. Caro a *Las Ruinas de Itálica* y que dicen: *Estos, Fabio, ¡ ay dolor! que ves ahora / campos de soledad, mustio collado, / fueron un tiempo Itálica famosa / La casa para el César fabricada, / ¡ay!, yace de lagartos vil morada; / casas, jardines, Césares murieron, / y aun las piedras que de ellos se escribieron.* Su importancia histórica y su fuerte incidencia paisajística ha hecho que, aunque muchos hoy ya no sean más que unas ruinas, hayan llamado la atención de escritores y poetas, como M.ª Elena Walsh, a quien, pese a su estado ruinoso y de escombrera, le provocan cierta admiración y la refleja en sus versos: *Los castillos se quedaron solos, / sin princesas ni caballeros. / Solos a la orilla de un río, / vestidos de musgo y silencio.* Pero aun así, son interesantes y representativos.

Es raro que, si hacemos un itinerario por Castilla y León, no pasemos por varios lugares en los que hay o haya habido algún castillo, sus ruinas o el recuerdo de su existencia, pues de algunos ya solo ha quedado su historia, sin ninguna otra cosa que acredite su existencia, aunque pudieron ser importantes. Sabemos que en esta ruta hubo varios, como consecuencia de haber sido zona fronteriza contra los árabes y, después entre Castilla y León, 1157-1230, como lo ratifica el apelativo de frontera que acompaña al nombre de algunos pueblos. Ya sabemos que uno de los elementos más importantes del paisaje urbano de Alba a lo largo de su historia ha sido su castillo, primero como importante elemento de sus defensas, después como residencia palaciega de los duques de Alba, y hoy un montón de ruinas y solo con un primitivo torreón, como único resto de todo ello.

Además del de Alba, hay noticias y restos de otros en diversos lugares de la ruta, aunque de alguno apenas queda más recuerdo que el que permanece en el nombre del pueblo. Tal es el caso de Narros del Castillo. Poco después de su repoblación en el siglo XII, como la de casi todos los pueblos de estas tierras, levantaron un castillo con las características habituales de los de estas tierras, en las que no hay resaltes del terreno para levantarlos en ellos y así reforzar su condición militar. Tampoco hay piedras para darles y que tengan una construcción más sólida. Por eso están en medio de la llanura, construidos con argamasa de cal en la que van encofrados cantos rodados para reforzar su solidez y entre machones de ladrillo que les sirven de sostén y contrafuerte. Cerca de la ruta Alba-Fontiveros hay dos, el de Narros del Castillo, del que no quedan más que restos debajo o junto a la iglesia que se levantó sobre el mismo, aprovechando parte de sus materiales y obra, y el de Castronuevo, lo único que queda del pueblo del mismo nombre en el término de Rivilla de Barajas, cerca de la ruta y a la derecha de la misma, poco después de pasar por Salvadiós. Del castillo de Narros solo quedan unas ruinas en torno a la iglesia, levantada sobre él y que es un valioso ejemplar mudéjar, como tantos otros de estas tierras, acrecentado su interés con un espectacular artesonado mudéjar en su nave central que bien se merece desviarse de la ruta para visitarlo.

Iglesia mudéjar de Narros del Castillo, sobre el antiguo castillo, e interior de la misma.

Interesante artesanado mudéjar de la iglesia de Narros del Castillo.

La picota de Narros del Castillo.

Más interesante es el castillo de Castronuevo, que está en el término de Rivilla de Barajas, cruzado por la ruta poco después de pasar por Salvadiós. Está situado en medio del campo, entre los predominantes trigales de la zona, al no existir elevaciones o formas naturales en el paisaje que contribuyeran a reforzar su condición militar. A medio kilómetro están las escasas ruinas del pueblo del mismo nombre en el que lo levantaron, llamado S. Martín de Cornejo hasta 1437 y después Castronuevo, con un nuevo señor, Alonso Pérez de Vivero, contador de Juan II, que levantó el castillo con el citado nombre. Su evolución posterior no evitó la despoblación, tras la que solo quedó el castillo y las ruinas de su iglesia mudéjar, a la derecha y cerca de la autovía Salamanca-Madrid. Según noticias del mismo, su señor, Gil de Vivero, que levantó el castillo en 1470, tuvo serios enfrentamientos con los de Fontiveros y, cuando murió en 1481, su hijo Rodrigo de Vivero se lo vendió al duque de Alba en 1489, a quien todavía pertenece actualmente. Este fenómeno de despoblación de lugares y aldeas, surgido tras la repoblación medieval, fue muy frecuente en la provincia de Salamanca, por causas diversas, y ocurrió en más de trescientos casos, y surgieron otros tantos despoblados. Estos son el precedente y la causa de que haya en dicha provincia tantas dehesas, hasta ser un destacado elemento geográfico de su paisaje y economía. Este interesante aspecto de la historia y geografía salmantinas lo estudio en mi libro *Origen histórico del latifundismo salmantino*, premio Villar y Macías, publicado por el Centro de Estudios Salmantinos.

Su planta es un rectángulo perfecto que forma una sólida muralla hoy desmochada. En el castillo propiamente dicho, dentro del anterior recinto, hay una edificación más sólida que forma un recinto más alto, fuerte, con tres torres circulares en otras tantas esquinas y una cuadrada en la restante, todas desmochadas, pero, pese a ello, es lo más llamativo del conjunto y lo que le da más carácter militar y de fortaleza, aunque están desmochadas. Los muros muestran el predominio en el uso de materiales propios de esta zona en la que falta la piedra. Posee en la parte inferior del recinto militarizado cuatro corredores, uno por cada lado, abovedados, de ladrillo, que debieron ser las caballerizas y que tuvieron también otros usos similares. Está formado por encofrados de cal y cantos, entre machones de ladrillo, usados también en iglesias y edificios sólidos de otros lugares en estas tierras, por la citada motivación. Solo utilizan la piedra como sillares en algunas ventanas y poco más. Frente a los rasgos militares de la parte externa y más visible del castillo, está la parte interior, destinada a uso residencial, con características palaciegas y en estilo renacentista, con arcos, balaustradas, columnas y pilares que configuran un espacio residencial muy diferente al que rodea esta parte del edificio. Todo el conjunto está medio excavado en el terreno, por lo que no se ve el conjunto del edificio sobre la aplanada llanura en la que está, sino solo la parte superior del mismo, y está rodeado de un foso para reforzar su defensa. Se puede llegar hasta cerca del mismo, pero el acceso está prohibido y solo se accede a él con permiso del guarda. Poco después de la visita a la iglesia de Narros del Castillo y de volver a la ruta, se llega al final de la misma, Fontiveros. Es uno de los lugares con más connotaciones teresianas y dentro del Carmelo, por ser lugar de nacimiento de S. Juan de la Cruz, principal y destacado colaborador de la Santa en la reforma e impulsor de la misma en los varones, que fundó catorce conventos, al tiempo que la Santa hacia otro tanto con los diecisiete primeros de mujeres.

Castillo de Castronuevo, término de Rivilla de Barajas, y ruinas cercanas de la iglesia mudéjar del lugar.

La sencillez y apertura morfológica de estas tierras de campiñas es solo alterada por ligeras ondulaciones del terreno, al ser cruzado por pequeños afluentes del Duero que bajan del Sistema Central formando amplias navas. El poblamiento está constituido, como en todas las campiñas del Duero y en las vecinas del Campo Charro, por pequeños y cercanos pueblos, surgidos tras la repoblación medieval, con sus caseríos en torno a la iglesia que, en estas tierras con uso casi total del ladrillo, son mudéjares y muy interesantes. Estos pueblos, como todos los del mundo rural de la cuenca del Duero, excepto los cercanos a las ciudades y parte de sus áreas metropolitanas, están afectados por profundos cambios en el modelo económico tradicional, basado en la agricultura, forma de vida, configuración del caserío y fuerte regresión demográfica, que ha reducido su población a la tercera parte o menos de la que tenía en los años sesenta del pasado siglo. Es la consecuencia del cambio socioeconómico registrado en España en los años sesenta y setenta, que impulsó el desarrollo industrial y urbano del que el mundo rural de Castilla y León quedó fuera, y sufrió un intenso éxodo rural con la intensidad antes citada, además de tener un alto grado de envejecimiento, crecimiento natural negativo desde hace mucho tiempo y una constante regresión de su población absoluta. Todo esto se agravó aún más con la descentralización administrativa de España y la implantación de las nefastas CC. AA. que han provocado un caos insostenible económica y socialmente, y han hecho que los españoles seamos más extranjeros yendo a cualquiera de las otras dieciséis CC. AA. que si visitamos cualquier país de la UE. Este proyecto de las CC. AA. es el tercero de los llevados a cabo en la historia contemporánea española. El primero acabó pronto y como el rosario de la aurora, con cuatro presidentes de República en dos años; el segundo terminó en una Guerra Civil, y en este ya estamos en otra, aunque, afortunadamente, todavía incruenta, y esperemos que le pongan remedio antes de que llegue la sangre al río, como se dice en casos así.

Continuidad de las campiñas en el paisaje de la ruta cerca de Fontiveros.

La ruta continúa por tierras de la Moraña hasta Fontiveros, uno de los pueblos más importantes de la misma y del mundo teresiano, por ser lugar de nacimiento de S. Juan de la Cruz y haber mantenido este estrecha relación con la Santa, como su principal y más estrecho colaborador en su reforma y por ser el responsable de esto mismo en la rama masculina. Es uno de tantos pueblos de estas tierras, levantados en la Edad Media por gentes de la zona del nacimiento del Ebro, Fontibre. Su ventajosa situación dentro de la Moraña, en cruce de caminos por estas tierras, explica su mayor importancia histórica que los pueblos del entorno, y de ahí su condición de centro comarcal y su interesante patrimonio monumental. El hecho de haber sido patria de S. Juan de la Cruz, el destacado papel de este personaje en nuestra literatura y, sobre todo, en la reforma teresiana, explican la importancia de Fontiveros en estas rutas teresianas, particularmente en esta que hemos trazado entre Alba y Fontiveros, por la estrecha vinculación de ambos lugares con Sta. Teresa y S. Juan de la Cruz.

Sin embargo, pese a su importancia histórica, condición de centro comarcal de la Moraña, no se ha visto libre de sufrir una regresiva evolución desde los años sesenta del pasado siglo hasta hoy, como lo refleja su evolución demográfica. Tenía 1042 habitantes en 1900 que pasaron a 1637 en 1960, con lo que mostró claro signo positivo aunque no destacado, pues ya le afectaban ciertos factores contrarios que se intensificarán después. En efecto, en 2015 no llegará ni a la mitad de los que tuvo en la fecha anterior, solo 798, menos de la mitad, prueba evidente de la fuerte incidencia de las causas contrarias a su evolución socioeconómica positiva, como le ha ocurrido a todo el mundo rural regional con la excepción de algunos pueblos, como Guijuelo y los beneficiados por su situación en las áreas metropolitanas de la región. Pese a todo, conserva su condición de centro comarcal y destacado lugar en el mundo teresiano, y de ahí su consideración de punto final de esta importante ruta entre dos lugares tan destacados en este aspecto, Alba y Fontiveros, por su estrecha relación con los personajes más importantes del mundo teresiano y carmelitano.

S. Juan de la Cruz es un personaje importante dentro del Carmelo, como principal colaborador de la Santa en la reforma que llevó a cabo e impulsor de la fundación de quince nuevos conventos de carmelitas descalzos, al tiempo que la Santa fundaba diecisiete femeninos. Colaboró con ella, siguió sus indicaciones, y sufrió también las consecuencias de la reforma, desprecios, persecuciones, humillaciones y cárcel. Era de familia hidalga venida a menos, sus padres eran tejedores, por lo que empezó a trabajar muy joven en un hospital y, con grandes sacrificios, se formó en el colegio de los jesuitas de Medina del Campo. De la infancia de Juan en Fontiveros se cuenta la anécdota de su caída al agua en una laguna a las afueras del pueblo. La Virgen María, según la tradición, lo salvó entonces de morir ahogado. Más tarde estudió en Salamanca y pensó ingresar en una orden religiosa rigurosa, La Cartuja, pero se encontró con Sta. Teresa en Medina del Campo y esta lo convenció para que se uniera a su proyecto, cosa que hizo, y se convirtió en su más firme colaborador y principal impulsor de la reforma masculina. Por tal motivo, sufrió el rechazo, las denuncias y la persecución de gentes influyentes, y sobre todo, de los carmelitas calzados, como también le ocurrió a Sta. Teresa y por motivos similares.

Iglesia parroquial de S. Cipriano, Fontiveros, retablo principal y pila bautismal de la misma.

Estuvo ocho meses en la cárcel de Toledo, donde lo encerraron sus hermanos de la Orden y allí escribió las primeras estrofas del *Cantico espiritual*. Se escapó mostrando una fortaleza y un arrojo que contrasta con el lirismo y misticismo de su obra poética y su pequeña contextura física. Estas peripecias y su agitada vida le hicieron pensar en marcharse a América, cosa que deseaban sus detractores, al igual que con Sta. Teresa, para quitárselos de en medio, pero no lo hizo para no darles gusto y por estar convencido de la bondad de lo que hacía, por no abandonar a Sta. Teresa y, también, por su prematura muerte en Úbeda en 1591. Con esto no acabaron los problemas que tuvo en vida, pues siguieron con la disputa de sus restos, hasta traerlos al convento de carmelitas de Segovia.

Aunque se marchó joven de Fontiveros, mantuvo su relación e interés por el pueblo, y fue correspondido por muchos de sus paisanos. Así, tras su beatificación, 1675, fundaron un pequeño convento de carmelitas descalzos, donde había estado su casa familiar, y funcionó hasta 1835, cuando sufrió las consecuencias de la nefasta desamortización, como tantas otras instituciones y propiedades eclesiásticas y municipales, en beneficio de muchos aprovechados desaprensivos y sin escrúpulos. Como Sta. Teresa, además de su importancia religiosa, por su participación en la reforma del Carmelo, es un gran escritor del brillante Siglo de Oro español, y está considerado como uno de los grandes místicos de la literatura española. Su obra literaria es escasa y no fue publicada hasta después de su muerte, pero es considerado como uno de los mayores poetas españoles de la época y el máximo exponente de la poesía mística española. *Noche oscura, Cántico espiritual y Llama de amor viva* son sus tres obras poéticas capitales, a las que corresponden otras en prosa, como corolario explicativo, dado el hermetismo simbólico de su poesía.

Convento de carmelitas en el solar de la casa de S. Juan y retablo mayor de la iglesia.

Combinando la simbología del *Cantar de los cantares* con fórmulas del petrarquismo, produjo una rica literatura mística, que hunde sus raíces en la teología tomista y en los místicos medievales alemanes y flamencos. Su producción literaria de gran calidad refleja una amplia formación religiosa, reconocida en 1923, al ser nombrado doctor de la Iglesia católica, como después lo será Sta. Teresa. En la obra escrita de S. Juan de la Cruz, se observa que tiene una formación académica muy sólida, adquirida en sus estudios en la Universidad de Salamanca, antes de ordenarse sacerdote y hacerse carmelita a los 21 años. Sus poemas son de una gran calidad literaria y de un alto contenido simbólico y teológico. Sin embargo, gozaron de gran popularidad y son muchos los que recitan de memoria sus composiciones como: *Mil gracias derramando, / pasó por estos sitios con presura, / y yéndolos mirando / con solo su figura, / vestidos los dejó de su hermosura.* O los otros: *Vivo sin vivir en mí / y de tal manera espero, / que muero porque no muero.* Al igual que los siguientes: *Tras de un amoroso lance, / y no de esperanza falto, / volé tan alto, tan alto, / que le di a la caza alcance.*

Por su importancia dentro de la Moraña y el papel desempeñado en el Carmelo, como patria de S. Juan de la Cruz, impulsor de la reforma de carmelitas descalzos, Fontiveros tiene un patrimonio monumental interesante. Destaca la iglesia de S. Cipriano, mudéjar, considerada como la catedral de la Moraña, al ser la más grande de dicha comarca y por su riqueza artística, con dos portadas con arcos apuntados y dentro dos espacios diferentes. El de acceso es mudéjar, siglos XIII-XIV, con el artesonado que se libró del incendio sufrido en 1546 y una nave central, separada de las laterales por arcos apuntados. La cabecera es gótica, siglo XVI, realizada por R. Gil de Hontañón, que trabajó en la Catedral Nueva de Salamanca. Su interior destaca sobremanera por la variedad y el interés histórico-artístico. Tiene un retablo, atribuido a G. Fernández, con grandes esculturas de S. Cipriano; S. Segundo, primer obispo de Ávila; Sta. Teresa; y S. Juan de la Cruz, pinturas de los siglos XIII al XVIII y un órgano castellano del siglo XVIII. Hay en ella varias capillas ricamente decoradas y con artísticas verjas.

Además de las esculturas citadas, hay otra románico-bizantina de la Virgen, siglo XII, muy interesante. La relación de esta iglesia con S. Juan es grande, al ser bautizado en ella en 1542 y conservarse la pila en la que lo hicieron. Se acrecentó dicho interés, al localizarse las sepulturas del padre y de un hermano de S. Juan, enterrados en ella. En la iglesia y en las capillas, hay otras obras artísticas de orfebrería, cuadros y esculturas de varios artistas del Siglo de Oro que acrecientan el interés de la misma. El retablo, barroco, es del siglo XVIII, con figuras de Cipriano, Sta. Teresa y S. Juan de la Cruz. Además, en el solar de su casa levantaron un convento de carmelitas descalzos. En la iglesia, de estilo carmelitano, destaca el retablo barroco, atribuido a Gregorio Fernández o su escuela y, sobre todo, la figura del santo. Se conserva también el coro conventual, el antiguo cementerio y el oratorio de los frailes. El interés de su pueblo se manifiesta también con la escultura levantada en la plaza del escultor Ricardo Font. Se conserva igualmente el coro conventual, el antiguo cementerio y el oratorio de los frailes. Por su importancia comarcal, en Fontiveros hay varias casas blasonadas, el palacio de D. Jerónimo López de Sandoval y el de D. Diego de Arriaga, secretario de Felipe II, hoy casa parroquial que tiene una interesante capilla en la iglesia.

Esculturas en homenaje a S. Juan de la Cruz en Fontiveros y en Salamanca.

Gotarrendura, *lugar del nacimiento de Sta. Teresa*

La ruta establecida entre Alba y Fontiveros, por la estrecha relación de dichos lugares con Sta. Teresa y S. Juan de la Cruz, acaba al llegar a la patria de este último. Pero no debemos terminar esta ruta, ligada a lugares tan íntimos para los carmelitas como son los dos citados, sin hacer también mención a otro no menos interesante que los anteriores, por ser el que reúne el mayor número y más contundentes argumentos a favor de que en el mismo nació Sta. Teresa, Gotarrendura, frente a lo que han propalado y defendido los de Ávila de que nació en dicha ciudad. Como historiador no puedo hacer este trabajo sin referirme a tan interesante cuestión y dar mi opinión al respecto basándome en los datos históricos existentes, que ponen en evidencia el injusto acaparamiento de los de Ávila del nacimiento de Sta. Teresa, sin razones, documentación ni argumentos para ello.

Hay que partir del hecho de que no hay documentación escrita, directa, sobre este asunto, como es el libro de registros de nacimientos de Gotarrendura, porque faltan unos treinta folios correpondientes a los años en que nació la Santa. (¡¡??) Tampoco se conservan los folios del libro de bautismos de la parroquia de Ávila donde dicen que la bautizaron pocos días después de nacer. (¡¡??) Sin esta documentación o alguna similar que pudiera existir,

Vista general de Gotarrendura, lugar de nacimiento de Sta. Teresa.

todo debe basarse en noticias que informan de tal suceso, comentarios de contemporáneos o escritos que nos den alguna información al respecto. De acuerdo con estas fuentes, los argumentos a favor de Gotarrendura son muchos más y más sólidos que los poquitos y subjetivos que tienen los de Ávila, en parte creados por ellos mismos, para defender su egoísta e injusta teoría de que nació en dicha ciudad. Una sencilla relación de los más importantes lo pone de manifiesto. Se sabe que los Ahumada Cepeda tenían su casa familiar en Gotarrendura y no en Ávila. Que en dicho pueblo tenían las propiedades de las que vivían. Que en este pueblo se casaron sus padres y en él nacieron los otros nueve hermanos de Sta. Teresa, y solo ella (¡¡??) nació en Ávila, casualmente. Un aperador o responsable de llevarle los trabajos del campo dice que conoció el nacimiento de los hijos de la familia en Gotarrendura y no hacen excepción alguna al respecto. Lo mismo dicen algunos de los que testificaron en la canonización de la Santa, y muy pocos se refieren a que nació en tierras de Ávila, salvo algún abulense o influido por ellos, ninguno dice que nació en dicha ciudad.

Varios biógrafos independientes dicen, también, que nació en dicho pueblecito. Destaca la mejor biografía realizada a mediados del siglo pasado por el carmelita P. Efrén de la M. de Dios que afirma, rotundamente, que nació en el pueblecito de Gotarrendura. La desaparición de los folios de los libros de registro de nacimientos y bautismos citados antes, se dice que se debió a los de Ávila, que los hicieron desaparecer para que no hubiera documentación escrita contundente y directa en contra de lo que ellos defienden. Gotarrendura es un pueblecito, siempre pequeño, entre Ávila y Fontiveros que, desde antiguo, han defendido que este es el lugar de nacimiento de la Santa, pero, nunca mejor dicho, ha sido como la lucha de David contra Goliat. Pero no desfallecen, pues les asiste la razón, aunque no tengan el documento escrito fehaciente que les confirme que están en lo cierto o diga todo lo contrario. Con las noticias que tenemos hoy, está fuera de dudas que están a favor de Gotarrendura, en la proporción de diez a uno. Los invito a que lo visiten y así concluirán esta ruta que, con toda la razón y haciéndola en sentido contrario, con Alba como destino final, se podría llamar: *De Gotarrendura a Alba. De la cuna al sepulcro*. Es como la he llamado ya en otros trabajos que he hecho sobre este tema.

Palomar de la familia de la Santa y plaza del pueblo con monumento a Sta. Teresa.

Los comentarios anteriores sobre la historia de Fontiveros y su interesante patrimonio monumental ratifican su interesante pasado histórico, consecuencia de su condición de centro comarcal de la conocida comarca abulense de la Moraña. Sin embargo, desde mediados del siglo pasado, como ha ocurrido en general a todo el mundo rural español y en particular al de Castilla y León, ha sufrido una constante e intensa regresión demográfica por la fuerte incidencia de una serie de factores contrarios a su desarrollo socioeconómico y causantes de una intensa emigración, con las consiguientes y negativas repercusiones, constatadas en los datos de la evolución demográfica de Fontiveros antes comentada. Por todo ello, su situación actual dista mucho de ser como la de hace dos siglos y, además, no es muy halagüeño su futuro, aunque no esté entre los núcleos que pasan por una situación en la que está en riesgo su continuidad como tales. Por eso es necesario promover toda aquella actividad que pueda invertir la regresiva evolución del último medio siglo, por ejemplo, el desarrollo de su actividad turística, aprovechando sus variados recursos parimoniales, culturales y religiosos para darle impulso y que ayude a mejorar la precaria situación siceconómica actual de Fontiveros. Esta ha sido una de las razones de la realización de este trabajo, junto con hacer una aportación al mejor conocimiento de nuestra geografía, historia y, sobre todo, la biografía de alguno de nuestros personajes, la vinculación que han tenido con estas tierras y las posibilidades que tienen para impulsar la actividad turística en la forma como aquí lo intentamos. Si consiguiera algo respecto a los dos objetivos citados, daría por bien empleado el esfuerzo realizado para sacar adelante este trabajo ahora que pongo punto final al mismo.

Gotarrendura, pueblo con mas argumentos en su favor para ser lugar de nacimiento de la Santa.

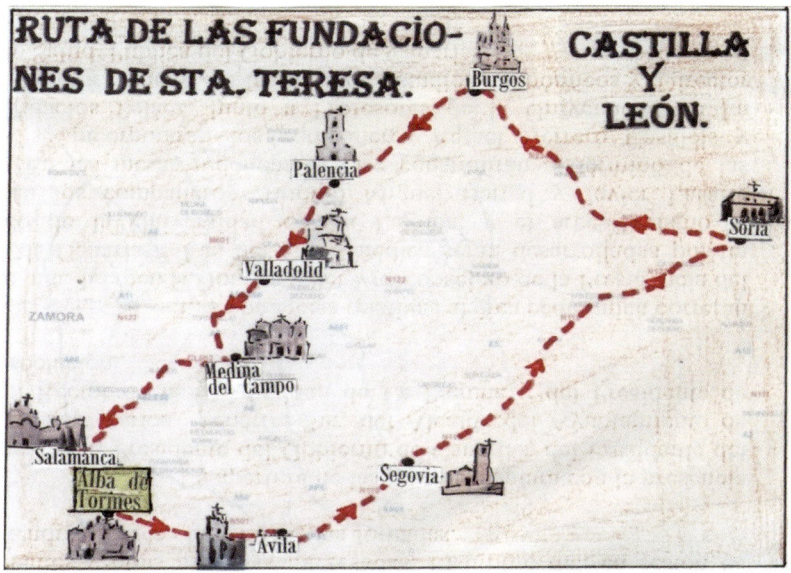

Ruta de las fundaciones de Sta. Teresa en Castilla y León. Interesantes cultural y turísticamente.

CAPÍTULO VIII
5.ª RUTA DE LAS FUNDACIONES DE STA. TERESA EN CASTILLA Y LEÓN. INTERÉS PAISAJÍSTICO, HISTÓRICO Y MONUMENTAL DE LAS TIERRAS Y CIUDADES POR LAS QUE PASA

> *De que vi que era imposible ir adonde me matasen por Dios, decidimos ser ermitaños, hacía limosna como podía y podía poco En una huerta que había en la casa, procurabamos hacer ermitas, poniendo unas piedrecillas que luego se nos caían y, así, no hallabamos remedio en nada para nuestro deseo... Procuraba soledad para rezar mis devociones, en especial el rosario... Gustaba mucho cuando jugaba con otros niños a hacer monasterios, como que éramos monjas.*

Sta. Teresa de Jesús: ***El Libro de su vida.***

ASPECTOS GENERALES. IMPORTANCIA RELIGIOSA, CULTURAL Y TURÍSTICA

Este comentario de la Santa muchos lo consideran como algo normal, lógico en una persona que se iba a caracterizar como una gran fundadora de conventos, como si eso fuera algo con lo que ya nació predestinada. Se refuerza tal creencia con su deseo de ir a tierras de moros para que la martirizaran. Sabemos que no fue así, sino que empezó su tarea como reformadora ya mayorcita y con bastantes dudas, aunque estuviera convencida de su necesidad, tal y como estaban las cosas en la mayor parte de los conventos, sobre todo femeninos. Tal forma de pensar y actuar en su infancia era más bien como una especie de juego o consecuencia de las muchas lecturas piadosas y de caballería que les leía su padre y del modo de vida familiar muy religioso, influido por la condición de conversos de la familia paterna y el ambiente social. Hasta cierto punto era lógico que pensara y actuara así. Con los años cambiaría esta actitud y mostró deseos muy diferentes, como ella misma nos cuenta, en relación con sus lecturas y gustos: *Esos libros no dejaron de enfriar mis buenos deseos y me hicieron caer insensiblemente en otras faltas. Las novelas de caballerías me gustaban tanto que no estaba yo contenta cuando no tenía una entre las manos. Poco a poco empecé a interesarme por la moda, a tomar gusto en vestirme bien, a preocuparme mucho del cuidado de mis manos, a usar perfumes y a emplear todas las vanidades que el mundo aconsejaba a las personas de mi condición.* Al leer esto nadie piensa que pudiera ser Sta. Teresa su autora y protagonista.

El cambio en sus gustos, con más interés por los mundanos, es evidente, cosa lógica por la edad y el entorno. Este comentario de la Santa muestra unos deseos, inclinaciones, lejanos de la opinión que tienen muchos de ella, como si hubiera sido una persona predestinada a hacer lo que hizo, lejos de la realidad, y normal en una niña en un ambiente familiar muy religioso y cultural como era el suyo. Sin embargo, cuando decidió profesar, no estaba vocacionalmente convencida, pero se daba cuenta de que era lo mejor que podía hacer, como lo dice ella misma: *Aunque no acababa mi voluntad de inclinarse a ser monja, vi era el mejor y más seguro estado; y así poco a poco, me determiné a forzarme para conseguirlo.* Influirán en ello las lecturas piadosas, el buen ejemplo de algunas hermanas y su carácter generoso, que la fueron llevando a tomar en serio su vida conventual, así como a intensificar su vida espiritual con diversas prácticas, mayor dedicación y esfuerzo.

Teresa y Rodrigo, camino de tierra de moros, retenidos por su tío.

La vida conventual que conoció Sta. Teresa cuando ingresó estaba a años luz de la que impondrá en los conventos reformados. Para las monjas que tenían recursos era una vida tranquila, con muchos atractivos y soluciones para las jóvenes, mujeres solas y sus familias, lo que explica la abundancia de vocaciones religiosas (¡¡??) y el elevado número de profesas en muchos conventos; cuando ingresó Sta. Teresa en el de la Encarnación, había cerca de 200 monjas. Vivían más como si fuera una residencia de mujeres que un convento, cosa que sí harán después de la reforma. Todo esto desagradaba mucho a Sta. Teresa, igual que el elevado número de profesas porque, según ella: *La experiencia me ha enseñado lo que es una casa llena de mujeres. ¡Dios nos guarde de ese mal!* Esto hacía que las monjas con verdadera vocación lo vieran con cierto escándalo y deseos de renovación, en lo que pronto participará Sta. Teresa de forma destacada, hasta ponerle remedio con la reforma que llevará a cabo y que cambiará la forma de vida en los conventos que fundó y, en menor medida, también en muchos de otras órdenes religiosas, pues los puso en evidencia.

En el caso de la Encarnación, las religiosas que aportaban dote y sabían leer eran «de velo negro», estaban obligadas al rezo de las horas canónicas, tenían voz y voto en los capítulos conventuales y disfrutaban de servicios. Las que no aportaban dote eran «de velo blanco» y tenían a su cargo las tareas domésticas, sin obligación del rezo coral ni de participar en reuniones en que se tomaban decisiones conventuales, y su forma de vida difería mucho de las otras. Junto con las criadas, tenían dormitorios y comedores comunes, donde muchas veces faltaba lo esencial. Las «doñas» que se lo podían pagar tenían

Los nuevos conventos tendrían pocas monjas, sin diferencias entre ellas y más vida conventual.

habitaciones individuales con cocina, oratorio, recibidor y alcoba y gentes a su servicio, como fue el caso de Sta. Teresa. Además, podían llevar consigo vestidos, joyas, familiares y criadas y estaban exentas del rezo en común y de otras obligaciones. Ante la imposibilidad de atenderlas, se les permitía irse a casa de sus padres o parientes. Cuando ingresó Teresa, había unas cincuenta religiosas en esta situación. Más tarde, también ella pasará temporadas fuera del monasterio. Los conventos eran vistos como residencias femeninas para las que no se casaban, quedaban solas, buscaban tener compañía y estar atendidas. Este concepto de convento hacía difícil la vida conventual, al no haber disciplina, sacrificios ni casi oración, la relajación era frecuente, habitual. Sta. Teresa disentía de esto: *Están aquí con tanto peligro como en el mundo Es preferible casarlas muy bajamente antes que meterlas en monasterios.* Cambiar esto es lo que hará con su reforma.

No fue algo que surgió de la noche a la mañana, sino consecuencia del progresivo cambio en su vida espiritual y tras conocer las deficiencias de la vida conventual. Su proyecto tuvo una gestación de casi veinte años, a lo largo de los cuales lo fue madurando, eliminando lujos y criados, vistiendo con sencillez y fortaleciendo su vida espiritual. Por la enfermedad de su padre, 1543, trató al P. Barrón, dominico, que le recomendó que volviera a la oración, que ya nunca dejaría. De regreso a la Encarnación se llevó a su hermana Juana, de 15 años, a la que crió con afecto en su propia celda durante diez años. Otros hermanos viajaron a las Indias. En 1548 participan Teresa y Juana junto a otras personas de Ávila en peregrinación a Guadalupe, para pedir por sus deudos a la Virgen. Su vida cotidiana se repartía entre rezos comunitarios, lectura espiritual, oración personal, cuidado de enfermas de la casa y atención a muchas personas que solicitaban su compañía en el locutorio. Los testimonios de la época hablan de la generosidad y piedad de la hermana Teresa, de su simpatía y de la llaneza de su trato. Muchos la consideran una Santa religiosa. Ella no termina de estar contenta, se encuentra dividida: *Por una parte me llamaba Dios, por otra yo seguía al mundo. Dábanme gran contento todas las cosas de Dios, teníanme atada las del mundo. Paréceme que quería concertar estos dos contrarios.* En esta tensión se mantuvo durante diez años, hasta que Dios la venció totalmente. Al respecto, exclama: *Antes me cansé yo de ofenderos que vos de perdonarme.*

En este tiempo, interpretó varios acontecimientos como llamadas personales de Dios. Así, cuando estaba atendiendo una visita, sintió que el Señor la miraba enojado. Otra vez le hizo reflexionar la presencia de un gran sapo en el locutorio. En algunos sermones le parecía que el Señor la llamaba a grandes voces. Cierto día, al entrar en su oratorio y ver allí la imagen de un *Cristo muy llagado*, se siente dolorida por lo mal que ha pagado tanto amor y, entre lágrimas, le suplica fortaleza para no ofenderlo más. Poco tiempo después, se siente interpelada al leer *Las confesiones* de S. Agustín. *En especial, después de estas dos veces, comencé más a darme a la oración... y fueron creciendo las mercedes espirituales.* Era 1554, Teresa contaba 39 años y se disponía a comenzar una nueva etapa de su vida.

No corren buenos tiempos para los espirituales. El cardenal Cisneros había iniciado un amplio movimiento renovador, fundando universidades, reformando conventos, favoreciendo el estudio de idiomas bíblicos y la Teología, multiplicando la publicación de libros en latín y castellano, generalizando la predicación en las iglesias y la práctica de la oración mental. Carlos I y su corte de flamencos no simpatizaron con Cisneros, sus consejos, ni sus maneras de hacer. La reforma protestante y las guerras de religión dividieron Europa y todo lo que sonara a interioridad era investigado por la Inquisición. El nuevo inquisidor general, Francisco Valdés, y su consejero, el dominico Melchor Cano, llenaron las cárceles con los discípulos de Cisneros, los erasmistas y los alumbrados. Incluso condenaron al exsecretario de Cisneros, Juan de Cazalla, y hasta el arzobispo de Toledo, Bartolomé de Carranza, por atreverse a escribir cosas como esta: *No hay que maravillarse de que Dios quiera comunicarse a las mujeres y a los labriegos antes que a los letrados.* Incluyen todos los libros que tratan de espiritualidad en el *Índice de libros prohibidos.*

Muy poco después, 1559, Felipe II obliga a regresar a los españoles que estudian o enseñan en el extranjero, se prohíbe introducir libros publicados fuera de España y traducir al español libros escritos en otros idiomas. Incluso harán quemar las obras de Sto. Tomás de Villanueva, S. Francisco de Borja, S. Juan de Ávila, fray Luis de Granada y muchos libros que Teresa había leído con ansias y recomendado a muchas personas. Famosos fueron los autos de fe de Valladolid y Sevilla, 1559, en los que quemaron a gentes muy importantes del Reino. No es extraño el miedo que surge en los confesores de Teresa cuando les habla de su oración, hasta llegar un momento en que

Diversidad paisajística a lo largo de la ruta y pueblos con su campanario, elemento destacado del paisaje.

ningún sacerdote de Ávila quiere aconsejarla. Este clima envenenado explica las continuas contradicciones de los años posteriores, denuncias a la Inquisición, secuestro del *Libro de la vida*, castigos, persecuciones y oposición a su reforma. Se explica que dijera antes de morir, con gran satisfacción: *Muero, al fin, hija de la Iglesia*, pues otros muchos fueron perseguidos o acabaron mal.

Sus ideas reformistas no las tuvo nada más profesar, sino bastantes años después, e inició la reforma con 47 años, muchos para entonces. Fueron creciendo, junto con su modo de vida religiosa más exigente y distante de la relajada vida conventual, inquietudes compartidas con otras hermanas. El primer paso lo dieron con motivo de una campaña iniciada por Felipe II contra la herejía luterana. Esto la animó a poner en marcha la reforma y buscar los recursos económicos necesarios y el consejo y apoyo de autoridades eclesiásticas. Entre estas destacó, desde el principio, el obispo de Ávila, D. Álvaro de Mendoza, que siempre la apoyó, aunque lo presionaron mucho para que desistiera de ello. También contó con el apoyo de sus confesores dominicos y jesuitas y otros religiosos destacados, como S. Francisco de Borja, S. Pedro Alcántara y S. Luis Beltrán, entre otros, que la animaron para que la iniciara y, después, para que no desistiera en seguir adelante pese a las dificultades y los obstáculos que encontraba, como así hizo. También contó con el apoyo del entonces superior general de los carmelitas, el P. Rossi, quien vino a Ávila para conocer el convento, a Sta. Teresa y la reforma. Su opinión fue favorable, como recoge santa Teresa cuando dice: *Alegrose al conocer nuestra manera de vivir, a modo de retrato de nuestra Orden. Y con la voluntad de que fuese muy adelante en este principio, diome cumplidas patentes para que se hiciesen más monasterios como este.* No todos pensaron así dentro del Carmelo, sino que hubo mucha oposición dentro del mismo, hasta producirse la ruptura entre calzados, los antiguos, y descalzos, los seguidores de la reforma teresiana.

Frente a estos decisivos apoyos, fueron más los que se opusieron a la reforma por causas muy diversas, tales como ser mujer quien la llevaba a cabo. También había carmelitas que no deseaban cambiar, los que veían con buenos ojos la vida conventual existente, asimismo los de otras órdenes que no deseaban tales reformas, el tribunal de la Inquisición por iniciativa propia y por las denuncias que recibió contra ella. Viendo lo que escribió sobre doctrina cristiana y al ser mujer, uno se sorprende que no la encarcelaran, como le ocurrió a otros destacados escritores por menos motivos, como Fr. Luis de León o Fr. Bartolomé de Carranza, arzobispo de Toledo y primado de España. Ambos estuvieron en la cárcel, y el segundo solo porque escribió: *No hay que maravillarse de que Dios quiera comunicarse a las mujeres y a los labriegos antes que a letrados y teólogos.* Sta. Teresa se encontró con una oposición muy dura a todo lo que hizo, de muy variada procedencia y hallaron formas de enfrentarse a ella en todos los conventos, menos en el de Alba, y así hasta que murió.

Conventos femeninos reformados fundados por Sta. Teresa entre 1562-82.

La más dura fue la del nuncio papal en Madrid, F. Segal, como lo ratifica su testimonio que dice: *Fémina inquieta y andariega, desobediente y contumaz que, a título de devoción, inventa malas doctrinas, andando fuera de clausura, contra la orden del C. Tridentino y de los prelados, enseñando como maestra, contra lo que S. Pablo dijo, que las mujeres no enseñaran.* Más directo y mostrando mejor las causas misóginas de su oposición, fue Fr. Bartolomé de Talavera, dominico y catedrático de la Universidad de Salamanca que dijo: *Más le valía que, como mujer y monja, se quedara en el convento hilando y fregando.* Similar fue la oposición del conocido P. Suárez, sucesor de S. Ignacio al frente de la C. de Jesús y gran teólogo. Pese a todo, la Santa no se amilanó y consiguió mucho más de lo que jamás había pensado alcanzar, diecisiete nuevos conventos femeninos y quince masculinos en veinte años. El resultado puede verse en el mapa adjunto con los diecisiete conventos femeninos. Están en el centro y en el sureste de España, de ellos nueve en Castilla y León. En la elección del lugar influían diversas causas, como contar con ayuda, que pudieran sobrevivir por su cuenta y que no hubiera otros similares, entre otras. El de Alba fue una excepción a todo eso, al no reunir tales condiciones, no estar entre las futuras sedes de Sta. Teresa, tratarse de un núcleo pequeño y existir ya otros tres, lo que no hacía aconsejable fundar otro más y sin rentas. Pero tuvo el interés de su hermana pequeña Juana, a la que estaba muy unida, y le había prestado antes gran ayuda para fundar el de Ávila y vivía en Alba. Además, estaban en Alba los duques, muy interesados en tener en la villa ducal un convento de la popular monja.

La Santa en *plena faena* como fundadora de nuevos conventos por Castilla y Andalucía.

Pese a las muchas dificultades y oposición que tuvo para llevar adelante la reforma y la fundación de conventos, desde los comienzos hasta su muerte, a lo largo de más de veinte años logró fundar muchos más conventos de los que jamás pensó, diecisiete en veinte años. Además, fundaron al mismo tiempo otros catorce de varones, para lo que contó con la estrecha y eficaz colaboración de S. Juan de la Cruz, y dejó encarrilada la fundación de otros nuevos y la reforma realizada hasta nuestros días. Los conventos que fundó y año en que lo hizo fueron: Ávila, 1562; Medina del Campo, 1567; Malagón, 1568; Valladolid, 1568; Toledo, 1569; Pastrana, 1569; Salamanca, 1570; Alba de Tormes, 1571; Segovia, 1574; Beas de Segura, 1575; Sevilla, 1575, Caravaca de la Cruz, 1576; Villanueva de la Jara, 1580; Palencia, 1580; Soria, 1581; Granada, 1582, y Burgos, 1582. Aunque pueda parecer fortuita la elección del emplazamiento de los conventos, sin embargo, presentan alguna característica singular y común. Los lugares donde los levantaron, así como alguno que no llegó a fundar, aunque tuviera gran interés en hacerlo, como fue en Madrid, están en las tierras más dinámicas y ricas de Castilla entonces, entre Burgos y Sevilla.

En la relación anterior de conventos fundados por Sta. Teresa, entre 1562-82, destacan dos cosas. Una, que están en el centro-este de Castilla y este de Andalucía, y dos, que su mayor número está en Castilla la Vieja, donde estaba la fundadora y surgió el primero, S. José en Ávila. Por su elevada cuantía, diecisiete, y por la distancia entre los extremos, Burgos-Caravaca de la Cruz-Sevilla, resulta difícil hacer una ruta para visitarlos todos. Por eso es aconsejable hacer varias rutas entre los más cercanos y con relaciones entre sí por algún otro motivo, al margen de pertenecer a la misma región, como es el caso de los de los nueve de Castilla y León. Dentro de ellos hay dos, Ávila y Alba, que tienen características singulares, que los hacen ser el punto de arranque del itinerario que se establezca. Esta es la razón por la que, en este trabajo sobre Alba, villa ducal y teresiana, la consideramos como el comienzo y el final del itinerario que hagamos para visitar y conocer los nueve conventos reformados que la Santa fundó en Castilla y León entre 1562-82.

Resulta una ruta con recorrido racional, variado, interesante, destacada dentro de las que se pueden hacer en España de turismo de interior, al recorrer espacios y ciudades muy interesantes de Castilla y León. Además, cuenta con muchas e importantes referencias teresianas y un gran interés cultural y turístico, por la importancia y variedad de los recursos que hay a lo largo de dicha ruta, paisajísticos, históricos, monumentales, culturales, religiosos y gastronómicos. Su realización dará satisfacción a quien le guste el turismo de interior y le servirá para que conozca mejor nuestra geografía e historia y la biografía de varios de los personajes más importantes de nuestra historia, como son los citados Gran Duque de Alba y Sta. Teresa, por citar solo los dos que son estudiados con detalle en este trabajo, pero sabiendo que hay muchos más en estas tierras, como son los relacionados con las ciudades históricas por las que pasa la citada ruta de las fundaciones de Sta. Teresa en Castilla y León. Estoy convencido de que quien haga esta ruta, además de conocer mucho mejor la vida y obra de santa Teresa y la interesante biografía del Gran Duque, conocerá también mejor nuestra geografía, historia, varias de las ciudades más importantes con interesantes recursos, no solo monumentales por ser Ciudades Patrimonio de la Humanidad o Conjuntos históricos, sino porque, además, cuentan con otros muchos y variados recursos. Seguro que quien haga esta ruta de las fundaciones teresianas en Castilla no quedará defraudado, disfrutará con su realización y contribuirá a que otros muchos hagan lo mismo, con el consiguiente beneficio para el desarrollo de la actividad turística de las ciudades por las que pasa, sobre todo de Alba.

Las nueve fundaciones de Sta. Teresa en Castilla y León.
Importancia histórico-monumental y turística

Este trabajo sobre la ruta de las fundaciones de Sta. Teresa en Castilla y León tiene varios fines. Uno, dar a conocer la compleja e interesante personalidad de Sta. Teresa como reformadora religiosa, ejemplar defensora de los derechos de la mujer, en tiempos muy difíciles y gran escritora. Destacar su papel como principal impulsora de la reforma carmelitana, que devolvió a dicha Orden el espíritu religioso inicial, lejos de la relajación en que estaba cuando ella profesó. Además, se informará sobre la fundación de cada uno de los nueve fundados por la Santa en Castilla y León, entre 1562, cuando fundó Ávila, y 1582, año en que murió en Alba de Tormes, cuando acababa de fundar el de Burgos. También se ofrecerá una visión de las características histórico-monumentales y turísticas de las ciudades en las que están dichos conventos, todas con interesante historia y merecedoras de una visita, no solo las que son Patrimonio Cultural de la Humanidad, Ávila, Salamanca y Segovia, sino también Soria, Burgos, Palencia, Valladolid y Medina del Campo, y los Conjuntos histórico-artísticos que hay a lo largo de la ruta.

Además de visitar los conventos reformados y ciudades en las que están, se comentarán las interesantes características paisajísticas del territorio que cruza la ruta. Pertenece a la mitad oriental de la cuenca del Duero, va bordeando la periferia montañosa del Sistema Central e Ibérico, cruzando el Duero y las conocidas campiñas cerealistas de Tierra de Campos, Medina, Peñaranda y Alba de Tormes, admiradas y magistralmente descritas por escritores de la Generación del 98, como Azorín y Unamuno y, después, M. Delibes. Los cambios registrados en la consideración de atractivos turísticos en regiones de interior, junto con el desarrollo socioeconómico español, han hecho que estas tierras ofrezcan una variada e interesante gama de recursos turísticos que acrecientan el interés de esta ruta, por la abundancia y diversidad de los mismos, como lo ratifica el que Castilla y León sea la primera región española por este concepto.

Itinerario de la ruta de las fundaciones de Sta. Teresa en Castilla y León.

Viendo el mapa regional con el itinerario de la ruta de las fundaciones de Sta. Teresa por Castilla y León, se observa que discurre por las tierras de la mitad oriental y cruza dos espacios paisajística y geográficamente muy diferentes: la vertiente hacia el Duero de los Sistemas Central e Ibérico, y las campiñas cerealistas y ribera del Duero, en la mitad oriental de la cuenca del citado río. Las características paisajísticas de las tierras orientales de la cuenca del Duero las describe magistralmente el prof. M. Terán en su *Geografía de España y Portugal* en la que dice: *El llano es, en efecto, la forma de relieve dominante en el paisaje castellano; pero Castilla no es una llanura de uniforme continuidad, sino un conjunto de planos situados a diferente altitud, páramos, campiñas y riberas, con variedad de usos y encuadrados por una orla exterior de serranías y bloques montañosos, también tabulares.* Esto es, las llanuras a diferentes alturas son los elementos más destacados en las tierras orientales de la cuenca del Duero cruzadas por la ruta.

Las características paisajísticas del primer tramo de la ruta, Ávila-Soria-Burgos, las facilita A. Machado en su conocido poema *La Tierra de Alvar González* en el que dice: *La hermosa tierra de España / adusta, fina y guerrera / Castilla, de largos ríos / tiene un puñado de sierras / entre Soria y Burgos como / reductos de fortaleza, / como yelmos crestoneados / y Urbión es una cimera.* El otro espacio de la ruta, entre Burgos-Valladolid-Alba de Tormes, con campiñas y riberas, es muy diferente, y es M. Delibes quien nos facilita sus características paisajísticas: *La campiña es señora de un paisaje ondulado y de amplios horizontes. Las aguas de los ríos corren mansamente sobre ellas... Tanto páramos como campiñas, las dos formas dominantes, se ven interrumpidos por los valles fluviales, las vegas y riberas que han dado diversidad paisajística y riqueza agrícola a las tierras, gentes y pueblos por los que pasan.* Esta diversidad e interés de las tierras cruzadas por la ruta de las fundaciones presentan otros destacados rasgos que han llamado la atención a muchos escritores, que han visto en estas tierras y sus gentes las que pueden llevar a cabo la regeneración de España. Otro más de tales escritores

Paisaje típico de esta ruta: campiña cerealista con páramos y serranía nevada al fondo.

fue J. Maragall que, personalizando las regiones españolas, pide a las que tienen mar que le hablen a Castilla de él y la consuelen, pues carece del mismo; dice así: *Sola, en medio de los campos, / tierra adentro, ancha es Castilla. / Y está triste; solo ella / no ve los mares lejanos. / Habladle del mar, hermanos.*

Las diferencias geográficas entre tales espacios, presierras, campiñas *y* ribera, son grandes y evidentes en beneficio de su interés cultural y turístico. Pero también existe diversidad en los aspectos citados, dentro de cada uno de dichos espacios, como sería fácil poner de manifiesto. Esto hace que sea grande el interés turístico de estas tierras por tal motivo y por la importancia histórico-monumental de sus pueblos y ciudades, entre los más interesantes de España en tal sentido. Recordemos que la ruta pasa por tres singulares Ciudades Patrimonio de la Humanidad, Ávila, Segovia y Salamanca, y varios Conjuntos histórico-artísticos que están en la ruta o cerca de ella, con gran interés histórico-monumental y, algunos, también paisajístico y gastronómico,

Dos interesantes ciudades de la ruta: Ávila y Segovia,
Ciudades Patrimonio de la Humanidad.

Dos de los Conjuntos históricos de esta ruta, Calatañazor y Plaza Mayor de Ayllón.

como Pedraza, Riaza, Ayllón, S. Esteban de Gormaz, Burgo de Osma, Calatañazor, Sto. Domingo de Silos, Dueñas, Rueda y Alaejos, que acrecientan el
valor histórico, cultural y turístico de esta ruta.

Viendo el itinerario de la ruta de las fundaciones en Castilla y León y
las ciudades y lugares por los que pasa, es lógico el subtítulo con el que se
encabeza este apartado. Se podría hacer pasando por otros lugares y ocurriría
lo mismo, dada la importancia que tales aspectos, paisajísticos, histórico-monumentales y gastronómicos que hay en toda Castilla y León. Esto se ratifica
conociendo los lugares en los que la Santa levantó los primeros conventos
reformados en la región y siguiendo el orden más lógico y aconsejable para la
ruta, desde el lugar donde fundó el primer convento, Ávila, hasta Alba, en el
que murió y está enterrada. El itinerario entre ambos lugares y recorriendo las
otras fundaciones es fácil e interesante, como se comprueba con la siguiente
relación de las ciudades por las que pasa y que es donde están los conventos:
Ávila, Segovia, Soria, Burgos, Palencia, Valladolid, Medina del Campo, Salamanca y Alba de Tormes.

Cuando Sta. Teresa fundó los conventos, 1562-82, los núcleos citados
eran de tipo medio y alguno medio-alto como Salamanca, Burgos y Valladolid. El de menor importancia económica y demográfica era Alba de Tormes,
aunque cultural y políticamente era grande, al ser la sede y residencia de la
entonces todo poderosa Casa de Alba, al frente de la cual estaba un personaje
importante de nuestra historia, no perteneciente a la Corona, D. Fernando
Álvarez de Toledo, el Gran Duque, que fue virrey en Nápoles y Portugal,
gobernador en Milán y Países Bajos y mecenas de la cultura renacentista en
España.

Pese a la importancia que, por los citados motivos, tenía entonces la villa ducal, sede del poderoso ducado y residencia del mismo, al frente del cual
estaba entonces el famoso Gran Duque, no entraba en los cálculos de Sta.
Teresa levantar allí un convento reformado. Alba era un núcleo pequeño, con
unos dos mil habitantes, por lo que era difícil vivir de la limosna y, además,
había otros tres, dos femeninos y uno masculino, aunque no dependieran solo
de ellas, pero ya había competencia y oposición inicial. Pero una serie de
circunstancias vinculadas a personas queridas por ella que se lo pidieron, la
harán cambiar de opinión y se alegrará mucho. Una era su hermana pequeña,
Juana, que tanto la ayudó a fundar el primero y que vivía en Alba. También
el interés de la casa ducal, que veía la fundación por la Santa como un sello
de distinción más para la villa ducal, de igual forma que otros lo consideraban como una desgracia. Además, la presencia y mecenazgo del matrimonio
Velázquez-Laiz, contador de los duques, que levantaron el convento a su costa y sin problemas para la Santa, cosa que solo pudo disfrutar en este caso.
Todo ello explica el interés que tuvo este convento para la Santa desde el

principio. La casualidad de que muriera en él cuando estaba de paso por Alba y decidiera que la enterraran en él, acabó de encumbrarlo al nivel que tenía el primogénito de la serie, el de S. José, y colocó a Alba a la altura de Ávila, por más que los de dicha ciudad se empeñan en demostrar que ellos están por encima de todo y de todos en esto. Craso error.

El itinerario de la ruta, interesante por sus paisajes, historia y monumentalidad

Si analizamos las diecisiete fundaciones de Sta. Teresa, una de las muchas cosas que llaman la atención fue la rapidez con que las llevó a cabo, pese a las muchas dificultades que encontró y, sobre todo, a la variada y hostil oposición para impedir llevarlas a cabo, principalmente por ser mujer la principal responsable y mentora de las mismas. Llama la atención, si tenemos en cuenta que, en un principio, solo pensaba y confiaba en poder sacar adelante el de S. José, pero no entraba en sus cálculos ninguno más. Pero pronto cambiará de opinión, cuando personas de su confianza y que le merecían gran respeto, como sus confesores, el obispo de Ávila D. Álvaro de Mendoza, S. Francisco de Borja, S. Pedro Alcántara y significados jesuitas y dominicos, le aconsejaron y animaron para que siguiera, cosa que hizo de mil amores, aunque con muchos problemas y fuerte y variada oposición. Esta importancia por la rapidez de las fundaciones se acrecienta, si a ellas sumamos las de los catorce conventos masculinos reformados, surgidos al tiempo que los femeninos. La cabeza visible de estos fue S. Juan de la Cruz, pero también fue Sta. Teresa la impulsora real de los mismos, como sabemos bien en el caso del primero, Duruelo, y es que los femeninos sirvieron de modelo y estímulo para los masculinos.

Como suele ocurrir en toda obra humana nueva, y las fundaciones lo fueron, el ponerla en marcha es uno de los momentos más difíciles por la novedad, desconocimiento y no saber cómo afrontar los problemas existentes y, sobre todo, los que surgen sobre la marcha, como ocurrió en el caso de las fundaciones de Santa Teresa. Esta rapidez en la puesta en marcha y la solución de los muchos problemas que se le iban planteando hacen pensar que no eran tales problemas sino pequeñas adversidades, cosa que no es cierta. Basta recordar que S. Juan estuvo en la cárcel por este motivo, y la Santa estuvo casi siempre en el punto de mira de dicha institución. Por motivos en principio menos importantes y trascendentes, aunque también estaba por medio el odio de sus contrincantes, Fr. de Luis de León y Fr. Bartolomé de Carranza estuvieron en la cárcel. A Sta. Teresa intentaron meterla varias veces y ella misma eliminó varios escritos antes de sacarlos a la luz, porque preveía que iban a causarle grave daño ante la Inquisición. Pero no lo consiguieron, lo que dice mucho a favor de su inteligencia y habilidad, demostrada también por otros muchos motivos a lo largo de su ajetreada y complicada vida, así como a favor de la viabilidad de la reforma. Conociendo su agitada y compleja biografía, es más importante, llamativo y favorable para la Santa el que no lo consiguieran, ya que confirma el interés y utilidad de la reforma.

Fr. Luis de León y Fr. Bartolomé de Carranza, dos ilustres personajes procesados por la Inquisición.

S. José, primer convento de carmelitas reformado, interesante por diferentes motivos

La rapidez en la fundación de los conventos reformados, diecisiete en 20 años, además de los catorce masculinos, hace pensar que fue fácil llevarlo a cabo. No fue así, pues empezó a ver las deficiencias de la vida religiosa poco después de profesar en 1535 y la necesidad de hacer algo para mejorarla mucho antes de realizar la fundación del primer convento en 1562. También sentían la necesidad de mejorar la vida conventual otras hermanas y, junto con ellas, va confeccionado lo que será la primera comunidad de carmelitas reformadas y el primer convento en el que vivan, S. José en Ávila. La oposición surgió al unísono, al plantear la necesidad de hacer algo para cambiar el tipo de vida conventual al uso, pero con el que estaba de acuerdo mucha gente, porque, además del tema religioso, resolvía un importante problema social, pues daba acogida a muchas mujeres solas, solteras y viudas que encontraban amparo en una sociedad machista cien por cien. La oposición fue temprana y fuerte como lo confirma el que, para construir el convento de S. José, hizo creer que lo que estaba haciendo era una vivienda para su hermana pequeña, Juana, que se encargó de hacer la obra por tal motivo, excepto la iglesia que es posterior, 1602. Era consciente de esta oposición permanente y por eso toma medidas, como así lo manifiesta: *Ellos no sabían para lo que era, que de esto traía yo grandísimo cuidado, que hasta tomar la posesión no se entendiese nada; porque ya tengo experiencia en lo que el demonio pone por estorbar uno de estos monasterios.* Concluyó el 24-VIII-1562, fecha en que entró la primera comunidad de carmelitas descalzas, cuatro hermanas y Sta. Teresa. Su forma de vida era radicalmente diferente a la que se llevaba en los conventos al uso que, más bien, eran residencias femeninas, con gran libertad de acción y notorias diferencias entre ellas, cosa que no ocurrirá en los conventos reformados, donde además se llevará una vida conventual muy diferente, bastante estricta y rigurosa.

Los conventos reformados serán muy diferentes de los anteriores, no solo en su aspecto material, sino en la vida conventual de la comunidad como recoge Sta. Teresa en las reglas. Las diferencias respecto a los anteriores empiezan con las condiciones para profesar. En los reformados no se les exigirá dote, limpieza de sangre ni se establecerán diferencias entre las monjas por su procedencia social, cosa que sí ocurría antes. La comunidad será pequeña, entre 10-15 monjas, y se les exigirá estricta clausura y, dentro de ella, más dedicación a la oración, silencio, recogimiento, más ayuno y abstinencia y una forma de vida más sacrificada en el comer y vestir, para lo que emplean tres colores simples y discretos, blanco, negro y marrón. Considera que para el nuevo modo de vida conventual se requiere también el marco adecuado, y así lo hace al establecer las características generales de los nuevos conventos que tendrán su repercusión en la configuración urbana del barrio urbano en el que los levanten. *La casa sea pequeña y las piezas bajas, cosa que cumpla a la necesidad y no sea superflua. Fuerte lo mas que pudieren y la cerca alta y campo dentro, para hacer ermitas para la oración, conforme a lo que hacían nuestros padres...* Junto con el rigor y la seriedad en lo anterior no le falta un toque de humor y pragmatismo, cuando dice: *Utilicen materiales ligeros para que hagan menos ruido y daño cuando se caigan.* Vemos que las líneas generales de la reforma carmelitana abarcaban aspectos muy variados, religiosos, sociales, humanos y urbanos, que tendrán continuidad en el Carmelo y los imitarán otras órdenes. Se explica así que su influencia religiosa, social, cultural y hoy turística haya sido grande e interesante y merezca ser estudiada para sacar de ella el mayor provecho posible.

Como ya he comentado antes, la gestación de la reforma fue larga y eran conocedores de cómo iba gentes diversas, algunas de ellas importantes, que serán las que apoyen a la Santa a seguir adelante. Según parece, lo que la animó a poner en marcha la reforma que venía preparando hacía tiempo fue la campaña iniciada por Felipe II para unificar fuerzas contra la reforma luterana en auge entonces en Centroeuropa y contra los intereses españoles en aquellas tierras. Con muchos problemas desde el primer momento, pues la oposición empezó al tiempo que la Santa inició la reforma, y poco después inauguró el primer convento, el de S. José, el 24-VIII-1562, día de S. Bartolomé. Era pequeño, sencillo, como deseaba la Santa y con los problemas de no estar construido sobre un solar despejado, sino que unía como podían varias casas, con diferente ordenación, niveles y pasos angostos para su uso en común. Es el convento que mejor recoge el ideal monástico que deseaba la Santa con su reforma, caracterizada por la sencillez, austeridad y adecuación para favorecer la oración, silencio y vida conventual. En los que levantó después influyeron otras motivaciones, relacionadas con los patrones, mecenas y otras circunstancias, pero mantuvieron, en general, la línea iniciada con el de S. José. Por eso, la incidencia urbana de estos conventos ha sido escasa, al no tener construcciones grandes, torres ni campanarios y predominar la tapia que los separaba del entorno.

Convento de S. José en Ávila, 1562.
Primero reformado y prototipo de la reforma.

Fachada y patio del mismo.

Son muchos los que se han interesado por estudiar la vida y obra de Sta. Teresa desde diferentes perspectivas, pues interés tiene para hacerlo en cualquiera de ellas. Es lo que hace el escritor albense J. L. Robledo, quien nos cuenta las razones que la llevaron a impulsar la reforma, y el tiempo y los esfuerzos que le dedicó a ella, antes de dar el primer paso, lograr la primera fundación, los problemas que tuvo, también los que la siguieron y apoyaron, y las controversias que suscitó la fundación del primer convento, entre otras razones, porque era mujer la que lo hacía. Estaba descontenta con la relajación de las normas que en 1432 habían sido mitigadas por Eugenio IV. Teresa decidió reformar la Orden para volver al espíritu inicial, con la austeridad, pobreza y clausura que consideraba el auténtico espíritu carmelitano. Pidió consejo a S. Francisco de Borja y S. Pedro de Alcántara, que aprobaron su espíritu y su doctrina. Después de dos años de luchas llegó a sus manos la bula de Pío IV autorizándola a levantar el convento de San José en Ávila.

Se abrió el 24 de agosto de 1562, tomaron el hábito cuatro novicias en la nueva Orden de las carmelitas descalzas; hubo alborotos por tal motivo, ya que rompía con un modelo de convento y forma de vida que tenía mucha aceptación social entonces, al solucionar el problema a muchas mujeres que vivían solas y sus familias. Se le obligó a la Santa a regresar al convento de la Encarnación, y, calmados los ánimos, vivió Teresa cuatro años en el de San José, con gran austeridad. Las religiosas seguidoras de la reforma de Teresa tenían una forma de vida muy diferente a la habitual entonces en conventos femeninos, ya que dormían sobre un jergón de paja, llevaban sandalias de cuero o madera, sin protección alguna para el crudo invierno abulense, consagraban ocho meses del año a los rigores del ayuno y se abstenían por completo de comer carne. Además, no había distinción social ni favoritismo alguno dentro de la comunidad y, así, Sta. Teresa renunció explícitamente y no quiso para ella ninguna distinción, antes bien, siguió confundida como una más.

Monumentos abulenses destacados: S. Vicente, Cuatro Postes, murallas y Catedral.

Como es sabido, Ávila es el principal centro teresiano, al profesar aquí Sta. Teresa, pasar toda su vida religiosa, 47 años, entre los conventos de Gracia, la Encarnación y S. José, primero de los reformados, y tener muchas e interesantes instalaciones teresianas: el convento de carmelitas descalzas sobre el que dicen que es la casa de Sta. Teresa, cosa que no es cierta al no haber nacido aquí la Santa; la iglesia de S. Juan, donde dicen que fue bautizada (¡¡??), cosa que no está demostrada ni podrán hacerlo; los conventos citados antes en los que transcurrió su larga, activa e interesante vida religiosa; los Cuatro Postes, donde los recogió su tío cuando se iban a tierra de moros para ser martirizados, y el monasterio de Sto. Tomás, de dominicos, de los que varios fueron sus influyentes confesores en la puesta en marcha y desarrollo de la reforma. Además de los monumentos teresianos, cuenta con otros también interesantes al ser Ciudad Patrimonio, como sus conocidas murallas medievales, la catedral, varias iglesias, como la de S. Vicente, y diversos palacios que harán disfrutar a quien la visite con las fundaciones de Sta. Teresa. No es objetivo de este trabajo comentar los monumentos de cada lugar, cuya explicación además está en muchas guías que hay en el mercado. A una cualquiera de ellas remito a quien haga esta ruta y necesite información adecuada de cada uno de los lugares por los que pasa.

La ruta por Segovia y Soria. Interés paisajístico e histórico-monumental

Según el itinerario establecido antes para hacer la ruta de forma racional y práctica, ahora sigue hacia Segovia, donde la Santa levantó su novena fundación en 1574. La ruta discurre por la vertiente septentrional del Sistema Central y corta muchos pequeños ríos procedentes de dicha cordillera, que dan variedad e interés paisajístico al recorrido. Pasa por Villacastín, núcleo histórico con una interesante iglesia herreriana, conocida como la catedral de la sierra. Todas las fundaciones de la Santa, excepto la de Alba, fueron problemáticas, como si fuera una condición previa obligada y algo natural, pero las de Ávila y Segovia se llevaron la palma. En esta última los problemas vinieron de la oposición del canónigo provisor de la catedral, al sentirse ofendido porque no le habían consultado hacer la fundación. Interrumpió airadamente la primera misa oficiada por S. Juan de la Cruz y amenazó con prohibir la apertura. Se superó el mal trago inicial y el convento incrementó su importancia poco después, al recibir a las hermanas del convento de Pastrana que habían tenido que cerrar por enfrentamientos con la intrigante princesa de Éboli, interesada en entrometerse en las nuevas fundaciones, cosa que la Santa no consintió y por eso cerró el convento poco después. La comunidad de Segovia se enorgullece porque en él comenzó la Santa la escritura de su conocido libro de *Las moradas*.

Convento de carmelitas descalzas, novena fundación, Catedral y Alcázar de Segovia. Ciudad Patrimonio.

Segovia no tuvo más relaciones con la Santa, pero sí con su principal colaborador, S. Juan de la Cruz. Este tuvo estrecha relación en Granada con un matrimonio segoviano que le ofrecieron levantar un convento en su ciudad, cosa que hizo el Santo en 1588, y permaneció al frente del mismo tres años en que fue expulsado al lejano convento de las Pedrezuelas en la Carolina, Jaén, donde enfermó y murió poco después en Úbeda. El citado matrimonio, con mucha oposición por parte de los de Úbeda, se llevó sus restos y los enterró en el convento que habían fundado en Segovia y allí han permanecido hasta hoy. Ocurrió entre Úbeda y Segovia algo parecido a lo que había pasado poco antes con los restos de Sta. Teresa entre Ávila y Alba. Por tal motivo, Segovia también tiene bastante interés en el mundo carmelitano. Pero su mayor importancia histórico-monumental y turística deriva de su brillante pasado histórico, que le ha valido su nominación como Ciudad Patrimonio de la Humanidad en 1985. De antiguo origen, registró notable desarrollo bajo los romanos que levantaron el conocido, secular y singular acueducto. Mantendrá su importancia tras la repoblación medieval, de donde le viene su riqueza histórico-monumental con la catedral gótica, el interesante alcázar, varias iglesias, conventos y palacios, realzado todo por su singular emplazamiento en lo alto de un cerro, entre la confluencia del Eresma y el Clamores, reconocido todo ello como Ciudad Patrimonio.

Convento de carmelitas descalzos, junto a Segovia, con el panteón de S. Juan de la Cruz.

La ruta continúa hacia Soria por tierras y lugares parecidos a los existentes para llegar a Segovia. Cruza serrezuelas que se desprenden del Sistema Central y arroyuelos procedentes del mismo que dan variedad e interés paisajístico a estas tierras. La accidentada orografía de la presierra y la pobreza de los suelos han hecho, como en varias otras zonas de Castilla y León, que la emigración haya sido intensa, y junto al olvido por parte de la administración durante mucho tiempo, hace que la despoblación amenace a muchos lugares, pues a su escasa población se unen su acentuado envejecimiento y el carácter regresivo de su crecimiento demográfico natural desde hace mucho tiempo. No se ha producido esto de casualidad, sino que ha sido consecuencia de una serie de causas naturales y humanas que están magistralmente recogidas por M. Delibes en el siguiente texto: *Un suelo pobre como el nuestro, dependiente de un cielo veleidoso y poco complaciente, unido a una política arbitraria que permite subir el precio de la azada pero no el de la patata, y al recelo proverbial del hacendado castellano, cicatero y corto de iniciativas, que prefiere, por más seguro y rentable, invertir en la industria los menguados beneficios del campo, han dejado a Castilla sin hombres ni dinero, en tanto que la mucha energía que produce, sin aplicación posible en la región, alimenta a la industria ajena para ya, metidos de lleno en delirante círculo vicioso de contradiciones y aprovechando la desertización de alguna de nuestras provincias y su nula capacidad de protesta por tal motivo, se ha dispuesto la instalación de centrales nucleares, con el objetivo de continuar sosteniendo el desarrollo del vecino, con el riesgo propio. Se cumple así aquel viejo dicho de que Castilla hace sus hombres y los gasta.* Difícilmente se puede hacer una radiografía más resumida y perfecta de lo que ha ocurrido en Castilla y nos ha llevado a la penosa situación económica y demográfica en la que estamos.

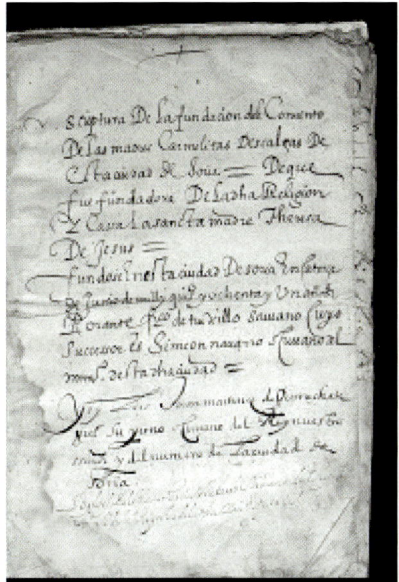

Escritura de la fundación del convento de carmelitas descalzas, Soria, 1571.

Despoblación de núcleos rurales, cosecuencia de lo ocurrido en la región
en la segunda mitad del siglo XX.

Al margen de la difícil situación del mundo rural regional y por donde pasa la ruta, al haberle afectado duramente las causas que señala M. Delibes en su cita, se trata de una zona con muchos e interesantes recursos turísticos, naturales e histórico-monumentales. Esto se debe a que la ruta pasa por media docena de Conjuntos Históricos: Pedraza, Riaza, Ayllón, S. Esteban de Gormaz, Burgo de Osma y Calatañazor. Son tierras con gran importancia hasta el siglo XVI, por su estratégica situación entre Navarra, Castilla y Aragón, pero que la perdieron al unirse los tres reinos con los RR. CC. También fueron importantes con el desarrollo de la Mesta, al ser Soria cabecera de varias cañadas ganaderas. De todo esto deriva su interés histórico-monumental actual, con destacadas iglesias románicas como Sto. Domingo y S. Juan de Rabanera; claustro de S. Juan del Duero; el renacentista palacio de los condes de Gomara; casonas y museos que hacen grata, además de tranquila, la visita a Soria, como lo fue para Sta. Teresa en su tiempo.

Quien hace esta ruta, creada para conocer las fundaciones teresianas, es consciente de que la está haciendo por primera vez de acuerdo con lo que escribió A. Machado, que conoció bien estas tierras: *Caminante, son tus huellas / el camino y nada más; / caminante no hay camino, / se hace camino al andar*. Se trata de tierras con clima duro, consecuencia de la elevada altitud media, Soria está a 1090 metros, y de su condición de tierras de interior, lejos del mar y de las suaves influencias oceánicas. Así lo dicen los conocidos versos del citado autor, A. Machado, que dicen: *¡Soria fría, Soria pura, / cabeza de Extremadura, / con su castillo guerrero, arruinado sobre el Duero; / con sus murallas roídas / y sus casas denegridas.* Es a las tierras de Soria, más que a las de Castilla, a las que se le pueden atribuir los extraordinarios versos de J. Maragall en su *Himno Ibérico*, 1906 y que dicen: *Sola, en medio de los* campos, / tierra adentro, ancha es Castilla. / Y está triste; solo ella / no ve los mares lejanos. / Habladle del mar, hermanos!...

La fundación teresiana de Soria fue de las pocas en las que Sta. Teresa no tuvo problemas para encontrar a alguien que les facilitara instalaciones adecuadas y, además, contaron con el apoyo del obispo, que había sido confesor de la Santa y les facilitó una iglesia. Esto era una novedad, porque era habitual lo contrario y de manera manifiesta. Quizás por eso lo cuenta gustosamente la Santa en *Las Fundaciones*, cuando dice: *Llámase esta fundadora D.ª Beatriz de Beamonte, de los reyes de Navarra, de claro linaje y muy principal. Casada algunos años, no tuvo hijos y quedóle mucha hacienda y hacía mucho que quería fundar un monasterio de monjas. Lo trató con el obispo y él le dio noticia de nuestra Orden, cuadróle tanto que le dio gran prisa para que se pusiese en efecto. Es una persona de blanda condición, generosa, penitente; en fin, muy sierva de Dios. Tenía en Soria una casa buena, fuerte, y dijo que nos daría aquella, con todo lo que fuese menester para fundar. El obispo se ofreció a dar una iglesia harto buena, toda de bóveda, que era de una parroquia que estaba cerca, que con un pasadizo nos podía aprovechar. Y púdolo hacer bien, porque era pobre y allí hay muchas iglesias.* Fue inaugurado el 14-VII-1581 y la comunidad ha vivido tranquila hasta hoy, con escasas excepciones por la llegada de los franceses.

Retrato de A. Machado.
L. Oroz.

S. Esteban de Gormaz, Conjunto Histórico, con valle del Duero al fondo.

Además de la monumentalidad soriana, el Duero es otro destacado elemento urbano al que han dedicado sus poemas escritores como A. Machado y G. Diego quien, en su *Romance del Duero*, dice así: *Río Duero, río Duero, / nadie a acompañarte baja, / nadie se detiene a oír / tu eterna estrofa de agua. / Indiferente o cobarde / la ciudad vuelve la espalda. / No quiere ver en tu espejo / su muralla desdentada.* Otros escritores, ven al Duero, y en general a todos los ríos, como algo muy influyente en nuestra historia, modos de vida, paisajes y recursos. Tal es el caso de J. Turbado que dice así del Duero: *Un río como el Duero es mucho más que agua en movimiento o represada, mucho más que un recurso de utilidad humana, amenaza posible en tiempos de lluvia, consuelo en los de sequía, línea azul en los mapas, símbolo de vida, vía de comunicación que unió a los pueblos ribereños o los aisló con foso de frontera. Es el relicario de miles de nostalgias e historias, el espíritu de todas las tierras que en él se enjugan, el eco de sonrisas y lágrimas que en él se vierten.* Esta es la verdadera realidad de nuestros ríos, mucho más que meros cursos de agua.

Convento de carmelitas descalzas y Plaza Mayor de Soria.

La ruta hacia Burgos, bordeando el Sistema Ibérico y el curso alto del Duero

La ruta sigue bordeando la cuenca del Duero por el este, margen derecha del curso alto de dicho río y cruzando las serrezuelas que accidentan estas tierras, por S. Leonardo de Yagüe, Salas de los Infantes y cerca de Sto. Domingo de Silos y Quintanilla de las Viñas. Deja a su derecha el pantano de la Cuerda del Pozo, en la cabecera del Duero y, a su izquierda, el parque natural del Cañón del Río Lobos que merece visitarlo y del que dicen los versos: *Río Lobos, Río Lobos / tus recuerdos me son gratos / los parajes que tú encierras / nunca podré yo olvidarlos. / En tus aguas cristalinas / de «las Fuentes» para abajo / abundaban los cangrejos, / truchas finas y los barbos. / Águilas, zorros y buitres, / tejones, buhos y grajos / campean en ti a sus anchas / por tus cuevas y picachos, / donde la mano del hombre / todavía no ha llegado.* Interesantes paisajes hay también a la derecha de la ruta, en el pantano Cuerda del Pozo, cabecera del Duero. Se mantienen estas características hasta llegar a Burgos, tierras cantadas por poetas, como A. Machado en *La tierra de Alvar González* donde dice: *La hermosa tierra de España, / adusta, fina y guerrera, / Castilla, de largos ríos, / tiene un puñado de sierras / entre Soria y Burgos como / reductos de fortaleza, / yelmos crestoneados, / y Urbión es una cimera.*

Ermita S. Bartolomé, Cañón del Río Lobos.

La tranquilidad de la fundación soriana contrasta con la conflictiva de Burgos, a pesar de ser la última, 1582, y de que ya tenía experiencia para evitar los problemas habituales, cosa que no logró. Era una de las fundaciones ansiada, por la importancia de Burgos entonces, aunque tardó en encontrar las condiciones adecuadas hasta levantar un convento. Tuvo mucha oposición del arzobispo, C. Vela, pero no se rindió hasta conseguirlo, aunque en condiciones deplorables. Primero se alojaron en casa de su benefactora, Dña. Catalina de Tolosa, y después en un altillo del hospital de la Concepción, pequeño, obscuro, maloliente y sucio, de lo que no se libraban las monjas pues, como decía la M. Ana de Jesús, *verbeneaban de piojos.* Hasta tener convento propio, la comunidad iba a misa a la iglesia de S. Gil. En el convento hay una Sta. Teresa de G. Fernández, con pluma y un libro, y la pintura de un Cristo, según indicaciones de la Santa después de una visión.

En tiempos de la Santa, Burgos todavía era, junto con Medina del Campo, una de las ciudades de Castilla con más actividad económica, gracias al auge de sus ferias y mercados y de la industria lanera. De ahí su importancia histórica y riqueza monumental, con edificios entre los más interesantes de España en su género: su catedral gótica, siglo XIII, destacada en su tiempo y estilo, otro tanto puede decirse del monasterio de las Huelgas Reales, siglo XII; varias iglesias y casonas, y el arco de Sta. María. A cinco kilómetros está la famosa Cartuja de Miraflores, con la que Burgos ofrece un conjunto de monumentos que hacen las delicias del más exigente visitante que haga esta ruta. Los lugares interesantes que encontrará son muchos, pero es indudable que la visita a Burgos, junto con su gastronomía y lo cultural expuesto antes, está entre las primeras de la ruta.

Catedral y Plaza Mayor de Burgos y convento de carmelitas descalzas, última fundación de la Santa.

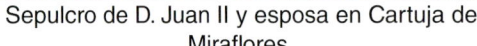

Sepulcro de D. Juan II y esposa en Cartuja de Miraflores.

Sta. Teresa increpada en Burgos por la gente.

Cambio de dirección y paisaje: Burgos-Palencia. Campiñas en lugar de presierras y parameras

Siguiendo el trazado de la ruta por un itinerario racional que recorra todas las fundaciones de manera ordenada, en Burgos cambia la dirección, al tener que ir a Palencia, que está al suroeste, pues al norte de Burgos no hay ninguna fundación. Junto con la dirección de la ruta cambia, y mucho, el paisaje por el que discurre. Se abandonan las presierras y valles de los riachuelos que bajan del Sistema Central y el Ibérico, con una morfología ondulada, para seguir por el corazón de las campiñas cerealistas, que ocupan la cuenca del Duero desde Burgos hasta Alba de Tormes y entre las que está la conocida Tierra de Campos, entre otras comarcas. Se impone el paisaje de llanuras a diferente nivel, páramos, campiñas y riberas fluviales, que le dan variedad y unas características muy diferentes a las del tramo anterior, desde Ávila a Soria y Burgos. Así lo pone de manifiesto el gran escritor y experto en el paisaje y gentes de estas tierras, M. Delibes, que dice: *Tales afirmaciones, cielo alto y tierra llana, uniforme, la impresión de infinitud y vacuidad que su paisaje produce en el forastero, se refieren a la Castilla llana y, más propiamente aún a la de Tierra de Campos. Esta Castilla, la Castilla árida y desamueblada, dotada de elementos mínimos, es la Castilla de Unamuno, Azorín y Machado, la Castilla espectacular por la carencia de ornato, por la falta total de espectáculos: el mar de surcos, el páramo pedregoso, los sombríos montes de encinas, los pueblecitos de adobes, rodeados de bardas con la esquemática pobeda sombreándolos, los cerros motilones pespunteados por una docena de árboles raquíticos y las hileras de chopos flanqueando marcialmente el hilo escuálido, invisible, de un regato.* Al leer el texto anterior, es tan magistral y real la descripción que se tiene la idea de estar viendo lo que describe su autor.

Monotonía morfológica, predominio de uso agrícola del suelo y palomares, características destacadas del pasiaje.

Palencia no era de los lugares en los que la Sta. tuviera interés por fundar un nuevo convento, pero cambió de intención al ser nombrado obispo de dicha ciudad su gran protector, el que lo era de Ávila cuando fundó S. José y siempre la apoyó y protegió, D. Álvaro de Mendoza. Además, partió de él la idea de ponerlo en marcha, en 1580, cosa que agradó a Sta. Teresa. Así lo manifiesta cuando dice: *Habiendo venido de la fundación de Villanueva de la Jara, mandome el prelado ir a Valladolid, a petición del obispo de Palencia, que es D. Álvaro de Mendoza, que el primer monasterio, el de S. José de Ávila, lo aprobó y favoreció y siempre, en todo lo que toca a esta Orden, la favorece. Y como había dejado el Obispado de Ávila y pasádose al de Palencia, púsole Nuestro Señor en voluntad que allí hiciese otro convento de esta sagrada Orden.* Quizás por esto, la habitual oposición a la nueva fundación tampoco fue mucha ni violenta, como en otros lugares, al contar con el beneplácito del obispo y de varias personas influyentes, y con recursos, como el fue el caso de dos canónigos que la apoyaron también. La misma Sta. Teresa se encuentra sorprendida y así lo manifiesta: *Es la cosa más extraña que he visto; no hubo ninguna persona que le pareciera mal. Mucho ayudó lo que quería el obispo, por ser allí muy amado y estar de acuerdo con nuestros proyectos. La gente es de la mejor masa y nobleza que yo he visto.*

La fundación del convento palentino coincidió con el final de los momentos más violentos con los carmelitas contrarios a la reforma, al haber dispuesto el papa su separación en dos órdenes diferentes, *calzados y descalzos*. La Santa manifiesta, en su libro *Las Fundaciones*, la satisfacción que esto le produce: *Estando en Palencia, fue Dios servido que se hizo el apartamiento de los calzados y descalzos, haciendo provincia por sí, que era todo lo que deseábamos para nuestra paz y sosiego. Ahora estamos todos en paz unos con otros. No nos estorba nadie a servir a nuestro Señor.* Tal enfrentamiento fue una cuestión que le causó gran dolor a la Santa y muchos problemas, como manifiesta en varias ocasiones.

La fundación se hizo de forma provisional en una casa alquilada, en el corazón del populoso barrio de la Puebla, al sureste de la ciudad, en la actual calle Colón. Teresa y sus compañeras lo prepararon todo para, al amanecer del día 29 de diciembre de 1580, inaugurar la capilla y el pequeño convento. El presbítero Porras, capellán de las carmelitas descalzas de Valladolid, celebró la primera misa, y quedó constituida la comunidad. Posteriormente el obispo les propuso trasladarse junto a la ermita de Nuestra Señora de la Calle para establecer allí la comunidad. Con gran solemnidad el día 26 de mayo de 1581, festividad de Corpus Christi, se realizó el traslado de la comunidad a su nueva casa, en la calle de Nuestra Señora, actual de San Bernardo, junto a la ermita de Ntra. Señora de la Calle.

Los diez primeros años, hasta 1591, la comunidad palentina estuvo en lugares transitorios. A partir de esa fecha fue estable, aunque era un edificio modesto, pero en el que estuvieron hasta 1972, en que lo abandonaron por encontrarse en bastante mal estado y rodeado de edificaciones, grandes y

Museo teresiano en el convento de Palencia.

El abad de S. Isidro bendiciendo la escultura de la Santa. Palencia, 2015.

modernas. Se trasladaron fuera de la ciudad, a un edificio moderno y funcional, en la carretera de Burgos, como hicieron también las carmelitas de Salamanca por esas fechas e igual motivo. El nuevo convento de carmelitas descalzas de Palencia no tiene interés cultural y turístico, pero sí por su relación histórica con la Santa y, además, por la existencia de varios monumentos interesantes en la ciudad. En lo histórico hay que recordar que en Palencia empezó a funcionar la primera Universidad española en 1212, fundada por Alfonso VIII. Diversas causas, la muerte del rey en 1214 y, sobre todo, por tener solo estudios de Teología, hicieron difícil su evolución y continuidad. Pocos años después desapareció, y se convirtió la de Salamanca, fundada en 1218, en la más antigua, aunque los de Valladolid, sin razón ni reparo alguno, dicen que son los continuadores de la palentina (¡¡??), a pesar de que transcurrieron bastantes años entre el final de una y el comienzo de la otra, y de que varios profesores palentinos se incorporaron a Salamanca, al volver a unirse Castilla y León, por lo que no hay duda que fue también su sucesora.

Consecuencia de la importancia histórica de Palencia, como de todas estas tierras, es la existencia de algunos monumentos que merecen ser visitados. Destaca la catedral, gótica de transición, conocida como la bella desconocida. En ella está la capilla mayor, con un interesante retablo en el que hay doce tablas de Juan de Flandes y Felipe Bigarny. El coro está rodeado de una artística reja y hay en él una sillería del siglo XV. En el trascoro hay esculturas de piedra y bajorrelieves de Gil de Siloé, y en la sacristía un S. Sebastián del Greco. Hay otras muchas piezas interesantes en diferentes capillas y en la cripta de S. Antolín, visigoda, siglo VIII. No le defraudará a quien la visite.

Por la ribera del Pisuerga, campiñas cerealistas y vinícolas del Duero y ciudades histórico-monumentales

Pasada Palencia, la ruta teresiana de las fundaciones continúa hacia el sur cruzando la monótona pero grandiosa Tierra de Campos, tema para muchos y buenos escritores, propios y foráneos, atraídos por su grandeza, sobre todo, por las brillantes páginas históricas escritas por sus gentes, que atraviesan ahora uno de los peores momentos de su larga historia, por el olvido, escasez de inversiones, marginación, expolio y emigración que vienen sufriendo desde hace algún tiempo. Por tal motivo, la emigración, sobre todo en el mundo rural, está provocando la regresión demográfica regional, que se acelere su alto grado actual de envejecimiento y la despoblación de muchos pequeños e históricos pueblos, surgidos tras la reconquista de estas tierras a los árabes entre los siglos IX y XII. Pero su serena belleza paisajística, la integridad de sus gentes, su abundante y variado patrimonio histórico-monumental, cultural y gastronómico y turístico está presente en sus pueblos y ciudades, repletos de historia y monumentos. El citado Prof. M. de Terán, como siempre, nos ofrece una interesante síntesis geográfica: *Al pie de los páramos palentinos y entre estos y la ribera del Duero, se extiende la campiña, con altitud entre 700-800 m, unos cien menos que aquellos, con algunas formas residuales de alcores, altozanos, visos o cuestas. La mayor parte forma la conocida Tierra de Campos, antiguo territorio de vacceos y visigodos, pioneros de la multisecular actividad agraria actual de estas tierras.*

Paisaje agrario de Tierra de Campos y Canal de Castilla, para mejorar la economía de estas tierras, y hoy interesante recurso turístico.

Pero esta antigua e importante actividad humana sigue teniendo una gran dependencia del clima, pese a los avances de todo tipo, como señala M. Delibes: *El tiempo continúa siendo, a pesar del tractor, selección de semillas y otros muchos avances, el gran protagonista del campo castellano...* Elabora después una interesante y peculiar teoría y metáfora para explicar el profundo azul celeste de estas tierras: *Castilla sigue dependiendo del clima hasta tal punto que, si el cielo de Castilla parece tan alto, es porque lo han levantado los campesinos de tanto mirarlo para ver si llueve.* ¡Genial y expresiva interpretación!

Mucho antes de que M. Delibes nos deleitara con su imaginativa metáfora, el maestro de los paisajes castellanos, Azorín, describía estas tierras que, como otros muchos de la Generación del 98, consideraba fundamentales en la historia de España y que eran imprescindibls para el resurgir de nuestro país, cosa que no se ha tenido en cuenta, y así nos va. Decía así: *En aquel mar endurecido, las torres lejanas parecen velámenes de barcos que se han quedado inmóviles al petrificarse el mar en que navegan. Casas lejanas parecen velámenes de barcos que se plantaron al construir la carretera, no logran romper la uniformidad plana de aquel suelo que se revela contra todo lo que pretende alterar su quietud, su horizontalidad lacustre y su tristeza reconcentrada, ensoñadora. Es el paisaje elemental, el descanso de los ojos y el suplicio de la imaginación.* Dentro de estas características paisajísticas generales de estas tierras, con los elementos que aparecen en la siguiente fotografía, hay que destacar, además, algunos elementos de gran importancia paisajística y geográfica, como son ciertos aspectos derivados de la antigua e intensa pero respetuosa con el medio natural actividad humana, tales como viñedos, palomares, castillos y un poblamiento con muchos, pequeños y cercanos pueblos entre sí que encontramos en ellas. Sin duda, la abundancia e importancia de los castillos en nuestra historia y el paisaje explican que le dieran nombre, como recogen los versos de la coplilla popular: *Galeras de castillo señoriales, / reliquias de la historia y la aventura, / que guardan la quietud de la llanura / por encima del mar de los trigales.* Hoy también han adquirido destacada importancia en la ruta, paisajística, económica y turística, los viñedos, tras muchos años de eficaz presencia en estas tierras. No se pueden recorrer estas campiñas del Duero, aunque sea por un motivo cultural

Imágenes frecuentes en estas tierras: castillos, iglesias románicas, caseríos presididos por torres de iglesia y cereales con avutardas.

y religioso como el de la ruta teresiana, sin hacer referencia destacada a estos elementos y a los muchos y pequeños pueblos que hay en ella y que están atravesando el peor momento de su larga e interesante historia.

Tras este recorrido desde Palencia a Valladolid, por uno de los espacios geográficos más representativos y conocidos de la península, como son estas tierras centrales de campiñas cerealistas y de viñedos cruzadas por el Duero, se llega a una de las ciudades históricas más importantes del mismo, Valladolid, y que se ha acrecentado hoy gracias a la peculiar y anárquica ordenación territorial de las comunidades autónomas y por ser la capital real, que no oficial, de la que agrupa a la mayor parte de las antiguas tierras de Castilla y León, en la mitad norte de España. Tiene uno de los mejores emplazamientos en el centro de la citada cuenca del Duero, junto con Medina del Campo y Tordesillas y, desde hace medio milenio, ha sabido aprovecharlo para convertirse en el principal núcleo urbano en la citada cuenca fluvial. De aquí deriva su importancia histórica, al haber sido cuna de varios reyes, Enrique IV y Felipe II, lugar de celebración del matrimonio de los Reyes Católicos, ciudad importante en el movimiento comunero, y especialmente trascendente en tiempos de Felipe III, con el que fue capital del Imperio, 1601-06, y sufrió las consecuencias cuando perdió tal categoría a favor de Madrid, traspiés que aún no han superado sus habitantes. Su buena situación en la cuenca del Duero, el apoyo de la administración y la habilidad de sus gentes, como en el caso de la capitalidad de la CC. AA., le han permitido recuperar importancia y, unido a ser el centro político de la comunidad autónoma de Castilla y León, ha vuelto a recuperar parte de su condición de núcleo importante en la región en detrimento de otras ciudades castellanas como Salamanca, Burgos y León.

Grabado de Valladolid, contemporáneo de la Santa, 1564. Braun y Hohenberg.

Retrato de Felipe II.
Tiziano.

Palacio de los Pimentel e iglesia de S. Pablo, donde
nacióo y fue bautizado Felipe II.

Su importancia histórica explica su interesante patrimonio histórico-monumental, pese al pavoroso incendio que sufrió en 1507, del que logró recuperarse por el papel político que desarrollaba entonces y el interés de Felipe II y Felipe III por ella, particularmente el valido de este, el duque de Lerma. Una simple relación de los monumentos más importantes que hay en la ciudad ratifica su interés actual, monumental, cultural y turístico, aunque no ha logrado ser Ciudad Patrimonio. Tal es el caso de la iglesia románica de La Antigua; el colegio de S. Gregorio, hoy museo nacional de escultura, con colecciones muy interesantes, al igual que el edificio. Cerca están el palacio de los Pimentel y la iglesia de S. Pablo, donde nació y fue bautizado Felipe II. La Universidad también cuenta con un interesante patrimonio, el colegio de Sta. Cruz y el edificio central barroco. La catedral es un producto de J. de Herrera y de ahí su sencillez y grandiosidad. El voraz incencio que sufrió la ciudad en 1507 le permitió contar en la reconstrucción con la primera plaza ordenada y regular de España y que, junto con las de Madrid y Córdoba, sirvieron de inspiración para la de Salamanca.

La importancia de Valladolid a mediados del S. XVI explica el interés de Sta. Teresa en fundar un convento, cosa que hará pronto, en 1568, y que será el cuarto de los que fundó. Contó con la generosidad de un amigo que le donó una casa con dependencias y huerta. Esto alegró a la Santa, pero tenía problemas al estar cerca del río, era húmedo e insano y fuera de la ciudad, por lo que, poco después, se fueron a otro lugar donde levantaron el convento en el que han estado hasta hoy. Lo cuenta así: *Antes que se fundase el convento de Malagón, tratando conmigo un caballero principal, me dijo que, si quería hacer monasterio en Valladolid, que él nos daría, de muy buena gana, una casa con una huerta y una gran viña dentro. Yo acepté el ofrecimiento, aunque no estaba muy determinada a fundarle allí, porque estaba junto al río y casi un cuarto de legua del lugar. Pero como lo hacía tan de gana, no quise dejar de admitir su buena obra, ni estorbar su devoción.* Cumplió con el refrán que dice: *A caballo regalado, no le mires el diente.*

Sta. Teresa mostró gran interés por todos los conventos que fundó, pero tuvo especial interés por algunos, el de Valladolid uno de ellos, por la importancia que tenía entonces la ciudad del Pisuerga, como lo ratifica que poco después sería residencia de la corte con Felipe III. La propia Santa Teresa supervisó la construcción del convento para que fuera, según su norma, austero y sencillo. Las religiosas lo ocuparon el 15-VIII-1568, pero el lugar era insano y las religiosas enfermaban, por lo que su amiga y protectora María de Mendoza las trasladó a su propio palacio en la plaza de San Pablo hasta que dispusieran de otro. Al año siguiente, 1569, compró unas casas con corral y jardín en el lugar que hoy ocupa el convento. Una vez realizadas las obras necesarias, se instalaron allí el 3-II-1569. En abril de 1614 hubo grandes celebraciones en el convento por la beatificación de Santa Teresa y en la ciudad, con corridas de toros, concurso poético, etc. Las celebraciones se repitieron en 1622 por la canonización.

Convento de Valladolid, fundado en 1568.

Interés artístico de algunas dependencias del convento.

La pequeña iglesia es de una sola nave en forma de cruz latina. El altar mayor está compuesto de dos cuerpos, el primero de orden corintio y el segundo compuesto. Junto a la iglesia está el claustro principal del convento, de planta cuadrada, y otro más pequeño entre dos muros. El resto del conjunto está cerrado por una alta tapia, con la huerta y otras dependencias. En la iglesia y otros espacios del convento poseen un interesante conjunto de obras de diferentes autores como G. Fernández, J. de Juni, Luis de Morales, A. del Sarto y Alejo de Bahía. Además, tienen en el convento varias cartas autógrafas de Santa Teresa, el códice autógrafo de *Camino de perfección*, y la celda que ocupó la Santa en sus visitas al convento, la última tres semanas antes de morir, bastante desafortunada por la mala recepción que tuvo de la priora que la despreció pese a que, además, era sobrina suya. También conservan tres ermitas en la huerta y una gran morera de tiempos de la Santa. En la tapia exterior del convento hay una cruz de madera y debajo, un lápida con una inscripción indicando la altura a la que llegaron las aguas del Pisuerga con motivo de una crecida en 1622. Como tantos otros conventos carmelitas, es sencillo pero conserva bien las características que la Santa estableció en los que fundó.

La ruta entre Valladolid y Medina del Campo. Sencillez y grandiosidad

El paisaje entre Valladolid y Medina del Campo conserva sus características de las campiñas de Tierra de Campos, pero registra un cambio importante al aparecer un elemento con bastante intensidad, las amplias y feraces riberas del Pisuerga y el Duero, que tiene que atravesar la ruta. Surge una pequeña Mesopotamia, espacio con más recursos, pues a los naturales se une la importancia de su céntrica situación, las comunicaciones que lo relacionan con la cuenca del Duero y tierras vecinas y que han estimulado la actividad humana desde antiguo. El paisaje es más variado que antes, al entremezclarse campiñas, cerros, alcores y riberas fluviales, con una intensa y variada actividad humana, en la que hay muchos lugares interesantes, por su participación histórica o importancia económica actual por la presencia de Valladolid y su área metropolitana. Fuera de esta zona con más presencia humana y de las actividades urbanas, destacan los viñedos que, antes y después de pasar por Valladolid, han dado origen a las conocidas D.O. de Cigales y Rueda.

El núcleo más importante de la ruta es Medina del Campo, aunque ha perdido su condición de destacado centro comercial y urbano del Imperio español en tiempos de la Santa, desplazada por Valladolid. En los siglos del XIV al XVI fue un destacado centro urbano en Castilla, como lo ratifican el que aquí nacieron tres reyes de Aragón, murió Isabel la Católica y fue residencia de otros, hasta que, por causas diversas, propias y ajenas, entró en decadencia y su importancia fue recogida por Valladolid y Sevilla. El mercado con América pasó a Sevilla, y Valladolid la desplazó, al erigirse en capital de provincia, cosa que no consiguió Medina. Ha sabido aprovechar tal circunstancia y otras en nuestros días, al erigirse en capital real de la comunidad autónoma de Castilla y León, sin serlo oficialmente. Todo esto ha catapultado a Valladolid hacia arriba y sumió a Medina en el estancamiento, como se deduce conociendo el dinamismo y población actuales de una y otra. Consecuencia de su importante pasado histórico Medina es Conjunto Histórico, con cierta riqueza monumental, entre la que destaca su Plaza Mayor, famosa por realizarse en ella las ferias y mercados, entre las más importantes entonces en el Imperio español y destacadas en Europa, que la convirtieron en importante escenario y referencia destacada y famosa en el Imperio español, hasta su decadencia en el siglo XIX por las causas antes citadas. Se dice que en sus ferias se empleó por primera vez la *Letra de cambio*, para que los mercaderes no tuvieran que transportatr tanto metal. Es famoso su castillo, con su imagen de solidez y recuerdos de tiempos gloriosos, la colegiata de S. Antolín, con su interesante retablo barroco y el balcón desde el que se decía misa, para que la siguieran los mercaderes desde sus puestos en la plaza. Hospital, casonas palaciegas y conventos que configuran un conjunto histórico-monumental que merece la pena visitar y recordar su interesante pasado. Pese a su modestia, también está el convento que fundó Sta. Teresa, sencillo, nada extraordinario, pero como lo anterior, recuerdo del glorioso pasado histórico de Medina del Campo. Además, cuenta con buena gastronomía y los caldos de la tierra, variados y buenos, completan el interés de su visita.

Paisaje típico de la zona con castillos, como Simancas, hoy Archivo histórico nacional, y los afamados viñedos D. O Rueda.

Vista general de Medina por Van de Vyngaerden, 1570, cuando se fundó el convento.

Casco histórico de Medina, dominado por las torres de sus iglesias.

La fundación de Medina del Campo tuvo mucha importancia para Sta. Teresa, al ser el segundo que fundaba, tras muchos problemas para abrir el primero en Ávila. Prueba de ello es que visitará Medina trece veces y el último lugar en el que estuvo antes de recluirse muy enferma en Alba, para morir poco después, fue en Medina del Campo. Con la fundación de este convento demostraba que el de Ávila no había sido una locura, fuera de lugar y sin continuidad. Además, era un éxito hacerlo en Medina, entonces una de las ciudades más dinámicas de España, por sus famosas e importantes Ferias y Mercados, en las que se utilizó por primera vez la letra de cambio para pagar y no tener que ir cargados con tantas monedas. Por tal motivo, tendría menos problemas para sobrevivir sin rentas, como era su deseo que fueran todos, si se podía. Además, esta apertura le daba mucha proyección a su obra, aunque se tratara de un convento de clausura. Lo llevará a cabo con entusiasmo, aunque tuvo problemas cuando decidió ponerlo en marcha. Ella misma lo recoge en sus comentarios en *Las Fundaciones* diciendo que se preparó un gran revuelo en Medina, cuando supieron que venían a fundar un nuevo convento. Entre los que se oponían siempre estaban los de dentro de la Orden y sobre todo por ser una mujer la que lo hacía. También los agustinos se opusieron, poniendo como justificación que estaba junto a su convento y los molestaba. En cambio, el gremio de mercaderes y comerciantes, muy importante entonces en Medina, y su presidente, el conocido Simón Ruiz, además regidor de Medina, las recibieron con los brazos abiertos.

Castillo de Medina, histórico-
monumental y en el que falleció
Isabel la Católica.

Imagen de la Plaza Mayor en un día de sus
famosas ferias.

Como ocurrió en los otros dieciséis conventos que fundó, también en este la Santa cuenta con detalle como ocurrió, los problemas que encontró para llevarlo a cabo y los apoyos que le prestaron gente importante, como el obispo de Ávila y los jesuitas de Medina del Campo. Gracias a todos y con su fuerte voluntad, lo sacó adelante con gran éxito. Dice así: *Pues estando yo con todos estos cuidados, acordé de ayudarme de los padres de la Compañía, que estaban muy aceptos en Medina, con quien traté mi alma muchos años y, por el gran bien que la hicieron, siempre los tengo particular devoción. Llámase Baltasar Álvarez y al presente es provincial. Él y los demás dijeron que harían lo que pudiesen y así hicieron mucho para recaudar la licencia del prelado y de los del pueblo. Proveyó el Señor que, una doncella virtuosa, para quien no había habido lugar en San José que entrase, sabiendo se hacía otra casa, me vino a rogar la tomase en ella. Tenía unas blanquillas, que no era para comprar casa, sino para alquilarla, como así hicimos. Sin más arrimo que este, salimos de Ávila dos monjas de San José y yo, y cuatro de la Encarnación, con nuestro padre capellán, Julián de Ávila. Cuando en la ciudad se supo, hubo mucha murmuración; unos decían que yo estaba loca; otros esperaban el fin de aquel desatino. Al obispo le parecía muy grande, aunque entonces no quiso estorbarme, porque me tenía mucho amor. Mis amigos harto me habían dicho, mas yo hacía poco caso de ello; porque me parecía tan fácil lo que ellos tenían por dudoso, que no podía persuadirme a que había de dejar de suceder bien.*

No acabaron con esto los trabajos que tuvieron que realizar para habilitar la casa derrumbada que le facilitaron hasta instalarse en ella. Nos lo cuenta de tal manera que, aunque la adecuación para lograrlo la hicieron de noche y con mucho esfuerzo, parece como si no le hubiera costado ninguno y hubiera ido todo sobre ruedas desde que llegaron a Medina, cuando más bien ocurrió todo lo contrario. Nos lo cuenta así la Santa con tal sencillez que no permite deducir la gravedad del asunto, sino el final de todo y que, al fin, están instaladas. *Llegamos a Medina del Campo, víspera de nuestra Señora de agosto, a las doce de la noche. Apeámonos en el monasterio de Sta. Ana, por no hacer ruido y a pie nos fuimos a la casa. Fue harta misericordia del Señor, que aquella hora, encerraban toros para correr otro día, no nos topara alguno. Llegadas a la casa, entramos en un patio. Las paredes harto caídas me parecieron, mas no tanto como cuando fue de día se pareció. Visto el portal, había bien que quitar tierra de él, las paredes sin embarrar, la noche era corta, y no traíamos sino tres reposteros; para toda la largura que tenía el portal era nada. Yo no sabía qué hacer, porque vi no convenía poner allí altar. Plugo al Señor que, el mayordomo de aquella señora, tenía muchos tapices de ella en casa, y una cama de damasco azul, y había dicho nos diesen lo que quisiésemos, que era muy buena. Yo, cuando vi tan buen aparejo, alabé al Señor, y así harían las demás; aunque no sabíamos qué hacer de clavos, ni era hora de comprarlos. Unos a entapizar, nosotras a limpiar el suelo, nos dimos tan buena prisa que, cuando amanecía, estaba puesto el altar y la campanilla en un corredor, y luego se dijo la misa. Esto bastaba para tomar la posesión.* Leyendo la descripción de la Santa no puede uno imaginarse la realidad de lo que les costó instalarse en Medina. Parece que fue todo sobre ruedas.

Además, con motivo de esta fundación ocurrirá algo que tendrá gran repercusión en la marcha del proyecto de Sta. Teresa y la reforma que estaba iniciando. Conoció en Medina a un joven estudiante de Teología en Salamanca que le causó buena impresión, e hizo cuanto pudo hasta convencerlo para

Altar del Populo en la Plaza de Medina, para decir misa seguida por los feriantes.

Convento de Carmelitas, fundado por la Santa.

hacerlo colaborador suyo, pues deseaba hacerse cartujo. Lo incorporará a su proyecto con gran satisfacción y extraordinarios resultados, hasta el punto de ser el que haga lo que la Santa entre los varones, levantar conventos reformados para ellos. Será el futuro S. Juan de la Cruz, que, poco después, coordinará la reforma de los varones, siguiendo el proyecto ideado por Sta. Teresa para las mujeres y al mismo tiempo que ella. Al tiempo que la Santa fundó los diecisiete primeros conventos reformados femeninos, se llevan a cabo los catorce primeros de carmelitas descalzos, con S. Juan como principal coordinador e impulsor. Lo convencerá para que se una a su proyecto, y será el segundo en hacerlo, por lo que ya tendrá a dos frailes incorporados al mismo, y será su principal colaborador en adelante, y lo cuenta así la Santa: *Acertó a venir allí un padre de poca edad, estudiante en Salamanca. Llámase Fr. Juan de la Cruz. Hablándole, contentóme mucho y supe que se quería ir a los cartujos. Yo le dije lo que pretendía y le rogué esperase hasta que el Señor nos diese monasterio, y el gran bien que sería, si había de mejorarse, ser en su misma Orden y cuánto más serviría al Señor. El me dio la palabra de hacerlo, siempre que no tardase mucho. Cuando vi que ya tenía dos frailes para comenzar, parecióme estaba hecho el negocio.* Por todo lo que nos cuenta Sta. Teresa y lo que sabemos que hizo S. Juan en pro de la reforma carmelitana masculina, su aportación a la misma fue fundamental y muy importante, con lo que la fundación de Medina del Campo tuvo, para Sta. Teresa, otra razón más a su favor.

Sta. Teresa y S. Juan de la C. se conocieron en este convento.

Capilla del convento con una Sta. Teresa de G. Fernández.

Las tierras que cruza esta ruta teresiana de las fundaciones, no cambian esencialmente de aspecto, morfología, paisaje, usos del suelo y poblamiento humano, respecto a lo que hemos visto desde Palencia. Tampoco en lo que respecta al uso agrícola, con gran importancia del viñedo desde tiempos inmemoriales, aunque en nuestros días ha alcanzado el mayor nivel, desarrollo e importancia económica y paisajística. Pero sí hay algunos cambios notorios. La morfología en estas tierras es más aplanada con los páramos, con escalones de menor altitud, más escasos y aparecen formas residuales como motas, visos, alcores y cuestas, etc., que dan variedad al paisaje y al

Plaza Mayor de Medina con el Ayuntamiento.

Interesante retablo barroco, colegiata de S. Antolín.

poblamiento al instalarse algunos pueblos sobre ellos o en sus laderas. Hay otras diferencias en los cultivos, con predominio de los cereales en Tierra de Campos, mientras que en esta Tierra de Medina y del vino, tienen más importancia, paisajística y económica, los pinares y viñedos. Además, cruzar el valle del Duero aporta ciertos aspectos paisajísticos y geográficos interesantes que no hay al norte, al ser abundantes y más extensos los cursos fluviales y su incidencia geográfica.

Nava del Rey en la campiña con el caserío dominado por torre de la iglesia.

Viñedos de Tierra de Medina y Rueda.

Las tierras que cruza esta ruta por la mitad oriental de la cuenca del Duero han tenido siempre gran importancia geográfica e histórica, por su privilegiada situación en ella y la actividad de sus gentes, reflejado en el dinamismo de ciudades por las que pasa como Salamanca, Segovia, Burgos, Valladolid y Medina del Campo, entre otras. Son tierras centrales de dicha cuenca y están cruzadas por importantes rutas naturales, hoy hay comunicaciones modernas en todas las direcciones, lo que explica la importancia comercial y universitaria. Por tal motivo, hay varios lugares en estas tierras que siempre han tenido importancia. En tiempos de la Santa Medina del Campo y Tordesillas estaban entre ellas, como cruce de comunicaciones terrestres, pero ha surgido Valladolid que, con similar situación geográfica, pero con más dinamismo de sus gentes y con el apoyo de la administración de cada momento, ha desplazado a ambas, particularmente a Medina, que entonces era un núcleo dinámico e influyente por sus importantes y famosas ferias y mercados.

Como ya he señalado antes, los escritores de la Generación del 98 le dedican interesantes páginas a estas tierras, al considerarlas el origen de España y las que, hace un siglo, podían sacarla de la postración en la que estaba nuestro país. Sus escritos, salvo los de los hermanos Machado, son elogiosos, laudatorios, esperanzados y llenos de bonitas metáforas como la de Azorín comparando estas tierras con un mar tranquilo y de amplios horizontes; dice así: *Entre la Mota y Madrigal, caminando hacia la cuna de Dña Isabel, sentí la llanura con impresión hondísima. Es la perfecta planimetría sin accidentes, como un mar convertido en tierra… En aquel mar endurecido, la torre de Rubí, la de Pozáldez y, las que lejanas se ven a un lado y a otro, parecían velámenes de barcos que se han quedado inmóviles al petrificarse el mar en el que navegaban* Además de su belleza literaria, es una descripción geográfica magistral, perfecta. No podía ser otra cosa, es Azorín.

Por Salamanca hasta Alba y final de la misma. Interesante por la actividad universitaria y la monumentalidad salmantinas

Continúa la ruta hacia su final en Alba de Tormes, cruzando las tierras meridionales de las campiñas de la cuenca del Duero. Los aspectos paisajísticos y geográficos no cambian esencialmente respecto al tramo anterior, tierras llanas, monótonas, uniformes, con ligeras elevaciones con nombres diversos, alcores, visos, oteros y amplios valles fluviales. Pero hay importantes cambios en el uso del suelo. Vuelven los cereales en la Armuña y Tierra de Alba, que sustituyen a los viñedos, mientras las encinas desplazan a los pinares. En cambio, la evolución histórica y sus consecuencias es muy similar, con muchos y pequeños pueblos, vistos al paso por estas tierras, con sus apretados caseríos, dominados por los campanarios y ciudades históricas con un patrimonio histórico-monumental interesante, sobre todo Salamanca y Alba de Tormes. En esto coincide con las zonas anteriores, pues todo ello es consecuencia de la repoblación medieval, común para estas tierras de la ruta situadas al sur del Duero. Después, en las últimas décadas, han tenido una evolución similar, sobre todo en el mundo rural, con fuerte emigración que ha reducido a la mitad o menos su población, hoy escasa y muy envejecida, lo que ha hecho desaparecer ya algunos pueblos, y otros más, con elevado envejecimiento y crecimiento demográfico negativo, están al borde de lo mismo, porque será imposible evitarlo en las circunstancias actuales.

La ruta se dirige desde Medina del Campo hacia Salamanca, pasando por paisajes y lugares interesantes y representativos de estas tierras, Alaejos, Cañizal y Villares de la Reina, y las comarcas de Tierra de Medina, Guareña y la Armuña, en Valladolid, Zamora y Salamanca. Todas tienen una morfología aplanada en la que destacan algunas elevaciones y los escarpes fluviales, propia de campiñas cerealistas y usos del suelo con dedicación agraria preferente. Por eso es similar el paisaje resultante y las características del poblamiento, desde la repoblación medieval hasta nuestros días. Hay dos elementos que cambian, sobre todo entre la primera y la tercera, y dan origen a notorias diferencias paisajísticas y económicas. En Tierra de Medina abundan los pinares y viñedos, mientras que en la Armuña salmantina son los cereales y las legumbres lo más representativo de su paisaje y economía actuales. Los centros rurales de ellas son Alaejos en la primera, Cañizal en la segunda y Villares de la Reina en la tercera, y en todos ellos destaca la magnitud de la iglesia parroquial que sobresale por encima de los caseríos y que se considera como la catedral de cada una de las respectivas comarcas. En dichos aspectos, paisaje agrario e historia, centran sus atractivos turísticos.

Villares de la Reina en el área metropolitana salmantina
y el paisaje armuñés del entorno.

El interés histórico-monumental de la ruta se acrecienta al llegar a **Salamanca**, por la importancia que en ambos aspectos tiene la ciudad universitaria. No procede hacer comentarios sobre la importancia de dicha ciudad en ambos aspectos, al no ser este el objetivo de este trabajo, sino una referencia general que oriente y contribuya a resaltar la importancia de esta ruta que también pasa por Salamanca. No solo tiene uno de los nueve conventos que fundó Sta. Teresa, sino que esta tuvo otras relaciones con gentes de dicha ciudad, por su condición universitaria, que acrecientan su importancia en la presente ruta y dentro del mundo teresiano, aunque a menor nivel que Ávila y Alba, los dos centros más importantes en tal aspecto.

En efecto, Salamanca fue uno de los lugares entre los primeros en los que la Santa pensó abrir un convento reformado, si se daban las circunstancias favorables para ello, por el impacto que esto supondría para su obra si lo conseguía, por su condición de ciudad universitaria y en pleno auge y con una proporción de estudiantes respecto a la población que jamás ha tenido después ni siquiera en nuestros días. Recordemos que en el curso 1561-62 estaban matriculados en su Universidad, según libros de matrícula, 7681 alumnos, solo varones, con una población en la ciudad que no debía rebasar los 20000 habitantes. La proporción alumnos/población era de 1/3, y ahora dicha proporción es de 1/6, de los cuales la mitad son mujeres. No tardó mucho la

Santa en conseguirlo y así, unos años después del primero, en 1570, lo levantó de nueva planta, fuera de la muralla pero junto a ella, y bien relacionado, con amplio espacio e instalaciones adecuadas. En él ha estado la pequeña comunidad carmelita hasta que, en 1972, la buena situación del convento a cinco minutos de la Plaza Mayor y junto a una avenida importante, su amplio solar y el afán especulativo de unos y otros, constructor, obispo y el visto bueno del Ayuntamiento, decidieron urbanizar el amplio solar que surgiría suprimiendo dicho convento, junto con su extensa huerta.

Así lo hicieron, donde estaba el convento y en el solar de la huerta, levantaron unos grandes bloques modernos de viviendas que cambiaron radicalmente la fisonomía y el tráfico de la zona. Del convento solo dejaron la iglesia en la plaza que hay entre los grandes bloques de viviendas, que es ahora como un estorbo y pegote, cosa que ocurre cuando se hacen las cosas tan mal y sin pensar más que en los intereses económicos. La inmensa y negativa transformación urbanística en este caso, no es la única que se produjo entonces en Salamanca, sino que ha habido otras muchas, cuya visión actual sigue clamando al cielo contra los que consintieron y realizaron tantos y tan importantes desaguisados urbanísticos. Hicieron lo mismo con otro convento, el de las madres franciscas en la c/ Azafranal, a quienes trasladaron a otro nuevo en el Camino de las Aguas, bajando al río y levantando en el solar que dejaron un bloque de viviendas sin personalidad alguna para Salamanca, aunque no destaca tanto con el entorno y la imagen de la zona, por su altura y el material empleado. Mucho más llamativo y reprobable ha sido el caso de la c/ Íscar Peyra, situada a cincuenta metros de la Plaza Mayor, en plena zona monumental, entre esta y el palacio de Monterrey. Donde había callejuelas y pequeñas edificaciones hoy hay una calle amplia, bordeada por edificios con materiales modernos de

Convento de la Santa en 1570 y sustituido en 1972 por bloques de viviendas.

Iglesia del convento, único recuerdo del mismo.

diez plantas, construida para desviar el tráfico que cruzaba la ciudad por la Plaza Mayor, por eso se la llamó, al principio, Vía Rodeo, hasta sacar dicho tráfico fuera de la ciudad. Nos quedó la citada calle, que rompe la estructura urbana y aporta su negativo impacto en esta importante y céntrica zona de la ciudad. Aunque en lo que han suprimido no hubiera ningún monumento singular y destacado, pero sí otra imagen de la ciudad histórica.

A cambio de ceder el solar resultante al cerrar el convento, les construyeron otro nuevo en el cercano pueblo de Cabrerizos, cerca de La Flecha, pero en situación muy diferente a la de este convento. Dicho lugar está relacionado con Fr. Luis de León, porque su Orden tenía allí una casa de descanso, y con Unamuno, porque le gustaba mucho esta zona. También los dominicos tuvieron una finca de descanso y abastecimiento del convento en Zorita, finca de Valcuevo en la que estuvo C. Colón cuando vino a Salamanca. El nuevo convento está en la ladera del escarpe sobre la cercana vega del Tormes, en zona un tanto inhóspita, accidentada, aunque la hayan arreglado algo y tenga buenas vistas, como si las monjas tuvieran que realizar sus oraciones contemplando el cielo o las estrellas. Eso sí, dado el lugar en el que está y sus características orográficas, debió de ser un terreno bastante barato, si se lo facilitaron los que compraron el convento.

La importancia de Salamanca dentro de esta ruta de las fundaciones de Sta. Teresa en Castilla y León es mucho más que la erección en dicha ciudad de un convento reformado. Sta. Teresa tenía grandes deseos de levantarlo por su condición de ciudad universitaria, por el prestigio que adquiriría la reforma si abría un convento en Salamanca y por el poder relacionarse con gentes preparadas que podrían aconsejarla y orientarla. Los datos citados antes respecto a la matrícula de alumnos entonces en la Universidad lo ratifican y explican el interés de la Santa por abrir en Salamanca un convento reformado.

Interesantes retablos frontales de la iglesia del convento.

Fachada del nuevo convento en Cabrerizos, funcional y moderno.

Son muchos los testimonios de los más insignes esctritores de entonces ratificando la importancia universitaria cuando la Santa fundó su convento en la ciudad, 1570. Así, M. de Cervantes en *La tía fingida* dice: *Advierte hija mía que estás en Salamanca. Que es llamada en todo el mundo madre de todas las ciencias y que, de ordinario, cursan en ella y habitan diez o doce mil estudiantes, gente moza, antojadiza, arrojada, libre, aficionada, gastadora, discreta, diabólica, y de humor.* Más expresivo y laudatorio para la Universidad fue Lope de Vega, que debía de conocerla pues estuvo cinco años como secretario para el duque y escribió varias de sus obras en Alba. Es un comentario que los universitarios salmantinos deberíamos saber de memoria y figurar en letras de oro en el lugar más destacado de la Universidad y de la ciudad, dada la importancia de lo que dice y categoría del autor. Dice en su obra *Vida de Sta Teresa*: *La más bella ciudad estás mirando, / que el gallardo pintor del cielo hermoso / repasa todo el cielo iluminando. / ... Este es de Salamanca el firme asiento, pozo de ciencia, fuente milagrosa, / que trae del cielo el empíreo firmamento. / Es madre general tan generosa, / que mil extraños hijos autoriza, / dotándolos de ciencia y renta hermosa. / La gran ciudad del mundo en nuestra España / que parece se miran las almenas / en el ameno Tormes que las baña / mirando con desprecio a las de Atenas.* Ahí es nada, colocar a Salamanca a la altura o, más bien, por encima de Atenas en lo cultural. Y no es un cualquiera el que lo dice sino Lope de Vega, el Fénix de los Ingenios.

La misma admiración manifiesta el novelista granadino P. A. de Alarcón en su libro *Dos días en Salamanca*, sobre la monumentalidad salmantina, de clara procedencia universitaria, a pesar de las muchas pérdidas sufridas pocos años antes, por la guerra de la Independencia, desamortizaciones, abandono y expolio; dice así: *La Universidad ha sido, moral y materialmente, el alma y la vida de Salamanca, fuente de su grandeza y renombre, la ocasión y origen de casi todos sus monumentos. Si hubo allí famosos colegios mayores, fundaron otros cuatro las órdenes militares y contáronse infinidad de colegios menores, seminarios y escuelas. Si todas las órdenes monásticas erigieron suntuosos conventos. Si los Jesuitas levantaron su mejor casa y fue Salamanca lugar predilecto de reyes y magnates que la embellecieron con palacios e iglesias, todo se debió a aquel foco de permanente sabiduría, a aquel emporio de la enseñanza, su Universidad, donde iban a estudiar por millares los jóvenes más ricos y nobles de España.* Elogioso como los anteriores y síntesis de lo que han dicho todos ellos, es la expresión de júbilo de D. Miguel de Unamuno, al referirse a la universitaria Salamanca a la que tanto admiró y quiso: *Salamanca, Salamanca, renaciente maravilla. Académica palanca de mi visión de Castilla.*

Catedrales, Universidad y Clerecía, prueba evidente
de la monumentalidad universitaria salmantina.

Como es lógico, Sta. Teresa conocía, en líneas generales, el gran auge y desarrollo de la actividad universitaria salmantina, y de ahí que sintiera gran interés en abrir un *palomarcito* en la ciudad del Tormes. Salamanca le parecía un lugar interesante para fundar un nuevo convento, por la proyección que daba a la reforma, pero era consciente de las dificultades existentes, como la escasez de recursos para vivir sin renta, al tratarse de una ciudad de estudiantes y que ya había en ella bastantes conventos, por lo que la competencia era grande y habría oposición a su fundación. El empujón definitivo, como reconoce la Santa, se lo dieron los jesuitas de Salamanca, entre ellos el P. Ripalda, autor del conocido *Catecismo de la doctrina cristiana*, que había sido su confesor y quien la animó a que escribiera su experiencia de los nuevos conventos en el libro *Las Fundaciones*, cosa que hará poco después. Así nos lo cuenta: *Estando en esto, me escribió el rector de la Compañía de Jesús de Salamanca, diciéndome que estaría muy bien allí un monasterio de estos, dándome razones; pero por ser muy pobre el lugar, me había detenido a hacer allí fundación de pobreza. Mas, considerando que lo es tanto Ávila y nunca le falta, ni creo faltará Dios, puestas las cosas en razón, me determiné a hacerlo.*

El interés de los jesuitas, y sus buenas relaciones en la ciudad, hacía prever que no habría muchas dificultades, pero ocurrió lo contrario, y fueron muchos los problemas hasta ponerlo en marcha. Pero no eran contra la fundación y por ser mujer su promotora como en otros lugares. Fue por trámites administrativos y por los problemas surgidos para encontrar un lugar adecuado y por los que tuvo al ofrecerle una casa que estaba ocupada por estudiantes, casa de pupilos, céntrica, y no querer estos abandonarla y amenazar a las monjas que no las dejarían tranquilas. Lo manifiesta así la Santa: *En ningún monasterio de los que el Señor ha fundado de esta primera regla, han pasado las monjas, con mucha parte, tan grandes trabajos.* Los cuatro primeros años en Salamanca residieron en una casa de la familia Los Ovalle, cerca de la Plaza de los Bandos y que se conserva tal cual, afortunadamente. A los estudiantes no les gustó que los echaran para meter a unas monjas, por lo que les hicieron alguna travesura. Así, en una noche de ánimas, uno de ellos se hizo pasar por un alma en pena, lo que asustó mucho a alguna hermana crédula de tal cosa. Entre tales estudiantes estaba Juan Moriz que, cuarenta años después, será obispo de Barbastro, y colaboró estrechamente en el expediente para solicitar la canonización de Sta. Teresa. Cosas de la vida.

Casa de Sta. Teresa, primer convento en Salamanca.

Confesionario utilizado por Sta. Teresa en el convento de los dominicos.

La casa citada no ha cambiado el exterior, es sencilla pero monumental y, por su historia, es un lugar teresiano interesante. Se la conoce como Casa de Sta. Teresa, aunque solo estuvieran en ella cuatro años. Después se fueron al convento levantado fuera de las murallas, pero pegado a ellas, entre las conocidas puertas de Zamora y Villamayor, donde estuvieron hasta 1972, cuando marcharon al nuevo, levantado en el cercano pueblo de Cabrerizos, lugar apropiado para los animales de los que toma su nombre el pueblo. Durante su estancia en Salamanca en la primera casa, la Santa escribió su famoso poema *Vivo sin vivir en mí.* También empezó a escribir aquí su libro *Las Fundaciones*, a petición del P. Ripalda, para dejar constancia de la labor que había realizado en tal menester. Esta primera residencia de carmelitas en Salamanca ha tenido después otro uso religioso también muy destacado. En ella, la salmantina, hoy santa, Bonifacia, con grandes problemas por parte de las propias compañeras, fundó las Siervas de S. José en 1870. Parece que la condición de fundadora no la acatan bien muchas de las personas cercanas a ella.

Vista aérea de las catedrales salmantinas y capilla de Sta. Teresa en la Catedral Nueva.

Las relaciones de Sta. Teresa con Salamanca, como con algún otro lugar, fueron diferentes, por el interés que tenía la Santa en levantar un convento en la universitaria Salamanca, por lo que esto suponía para su obra. Quizás por eso se produjeron aquí una serie de sucesos que explican la abundancia de recuerdos de la Santa, debido al interés de ella por Salamanca y la importancia de esta dentro del mundo teresiano, aunque lejos de Ávila y Alba, indiscutiblemente los primeros y destacados. Se conserva la iglesia del convento de carmelitas. Es sencilla pero con un retablo interesante, como puede verse en las fotos que adjunto. Es lo único que queda del convento, su gran solar está ocupado por grandes y feos bloques de viviendas. En los dominicos conservan un confesionario utilizado por la Santa en el tiempo que pasó en Salamanca. En la Catedral Nueva hay una interesante capilla dedicada a la Santa que también merece la pena verla.

Además, hay otros recuerdos en Salamanca relacionados con la Santa, prueba evidente del interés que tuvo por dicha ciudad y que le era correspondido por los salmantinos de diversas maneras, por el Ayuntamiento y la Universidad. Así, en la capilla de la Universidad está el pergamino con el nombramiento de doctora honoris causa por dicha institución, con el que se reconocen sus méritos literarios. D. Miguel de Unamuno la propuso y presidió la concesión solemne como doctora honoris causa por Salamanca, el primer nombramiento que concedía dicha institución y cuando todavía había muy pocas mujeres matriculadas en ella y como profesoras. En el mismo sentido y valorando su gran categoría como reformadora, escritora y feminista, el Ayuntamiento colocó un medallón de la Santa en 1973 en el pabellón de los salmantinos destacados, y es que ella lo ha sido. Lo hicieron valorando el gran papel realizado en la Iglesia como reformadora y, como dicen algunos, la mujer más importante en la Iglesia católica después de la Virgen. Fue también una gran escritora, aspecto reconocido por la Universidad, con

Unamuno como principal impulsor. Además, una gran feminista, defendiendo el papel de la mujer en la sociedad en igualdad con el hombre, valorando a las personas por su valía personal y no por su sexo u otras circunstancias.

Pergamino del doctorado *honoris causa* y medallón de Sta. Teresa en la Plaza Mayor.

La fundación de Salamanca tuvo otras anécdotas, además de las bromas de los estudiantes a la Santa y sus compañeras, porque no se querían ir de la casa donde se iban a instalar. Aunque Sta. Teresa no lo cuenta, se dice que le ofrecieron una casa para instalar el convento en el Arrabal del Puente, cerca de donde estaba funcionando, desde hacía setenta años, la casa de la mancebía. Esta había sido autorizada y regularizada cuando fue regidor de Salamanca el príncipe Juan, hijo de los Reyes Católicos. Según Villar y Macías, el príncipe le concedió su apertura, en 1497, a su amigo García de Albarrategui, quien, poco después, la traspasó por 10 000 rs. al que la iba a explotar, precedente claro de tráfico de influencias al más alto nivel. Dicha casa funcionó durante más de un siglo, se guarda recuerdo de ella por diversos motivos, como en el popular Lunes de aguas salmantino, muy relacionado con los estudiantes que recibían a las trabajadoras de tal lugar, cuando cruzaban el río, al subir a Salamanca para cumplir con Pascua, y se engalanaban con ramos de árboles de donde deriva su apelativo de *rameras*. Fue cerrada, como otras que había en España, por Felipe IV en 1630. Parece ser que alguien advirtió a la Santa de esta vecindad y se olvidaron de tal casa, y se instalaron dentro de la ciudad, donde han estado hasta 1968.

No es objetivo de esta ruta visitar Salamanca con detalle, pero, si alguno al hacer la ruta, desea darse un paseo por ella, le señalaré un recorrido que puede hacer en 3-4 horas para ver los monumentos mas importantes y el ambiente que hay por la zona donde están. Dicha monumentalidad, casi toda, es consecuencia de la importante actividad universitaria existente en Salamanca desde 1218, por lo que estamos vísperas del VIII centenario que, por lo que parece, va a pasar con más pena que gloria, por la indolencia de quienes tienen la obligación de organizarlo. ¡Qué pena! El recorrido que recomiendo hacer para una visita general es el siguiente: salida de la Plaza Mayor, por la c/ del Prior hasta la Plaza de Monterrey, donde, además, está la iglesia de la Purísima, con el conocido cuadro de la *Purísima* de J. de Ribera. Hay que desviarse a la derecha y, a unos metros, está una plazuela con la casa donde vivió y murió Unamuno, al lado la de las Muertes, con fachada plateresca, y frente a ella una estatua de dicho profesor y del torreón de las Úrsulas. Cerca de esta plazuela está la Casa de Sta. Teresa, convento inicial de las monjas.

Se vuelve a la citada Plaza de Monterrey para seguir hacia el colegio mayor Fonseca, siglo XVI, y hoy residencia universitaria para profesores, con uno de los patios renacentistas más interesantes de Salamanca. Desde su interesante fachada, elevada sobre la calle, se puede admirar la monumentalidad de las catedrales, la Clerecía y el edificio histórico de la Universidad. Desde aquí bajamos hacia la Universidad, para ver su famosa fachada universitaria, cruzando lo que fue el Barrio Chino hasta hace poco tiempo, levantado sobre el barrio de los caídos, destruido por los franceses y hoy remodelado y con funciones residenciales y universitarias. También se puede volver a la Plaza de Monterrey y seguir por la c/ de la Compañía para visitar la iglesia de S. Benito, varios palacetes, la Casa de las Conchas y la fachada del colegio

Fachada universitaria, en homenaje a la elección imperial de Carlos V. San Esteban, convento de los dominicos.

real de S. Carlos Borromeo, casa principal de los jesuitas y hoy sede de la Universidad Pontificia. Poco después se llega a la famosa fachada plateresca universitaria que es mucho más que la rana, como he demostrado en estudios que he publicado al respecto. El tema principal es el homenaje que los salmantinos quisieron rendir a Carlos V, recién nombrado emperador y cuyo escudo imperial está en el centro, flanqueado por los de Castilla, España, y el del Sacro Imperio Germánico, en clara muestra de homenaje al mismo.

Despues debe seguirse hacia las catedrales, contornearlas dejándolas a la izquierda y pasar por delante de la Casa Lis, para llegar al extraordinario Patio Chico con el conjunto catedralicio ante nosotros. Se sigue contorneando las catedrales para llegar a la Plaza de Anaya, donde está el Palacio del mismo nombre, hoy facultad de los estudios de español y lenguas clásicas y modernas, uno de los mejores centros entre los de su género. Debe admirarse la inmensa mole de la Catedral Nueva y dirigirse hacia el cercano convento de S. Esteban, dominicos, cuya fachada causa admiración si no se le ha agotado ya después de ver tantas cosas. Delante está la escultura de F. de Vitoria, famoso por sus lecciones sobre Derechos Humanos, temática suficiente para hacer famosa a su Universidad, aunque hubiera sido el único profesor de la misma. Visitado el convento entre cuyos ilustres huéspedes estuvo C. Colón, enviado por los RR. CC., se puede hacer lo mismo también en el de las Dueñas, que está enfrente, con un interesante claustro renacentista. Después, por la cercana c/ de S. Pablo y Plaza de C. Colón, hay que volver a la Plaza Mayor, y se termina aquí el recorrido que le habrá permitido ver lo más importante de Salamanca. No le defraudará, al contrario, los animará, como a otros muchos, a volver para hacerlo más detenidamente. Pueden completarlo si, durante el mismo o al final, reponen fuerzas en uno de los muchos lugares

La Plaza Mayor, centro urbano y social, visita obligada siempre
y buen lugar para empezar la visita urbana.

destinados a tal menester y de los que Salamanca tiene abundancia, variedad y calidad. Así se cumplirá aquello de que el que viene una vez a Salamanca, seguro que vuelve.

Alba de Tormes, fundación querida por la Santa y lugar para su descanso eterno

Hecha esta fugaz visita a Salamanca, el viajero de la ruta de las fundaciones de Sta. Teresa en Castilla y León emprende la última etapa de la misma entre Salamanca y Alba. Como ya sabemos, en ellas la Santa hizo sus séptima y octava fundaciones, la primera con bastante deseo y satisfacción, y la segunda porque no le quedó otro remedio, al tener como valedores a los duques de Alba, a los que no se pudo negar. Por azares del destino, el haber muerto en Alba la Santa, desear ser enterrada en la villa ducal y el interés y la devoción de los albenses por la Santa han sido las causas de que Alba, además de ducal, sea también una villa teresiana con méritos suficientes y para no tener celos de nadie, como ocurre con Ávila. La segunda parte de este tramo de la ruta de las fundaciones, Medina-Alba, es más variado e interesante que la anterior, al cruzar espacios de la comarca ganadera salmantina Campo Charro, muy diferente de las tierras agrarias de Tierra de Campos; cruzar el Tormes en dos ocasiones, con sus riberas y regadíos, y, sobre todo, pasar por Salamanca, ciudad universitaria y una de las más monumentales de España.

La salida hacia Alba se hace por el Puente Romano, el único existente sobre el Tormes en Salamanca durante veinte siglos y utilizado también por la famosa Calzada de la Plata, hoy eje de comunicaciones Asturias-Andalucía occidental y París-Lisboa. Afortunadamente en la actualidad existen varios más que han integrado al río en la ciudad y permiten cruzarlo por diferentes lugares. Antes de pasar por el Puente Romano, saldría de la ciudad por la Puerta de Aníbal, en recuerdo del legedandario cartaginés que pasó por aquí dejándonos una peculiar anécdota recogida por los historiadores. Como lo

Puente Romano sobre el Tormes y catedrales.

El ciego y Lázaro, saliendo de Salamanca por el Puente Romano.

hacemos hoy, ella también pudo contemplar el conjunto monumental de la Catedral Vieja y la muy avanzada obra de la Nueva, comenzada medio siglo antes y que le inspiraron a D. Miguel sus conocidos versos en honor a la monumentalidad de Salamanca; dicen así: *Alto soto de torres que al ponerse / tras las encinas que el celaje esmaltan / dora a los rayos de su lumbre el padre / Sol de Castilla; / bosques de piedras que arrancó la historia / a las entrañas de la tierra madre, / remanso de quietud, yo te bendigo, /¡mi Salamanca!*

Por este lugar habían pasado, unos años antes, dos singulares y conocidos personajes de nuestra literatura, Lázaro y el ciego, en el viaje que hicieron desde Salamanca a Toledo, escrito por Fr. J. de Ortega, fraile jerónimo del convento de S. Leonardo de Alba, en la conocida novela picaresca *El Lazarillo de Tormes*. En las primeras páginas de la misma, narra la singular e interesante aventura que vivieron junto a la escultura en piedra del toro o verraco que hay a la entrada del citado puente. Con el realismo y gracia de dicha novela así lo cuenta Lázaro: *Salimos de Salamanca, y, llegando al puente, está a la entrada de ella un animal de piedra, que casi tiene forma de toro y el ciego mandóme que llegase cerca del animal. Y allí puesto, me dijo: Lázaro, llega el oído a este toro y oirás gran ruido dentro de él. Yo simplemente llegué, creyendo ser así. Y como sintió que tenía la cabeza par de la piedra, afirmó recio la mano y diome una gran calabazada en el diablo del toro, que más de tres días me duró el dolor de la cornada, y díjome: Necio, aprende, que el mozo del ciego un punto ha de saber más que el diablo. Y rió mucho la burla.* Han sido muchos los que han repetido tal broma, si han encontrado algún incauto Lazarillo. Este demostró ser buen alumno y se aprendió bien la lección, como demostrará después

El trayecto entre Salamanca y Alba es corto, 18 km, pero presenta gran diversidad en el paisaje, por las diferencias en el medio natural y en la antigua e influyente acción humana. Arranca de Salamanca que, como Alba, está en la confluencia del Campo Charro, con encinares y ganadería, la campiña cerealista de la Armuña y la ribera del Tormes, con cultivos hortícolas. Cruza varios espacios, cortos, en los que alternan las zonas cerealistas con los encinares e incluso algún pinar, para terminar recalando en Alba, cuyo emplazamiento es idéntico al de Salamanca. Esta singularidad del medio natural entre ambos núcleos, sigue siendo notoria y visible, pero ha quedado superada por la fuerte incidencia humana que actúa en el recorrido, con diferente intensidad, y en el que se han impuesto los rasgos del área metropolitana salmantina. Esta es la formación geográfica dominante hoy entre Salamanca y Alba, aunque todavía es escasa su incidencia en esta última por su lejanía, por lo que está en el borde de la citada área metropolitana.

Instalaciones comerciales y urbanizaciones, predominan en la primera parte de este tramo de la ruta.

Poco después de cruzar el Tormes, se entra en el área metropolitana salmantina, con las características urbanas y paisajísticas propias de dicho espacio. Es lo que ocurre con una zona comercial de reciente creación, con sus grandes instalaciones y aparcamientos, y el cercano polígono industrial El Montalvo, junto al que se pasa. Sigue una gran zona residencial, con varias urbanizaciones como Valdelagua y Navahonda, con usos de suelo y paisaje muy diferentes a los anteriores espacios. Se interrumpe con otros con usos muy variados al haber encinares, zonas de cultivo y uno de los pueblos del área metropolitana, Calvarrasa de Arriba, con gran dinamismo demográfico y urbano, como otros de la zona, Sta. Marta y Terradillos. Poco después se cruza una zona de las campiñas cerealistas y en ellas aparecen unas sencillas elevaciones residuales que rompen la monotonía orográfica. Son conocidos como Arapiles y, como ya señalé en la primera de las rutas del presente trabajo, tres de ellos se han hecho famosos al estar coronado uno de ellos por las ruinas del castillo del legendario personaje de Bernardo del Carpio. Los otros dos porque en ellos se libró la importante batalla de los Arapiles en la guerra de la Independencia, que cambió el curso de la historia no solo en la península Ibérica, sino en Europa.

Los históricos Arapiles, cerca de la ruta y la fuente que sació la sed a la Santa, junto a la carretera.

Poco después se empieza a divisar la ribera que forma el Tormes, aguas abajo de la presa de la Maya, con su fértil vega, hasta pasar por Salamanca, con gran importancia paisajística y económica, al formar tierras con usos de suelo y asentamientos humanos muy diferentes a los de las campiñas cerealistas y el Campo Charro. Un lugar interesante para ver este tramo de la ribera del Tormes y el privilegiado emplazamiento de Alba es la ermita de Ntra Sra. del Otero, a la izquierda de la carrretera un poco antes de llegar a Alba y a la que ya me he referido antes. A los factores naturales, con clara influencia favorable en el emplazamiento, hay que añadir los humanos, que han sabido sacarle provecho a los mismos, desde mediados del siglo XV hasta comienzos del XVII. En este largo periodo, Alba, pese a su escasa cuantía demográfica, no pasó nunca de los 3000 habitantes, estuvo entre los pueblos más influyentes de España, desde el punto de vista sociopolítico, por residir en ella la poderosa e influyente Casa de Alba, en particular su representante más destacado, el III duque, D. Fenando Álvarez de Toledo, conocido como el Gran Duque, con sobrados méritos para merecerse tal distinción. Como ya comenté antes, ha sido uno de los personajes no de la realeza más importante de nuestra historia. Durante 57 brillantes años estuvo en primera línea al servicio de Carlos V y Felipe II, de quien fue amigo personal, y fue el principal colaborador de ambos cuando España era la primera potencia en Europa. Esto es totalmente cierto, aunque holandeses, alemanes franceses y, también algunos españoles, se han empeñado en ignorarlo o, lo que es peor, en difundir todo lo contrario con la inventada y falsa leyenda negra contra él y contra España. Sirva este pequeño trabajo como homenaje a tan distinguido

Panorámica de Alba sobre un cerro cercano al río, entre la campiña y la vega y el puente en destacado lugar.

personaje, reivindicación de su buen nombre y para que sea mejor conocido entre los españoles.

Pero si importante fue la gestión y el papel del Gran Duque de Alba en su nada fácil ámbito, aunque no se lo hayamos reconocido, similar o aún más importante fue el de Sta. Teresa, en los tres campos en los que actuó, como reformadora del Carmelo, escritora al más alto nivel y gran defensora práctica de los derechos de la mujer, con muchas y grandes realizaciones concretas y con la oposición de muchos y poderosos varones contrarios a ella por ser mujer. Solo con lo realizado en uno cualquiera de los citados campos, hubiera ocupado un lugar destacado en la historia, por lo que, sumando los tres, no ha habido nadie que haya estado a su altura. Valga como ejemplo el que la Universidad de Salamanca, a propuesta de D. Miguel de Unamuno, le concedió el primer doctorado *honoris causa* que daba dicha Universidad. Más meritorio ha sido el que la Iglesia católica la nombrara primera doctora de dicha institución, y que ocupara también en esto el primer lugar y pese a ser mujer, razón por la que recibió varios rechazos su propuesta. Bien se puede aplicar en este caso el dicho popular de que algo tendrá el agua cuando la bendicen.

Para disipar las dudas que puedan tener algunos, les recuerdo cómo estaba la Iglesia católica de sensible ante cuestiones doctrinales y teológicas en la época de la Santa, cuando llevó a cabo sus fundaciones, con una Inquisición muy vigilante y sensible, y la reforma protestante en pleno auge, en qué condiciones la hizo y con qué medios materiales y personales contó. J. L. Gutiérrez Robledo lo sintetiza así: *Fueron dieciséis los carmelos femeninos que fundó aquella mujer vagamunda e inquieta, diecisiete contando Pastrana, con tan solo un pequeño grupo de monjas orantes y un fraile al que sacaba más de cuarto de siglo, fray Juan de la Cruz.* Y lo hizo sola, en menos de un cuarto de siglo, con mucha oposición de otras órdenes y de la suya propia, el Carmelo, que se dividió por este motivo. También por parte de gente importante.

Ya comenté antes que Alba no reunía las condiciones básicas para fundar allí un convento, al tratarse de un núcleo pequeño y haber ya otros tres. Fue la confluencia de una serie de causas favorables al mismo, como la intervención de su hermana pequeña, que vivía en Alba; el interés de Teresa Layz en fundarlo, al no poder tener hijos, y la favorable predisposición de los duques por el prestigio que le daba un convento como este, de la mano de una persona que ya prometía, Sta. Teresa de Jesús. Por todo ello, cambió de intención y no se arrepintió de haberlo fundado, al contrario, pronto fue para la Santa uno de los que más satisfecha estaba. Quizás por eso no se manifestó en contra cuando le preguntaron si deseaba que la enterraran en él, en el caso de que muriera, como así fue, y manifestó su aceptación en que el convento de Alba fuera su lugar para el descanso eterno, con gran disgusto para los de Ávila, que ya tenían construido el sepulcro.

Pese a que no figuraba en los proyectos iniciales de la Santa, sin embargo, por la conjunción de una serie de causas a su favor, decidió levantarlo y pronto fue uno de sus preferidos. Esto explica que la inauguración del mismo estuviera rodeada de cierta solemnidad o, al menos, claro interés por parte de la Santa, como se deduce de la descripción que nos ha llegado de la misma. El 25 de enero del 1571, con una curiosa y solemne procesión, desde la entonces iglesia arciprestal de S. Pedro a la de la Anunciación, para inaugurar el Carmelo de Alba de Tormes. Digo «curiosa procesión» porque, además del pueblo, del clero, de frailes franciscanos y jerónimos, en ella estaban presentes los dos grandes santos y doctores del Carmelo, santa Teresa y san Juan de la Cruz. La capa blanca de las monjas fundadoras, la capa blanca de fray Juan de la Cruz, llegado en días anteriores desde Mancera de Abajo para ayudar en los trabajos de la fundación, llamaron la atención aquel día. Y no menos destacaba la negra capa del dominico Domingo Báñez, el famoso teólogo y profesor salmantino que fue, además, confesor de la madre Teresa, toda una autoridad religiosa del siglo XVI que, por amistad con la monja fundadora y con la familia ducal, no quiso perderse aquel acontecimiento.

Estaba también en aquella procesión la duquesa, esposa del III Gran Duque de Alba, y su hermana Juana de Toledo, marquesa de Velada, una santa mujer que era conocida de santa Teresa y de la que hizo grandes elogios. Y no podía faltar el clérigo Sancho Dávila, hijo de la marquesa de Velada y que se carteaba con la Santa, el cual luego fue elegido obispo, y cuando lo era de Jaén, en el sermón de la beatificación teresiana, 1614, recordaría esta ceremonia fundacional del 1571. También estuvieron en aquella procesión el matrimonio formado por Juana de Ahumada, hermana menor de la Santa, y Juan de Ovalle, acompañados de sus hijos Gonzalo y Beatriz de Ovalle y que tanto influyeron en la Santa, para que se decidiera a levantar este convento. Verdaderamente una procesión memorable por la calidad de los personajes que asistieron y por las repercusiones que esto tendría en la historia de Alba.

Vista general de Alba con sus principales monumentos:
puente, castillo, basílica e iglesias de S. Pedro y S. Juan.

Este convento no figuraba entre los proyectos iniciales, pues Alba no reunía las condiciones consideradas necesarias por ser un núcleo pequeño y haber en ella ya tres conventos, sin embargo, se decidió a levantarlo, y desde su inauguración gozó de las simpatías de la Santa. De esta forma Alba iniciaba una página de su historia que iba a ser mucho más importante y trascendente para ella que la que ya tenía, por su estrecha vinculación con la poderosa e influyente Casa de Alba. Además, esta iniciará su declinar e importancia en Alba poco después de comenzar la etapa teresiana, con la fundación del convento y, sobre todo, la muerte de la Santa en la villa ducal. Por esas fechas los duques se trasladan a Pieddrahíta y, poco después a Madrid, y se olvidan de Alba, que echará mucho en falta su presencia desde entonces hasta nuestros días. Bueno sería intentar hacer algo para que volviera a reanudarse en la forma más conveniente.

Sepulcro de los promotores del convento. Sepulcro de los Galarza, amigos de la Santa.

Por todo ello, se explica así que este convento y Alba estén entre los lugares más destacados en el mundo teresiano, junto con Ávila, por el interés de la Santa en fundarlo, manifestar ser enterrada en él y otros muchos recuerdos interesantes relacionados con ella, como lo recoge la siguiente cita: *Este Carmelo es conocido en el mundo entero y es ruta obligada de peregrinos y turistas y lugar de cita ineludible para tantos amigos y discípulos de Teresa, que quieren beber junto a la Maestra de oración, de la misma fuente que ella bebió. En la iglesia destacan su magnífica portada, el artesonado del primer templo, la capilla mayor del mismo con bóveda de Rodrigo Gil de Hontañón, y el crucero y los presbiterios nuevos, trazados en 1660 por el carmelita fray Juan de San José. Son interesantes los sepulcros de los fundadores, los Ovalle y los Galarza. Pero, desde cualquier punto de vista, lo más valioso son los sucesivos enterramientos de santa Teresa, y de ellos, la urna sepulcral del retablo mayor, que guarda su cuerpo, la reliquia más venerada del Carmelo.* Es indudable que la importancia histórica de Alba, por su vinculación con la casa ducal, se acrecienta por estrechas e importantes relaciones con la Santa, motivo por el que su visita está más que justificada por muchas razones.

Con la llegada a Alba de Tormes, tras la visita a las fundaciones de Sta. Teresa en Castilla y León, se pone punto final a una interesante ruta en la que se ha podido disfrutar de un paisaje variado e interesante, pero, sobre todo, representativo de dos de los espacios más interesantes de las tierras orientales y centrales de la cuenca del Duero, tales como las tierras de pinares, encinares, campiñas con sus viñedos y riberas, cruzadas, además por la magna obra hidráulica del canal de Castilla. Además se han visitado tres Ciudades Patrimonio, Ávila, Segovia y Salamanca, y otras que también tienen un interesante patrimonio, como Burgos, Valladolid, Palencia, Soria y Medina, varios núcleos que son Conjunto histórico-artístico y castillos representativos de estas tierras y de su historia, que por algo se llama Castilla.

Sarcófago con los restos de Sta. Teresa, visto desde el museo carmelitano.

Gracias a esta ruta hemos podido visitar las nueve fundaciones que Sta. Teresa levantó en otras tantas ciudades castellanas y que, junto con las ocho en otras regiones españolas, le permitieron poner en marcha una de las más importantes actuaciones que se han llevado a cabo en la Iglesia católica en su larga trayectoria histórica, por su realización y los extraordinarios resultados que tuvo en la propia Orden. Además, sirvió de modelo y estímulo para que otras hicieran algo similar o tomaran medidas correctoras para evitar la relajación en sus formas de vida u otras influencias que les habían hecho cambiar respecto a como eran antes. Todas las fundaciones fueron importantes, pero la de Alba, por la serie de circunstancias que concurrieron en ella, ha adquirido y tiene una especial relevancia en el mundo teresiano y carmelitano. Por ello, no está de más todo estudio que se haga con la finalidad de conocer mejor nuestra gran historia y, además, la estrecha relación existente entre Alba de Tormes y Sta. Teresa, y contribuir así a su difusión y para que sea cada vez más estrecha y fructífera para ambas.

Ese ha sido uno de los objetivos del presente trabajo, junto con el de reivindicar el buen nombre del duque de Alba, contrarrestar la injusta leyenda negra contra él, aceptada por muchos españoles y escrita por los enemigos que no pudieron vencerlo en ningún campo. Según ilustres historiadores, como mi Prof. M. Fernández Álvarez, entre otros, el Gran Duque ha sido uno de nuestros más distiguidos personajes históricos, aunque hemos tenido muchos. Sirvió en primera línea, durante 57 años y con gran eficacia, a los reyes Carlos V y Felipe II, en los momentos de mayor esplendor de la historia de España en el mundo. Quiero con esta breve referencia rendirle un pequeño y merecido homenaje, a la vez que destacar su estrecha relación con Alba y Santa Teresa, motivo por el que la primera puede ser nominada con toda justicia, Villa Ducal y Teresiana.

El otro objetivo que pretendo alcanzar con el presente trabajo es promover el conocimiento de la historia y geografía urbana de Alba, para impulsar su actividad económica, destacando su privilegiado emplazamiento entre el Duero y el Sistema Central, cruce de caminos entre las campiñas cerealistas y la ganadera del Campo Charro. Además, me gustaría también impulsar la actividad turística en Alba, dando a conocer sus recursos turísticos y los del entorno,con la realización de rutas que tengan Alba como principal referencia. Recordemos los recientes precedentes que ha habido en este aspecto, *Las Edades del Hombre* y el *V Centenario*, y las ventajas que esto supuso para la cidada actividad turística albense. Algo parecido es lo que pretendo con esto.

La importancia histórica de las gentes que han vivido en estas tierras, como generadoras de la historia de España, atrajeron el interés de los de la Generación del 98, interesados en que de ellas partiera la regeneración española, y por eso le dedicaron interesantes y sentidos trabajos y poemas como el de Unamuno, que dice: *Hundirse en esta Castilla, / cumbre de enorme montaña, / y sentir que se agavilla, / desde ambos mares España.* En otra ocasión ensalza las características de su sencillo paisaje, para reivindicar el interesante papel realizado en la historia de España por las gentes que dieron origen al mismo y consiguieron que fuera una gran potencia europea, con una proyección mundial similar a la de Roma, por su cultura y la creación del derecho de gentes del P. Vitoria, aplicado a nuestra presencia en América, sobre todo, aunque nuestros enemigos han hecho creer que hicimos todo lo contrario; dice así el exrector de Salamanca: *Tú me levantas, tierra de Castilla / en la rugosa palma de tu mano, / al cielo que te enciende y te refresca, / al cielo, tu amo. / Tierra nervuda, enjuta, despejada, / madre de corazones y de brazos, / toma el presente en ti viejos colores / del noble antaño.*

La admiración de D. Miguel por estas tierras, y, sobre todo, por sus gentes y lo que han significado en la historia de España, la manifiesta, una vez más, en sus sentidos versos referidos al paso del Tormes por Alba, visto desde la cercana ermita de Ntra. Sra. del Otero y que dicen: *Desde Gredos, espalda de Castilla, / rodando, Tormes, sobre tu dehesa, / pasas brezando el sueño de Teresa, / junto a Alba la Ducal dormida Villa.* Es difícil mostrar un sentimiento más profundo de admiración, reflejado en tan pocas palabras, como el que manifiesta D. Miguel respecto a Alba y recordando a Sta. Teresa, al tiempo que se recrea con el paso del Tormes por la villa ducal. Solo otro personaje sensible como el de D. Miguel y también enamorado y cantor de estos paisajes sencillos pero simbólicos e interesantes es capaz de decir algo parecido, Fr. Luis de León. También se inspiró en un paisaje como este y relacionado con el Tormes, en La Flecha, pero pueden aplicarse perfectamente a este lugar que también respira paz y tranquilidad; dicen así: *Del monte en la ladera / por mi mano plantado tengo un huerto / que con la primavera / de bella flor cubierto / ya muestra en esperanza el fruto cierto... ¡Qué descansada vida / la del que huye del mundanal ruido / y sigue la escondida senda, / por donde han ido / los pocos sabios que en el mundo han sido!* Pero estando ante Alba, donde la presencia de Santa Teresa es tan grande y evidente, nada mejor que acabar esta ruta con sus conocidos versos que tienen en este lugar el marco adecuado para recitarlos y llevarlos a la práctica: *Nada te turbe, / nada te espante; / todo se pasa, Dios no se muda; / la paciencia / todo lo alcanza. / Quien a Dios tiene, nada le falta. / Solo Dios basta.*

Ermita de Ntra. Sra. del Otero y vista general del privilegiado emplazamiento geográfico de Alba.

Relación de los conventos de la ruta de las fundaciones e información para visitarlos

Ávila

Convento de San José, fundado en 1562. Uno de los más visitados ya que la ciudad fue el lugar de nacimiento de Santa Teresa.
Dirección: Calle de las Madres, 4. 05001 Ávila. **Horario:** Verano: Todos los días de 9.00 a 20.00 horas. Invierno: Todos los días de 9.00 a 18.00 horas.
Más información: Web del convento.

Burgos

Convento de San José y Santa Ana, fundado en 1582. **Dirección:** Paseo Sierra de Atapuerca, 4. 09002 Burgos.
Horarios: Ver web. **Teléfono:** 947268433.

Palencia

Convento Carmelitas Descalzas, fundado en 1580. **Dirección:** Avda. San Telmo, s/n. 34004. Palencia. **Teléfono:** 979 71 81 97.

Salamanca

Iglesia del Monte Carmelo o de Carmelitas, fundada en 1571 y transformada en el siglo XVII en la iglesia de Sta. María del Monte Carmelo. **Dirección:** Plaza Carmelitas. 37007 Salamanca. **Horario:** Ver web. **Teléfono:** 923218342.

Alba de Tormes

Convento de la Anunciación. MM. Carmelitas Descalzas, fundado en 1571 y en el que fallece Sta. Teresa de Jesús. **Dirección:** Plaza de Santa Teresa, 6-8. **Tfno. convento:** 923300211. **Información**: www.carmelitas alba. org.

Segovia

Convento San José de las Descalzas, fundado en 1574. **Dirección:** C. Marqués del Arco, 40, esquina Plaza de la Merced. **Horario:** Del 14 de octubre al 16 de abril - Todos los días: de 10.00 a 18.30 h. Del 17 de abril al 13 de octubre - Todos los días: de 10.00 a 19.00 h. **Teléfono:** 921 466 720 / 21.

Soria

Convento Carmelitas Descalzas del Carmen, fundado en 1581. **Dirección:** Calle Real, 1. 42002 Soria. **Información**: **Teléfono:** 975 22 27 64.

Valladolid

Monasterio del Corazón de Jesús y San José, fundado en 1568. **Dirección**: Paseo de Filipinos, 5. Valladolid. Teléfono: 983 20 72 78. Más información: web del convento.

Medina del Campo

Monasterio de San José Carmelitas Descalzas, fundado en 1567. **Dirección:** C/ de Santa Teresa de Jesús, 16. 47400 Medina del Campo. Valladolid. **Teléfono:** 983 80 12 65. **Horario:** Abierto de martes a sábado en horario de mañana y tarde. Lunes, domingos y festivos, horario de mañana.

De la Cuna al sepulcro. Desde Gotarrendura a Alba

Además de las rutas citadas en torno al tema teresiano y con Alba como principal referencia en todas ellas, debo mencionar también otra interesante ruta que también tiene a Alba como destino final, por estar en ella el sepulcro de la Santa. Como comienzo tiene el pequeño lugar de Gotarrendura que cuenta con muchos más argumentos y razones a su favor que Ávila para ser considerado como lugar de nacimiento de la Santa. A los interesados por conocer esta ruta con más detalle, los remito al trabajo que hice hace cuatro años para el Ayuntamiento de Gotarrendura sobre esta cuestión y titulado: *De la Cuna al Sepulcro: Gotarrendura-Alba de Tormes. Principio y fin de la vida de Sta. Teresa.* En dicho trabajo expongo, con detalle, los argumentos que permiten afirmar, con bastante verosimilitud, que dicho pueblecito abulense fue el lugar de nacimiento de la Santa. A favor de Ávila solo están las afirmaciones de los biógrafos que, manipulados por los de Ávila, pero sin ningún argumento válido en su favor, afirmaron que la Santa había nacido en dicha ciudad. En el itinerario que va a continuación, pueden verse los principales lugares por los que pasa y el interés de los mismos y de la Ruta resultante.

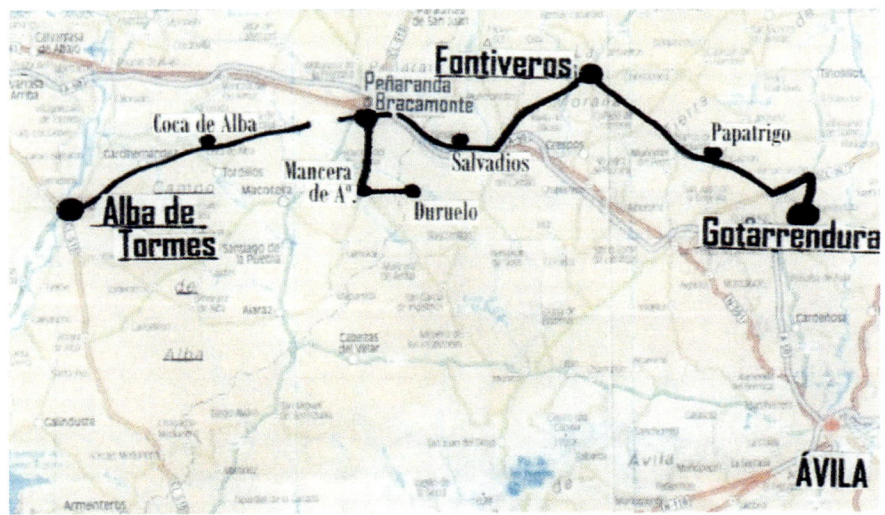

Itinerario de la Ruta *De la Cuna, Gotarrendura, al Sepulcro, Alba de Tormes.*

CAPÍTULO IX
IMPORTANCIA HISTÓRICA, RELIGIOSA Y MONUMENTAL DE LAS RUTAS, FACTOR DESTACADO PARA EL DESARROLLO TURÍSTICO, INTEGRAL Y SOSTENIBLE DE ALBA

En la presentación del trabajo y en comentarios posteriores a lo largo del mismo, espero haber dejado claro que el objetivo principal es estudiar y dar a conocer la historia y geografía urbana de Alba, así como la relación e interfluencia de dos destacados personajes de nuestra historia, estrechamente relacionados con Alba, Sta. Teresa de Jesús y D. Fernando Álvarez de Toledo, III duque, más conocido por el apelativo que le honra por su impresionante trayectoria vital, el Gran Duque. Se han hecho bastantes trabajos por separado de estas tres cuestiones, historia y geografía urbana de Alba y las biografías de Sta. Teresa y el Gran Duque, pero observo que no hay ningún estudio serio, concienzudo, que ponga su acento en la interrelación y sus consecuencias entre Alba y los personajes citados. Esto es, en líneas generales, lo que he pretendido hacer en este trabajo, destacando cómo la privilegida situación de Alba en cruce de caminos entre el Duero y los puertos del Sistema Central y estar en zona fronteriza entre árabes y cristianos y, algún tiempo, entre Castilla y León, fueron causa de su importancia histórica y del interés que tuvo desde su repoblación medieval por Raimundo de Borgoña a comienzos del siglo XII. Después se convirtió en un núcleo por el que la Corona siempre estuvo interesada, hasta que pasó a ser el núcleo germinal de uno de los títulos nobiliarios más importantes de la nobleza española, particularmente con el citado III duque, personaje destacado de nuestra historia, aunque ha habido muchos, al ser uno de los principales colaboradores de Carlos V y Felipe II durante 57 años, nada menos.

La estrecha relación con la Casa de Alba, sobre todo desde finales del siglo XV a comienzos del XVII, explica que Alba de Tormes, pese a ser un pequeño núcleo urbano de los de entonces, fuera una referencia destacada, en lo social, cultural y político en Castilla, al ser la residencia y corte de la casa nobiliaria a la que daba nombre. Esto fue lo que motivó que Sta. Teresa, que no consideraba oportuno fundar uno de sus conventos reformados en Alba, por ser pequeña y existir ya otros tres, se decidiera a hacerlo, y este pronto se convirtió en uno de sus preferidos entre los diecisiete que fundó con su reforma entre 1562-82. Como sabemos, la Casa de Alba no fue ajena a que la Santa se decidiera por Alba, pese a que no entraba en sus proyectos iniciales. De esta forma se formó el trío que tanta influencia y participación tuvo entonces en la historia de España, en campos muy importantes y diferentes, dada la complejidad de las actividades de los personajes citados, el duque como destacado militar y consejero de los reyes, y Sta. Teresa como importante reformadora, escritora y feminista. Esta vinculación de Alba con dicho título nobiliario y Sta. Teresa es lo que explica que tenga doble nominación, ducal y teresiana, título real y merecido, pero de escasas repercusiones favorables para el desarrollo de la misma.

El Gran Duque de Alba, el mejor representante de la casa ducal. A. Moro.

Escultura de la Santa. Convento de Salamanca.

Por todo ello, Alba de Tormes fue entonces un centro referencial en España, hasta que perdió parte de su influencia e importancia por la marcha de los duques, primero a Piedrahíta y después a Madrid, donde se olvidaron de Alba, que pasó a un lugar muy secundario en este aspecto, lejos de lo que había sido antes en la historia de España. No ocurrió lo mismo en su relación con Sta. Teresa, sobre todo al producirse la circunstancia de que muriera en su convento y fuera enterrada en el mismo por deseo expreso de la Santa cuando le preguntaron al respecto. Dada la popularidad e importancia religiosa, cultural y social que adquirió Sta. Teresa desde su muerte, Alba se convirtió, junto con Ávila, en uno de los dos centros más importantes del mundo teresiano, con las consiguientes repercusiones que el mismo ha tenido y tiene para Alba de Tormes. El interesante papel histórico de Alba de Tormes en el Siglo de Oro está muy lejos del que ha tenido después y tiene en nuestros días, por causas propias y ajenas, que le han llevado a ser solamente un pequeño núcleo semiurbano, 5229 habitantes en 2016, centro de una comarca en las campiñas del noroeste provincial salmantino.

A pesar de ello, Alba conserva muchas de las potencialidades derivadas de su privilegiada situación geográfica y que le fueron tan favorable en épocas pasadas. Pero las circunstancias socioeconómicas actuales de Alba no le permiten aprovecharlas y, por eso, desde hace tiempo, su economía y población están en fase estacionaria, estancada, con escaso incremento en cifras absolutas como se deduce de que entre 1960 y 2016 pasó de tener 3797 habitantes a 5229, con un incremento solo del 40%, cuantía muy por debajo de la media nacional, por tomar alguna importante como referencia. Esto quiere decir que, en lo socioeconómico, Alba está en franco retroceso, porque en estas cuestiones quien no avanza, retrocede. Por tal motivo, hay que hacer algo para romper o invertir esta situación y lograr que ponga en valor alguno de los factores geográficos e históricos que todavía mantiene y que puede servir para que salga de la crítica situación en la que se encuentra.

No pienso en absoluto que Alba pueda volver a ser, ni por soñación, lo que fue cuando el Gran Duque tenía en Alba su residencia y la corte y él estaba al frente de puestos importantes en diferentes lugares de nuestro Imperio, Nápoles, Milán, Países Bajos o Portugal. Pero sí puede desarrollar ciertas actividades aprovechando su, todavía, tan privilegiada situación en las tierras meridionales de la cuenca del Duero y con todos sus recursos agrarios modernizados y mejorados gracias a los regadíos. Pero para ello lo primero que tiene que hacer es mejorar sus comunicaciones, reducidas hoy a medianas carreteras que la comunican con los núcleos urbanos del entorno, con las consiguientes repercusiones negativas para la instalación de nuevas actividades o para desarrollar las pocas que tiene, dadas sus limitaciones y carencias. Tales deficiencias se agravaron en los años ochenta del pasado siglo, con el cierre del ferrocarril que unía Asturias con Andalucía occidental, porque así interesaba a otros lugares, aunque a los que cruzaba dicha línea férrea a lo largo de la frontera con Portugal se los hundiera un poco más todavía en su subdesarrollo o estancamiento socioeconómico.

Su situación actual es bastante precaria y con escasas posibilidades de que cambie para bien en un futuro inmediato. Es muy difícil que en Alba se instalen o desarrollen actividades teniendo tan proximos, mejor comunicados y con más posibilidades otros núcleos como Salamanca, Peñaranda, Medina del Campo y Béjar. Lo primero que hay que hacer para poder poner en marcha un plan de desarrollo sostenible para Alba, con ciertas posibilidades de éxito, cosa muy difícil, es conocer su evolución histórica, los factores que tiene a favor y en contra de hacer tal cosa, y la competencia que encontrará en los núcleos citados o si habrá empresas que, después de conocer todo esto, se decidan a invertir en Alba. Esto es lo que, en cierta medida, he pretendido hacer en el presente trabajo, conocer de cerca las principales características de la geografía urbana e historia de Alba y la biografía de los dos personajes más importantes de la misma. Con todos estos conocimientos, se analizan qué posibilidades existen para que Alba pueda aprovechar algo de lo que ha conseguido a lo largo de su historia e inicie un nuevo periodo de desarrollo socioeconómico, desde esta nueva perspectiva.

No podemos esperar que la historia se repita y que Alba vuelva tener un nuevo periodo de desarrollo urbano y proyección exterior, solamente si vuelven a interesarse por ella la Casa de Alba o si las monjas carmelitas impulsan la presencia de Sta. Teresa en Alba, como ocurriera en el pasado y, sobre todo, tras su muerte en su convento. Pero sí podemos aprovechar algunos de los aspectos relacionados con dichos personajes, en el aspecto patrimonial, religioso y cultural, y que tienen bastante aceptación en nuestros días, y hacerlos valer como interesantes recursos turísticos. Estos pueden convertirse en reclamos que atraigan a gentes que den impulso a dicha actividad en Alba, con el consiguiente gran beneficio socioeconómico para la villa ducal y teresiana.

Esto es lo que explica la importancia dada en el trabajo al conocimiento y al aprovechamiento de los recursos turísticos albenses, patrimoniales, religiosos, culturales y gastronómicos. Pienso que es una de las pocas y mejores posibilidades que tiene ahora Alba para iniciar un proceso de recuperación socioeconómica. Deben estudiarse, conocerse y aprovecharse los variados e interesantes recursos turísticos albenses y los del entorno, para los cuales Alba debe ser la principal referencia, al igual que para las rutas que se han establecido con Alba como comienzo y final de las mismas. De esta doble manera, aprovechando los recursos propios y los de las rutas que se han señalado y otras más que pueden crearse, se impulsará la actividad turística con el consiguiente beneficio para la *villa ducal y teresiana*, y como lanzadera o punto de arranque para mejorar su economía impulsando otras actividades relacionadas con el turismo, una vez que se ha conseguido la puesta en marcha de dicha actividad y de las que se benefician con el desarrollo de la misma.

Río, puente, castillo, caserío, convento y basílica, recursos turísticos tradicionales y con más futuro.

Los comentarios realizados en capítulos anteriores han demostrado que Alba, con un importante pasado histórico y su privilegida situación entre zonas paisajísticamente diferentes, como el Campo Charro, campiñas, riberas del Tormes y sierras, y por su estrecha vinculación con la Casa de Alba y los carmelitas descalzos, tiene un interesante patrimonio paisajístico, histórico-monumental, cultural y religioso que, en términos turísticos, son otros tantos interesantes recursos que podrían impulsar dicha actividad hasta unos niveles que ahora está lejos de tener y que beneficiarían a otras empresas relacionadas con el turismo. En gran parte esto ha sido por causa de quienes han tenido y tienen la responsabilidad de estudiar tales recursos, darlos a conocer y promocionarlos adecuadamente, desde el punto de vista cultural y turístico, cosa que no han hecho en la medida adecuada a sus posibilidades, y, si no lo hacen los interesados, ¿quién lo va a hacer? Espero compensar esta importante carencia con la realización de este trabajo que busca paliar las deficiencias en ambos campos, conocer mejor la geografía e historia de Alba, así como también la biografía y la relación con Alba de dos importantes personajes de nuestra historia. De todo esto ha derivado la existencia de una serie de recursos paisajísticos, patrimoniales, culturales, religiosos y turísticos, tanto de Alba como de su entorno que, aprovechados adecuadamente, pueden ayudar a cambiar la difícil y precaria situación socioeconómica actual de Alba de Tormes.

En los capítulos anteriores he estudiado, con cierto detalle, el singular e interesante emplazamiento geográfico de Alba de Tormes, en una encrucijada de caminos que buscaban el vado del Tormes para cruzarlo más fácilmente, cosa que harán mejor tras la construcción del puente ya en época romana.

También son interesantes las características de su situación, al estar en zona de transición entre cuatro espacios con rasgos paisajísticos y económicos muy diferentes: Campo Charro, campiñas cerealistas, vega y regadíos del Tormes y las cercanas sierras del Sistema Central. Igualmente, por la importancia histórica que tienen algunos lugares cercanos, como el pueblecito de El Carpio y el interesante y conocido espacio de los Arapiles, por la famosa batalla que se libró en tal lugar, con importantes repercusiones en la historia de España y Europa. Similar es también la importancia y participación de Alba en la historia, la cultura y la religión, por su estrecha vinculación con dos de los personajes más importantes de nuestra historia, el Gran Duque de Alba y Sta. Teresa, estrechamente relacionados con Alba, de donde deriva su doble denominación de villa ducal y teresiana.

Monolito del Arapil grande, un lugar histórico importante cerca de Alba.

La importancia de ambos personajes en los aspectos citados está fuera de dudas, igual que su estrecha relación con Alba, aspectos bastante desconocidos hoy para el gran público y muchos albenses, su gran importancia en las cuestiones citadas de nuestra historia y su estrecha relación con Alba. Y si esto no es conocido, ¿cómo va a poder ser utilizado para impulsar de nuevo el desarrollo económico albense, apoyados en algo que tenga que ver con la historia de Alba y con los citados personajes? Con el fin de remediar en parte tal deficiencia, se ha prestado bastante atención a explicar la historia de Alba y, sobre todo, con relación a la Casa de Alba, Sta. Teresa y el convento que esta fundó y en el que quiso ser enterrada. Esta es la razón del título del presente trabajo: *Alba de Tormes. Ducal y Teresiana. Importancia histórica, religiosa, cultural y turística.* Estoy convencido del poco conocimiento que se tiene tanto de la historia y geografía urbana de Alba, como de la relación e importancia para la villa de los dos personajes citados. También de que es a partir de este conocimiento y del aprovechamiento de los recursos turísticos derivados de la presencia de tales personajes en Alba como puede iniciarse la recuperación socioeconómica de la villa. Es una de las pocas posibilidades que tiene Alba para intentarlo, porque pensar en que se vayan a instalar aquí empresas tecnológicas o comerciales, modernas e importantes es hacerse ilusiones sin fundamento. En el caso de que vinieran a la provincia alguna de tales empresas, se instalarían en la capital, Peñaranda, Béjar o incluso en Ávila o Medina del Campo antes que en Alba. Unas industrias que sí pueden incrementar su importancia en Alba son las chacineras, al haber materia prima y tradición para ellas, además de que ya hay un sector de ellas de cierta relevancia.

Las industrias chacineras, junto con la turística, son las otras que tienen más posibilidades.

En los capítulos anteriores se han estudiado los aspectos geográficos, históricos, culturales y religiosos de Alba, que son muchos e interesantes la mayoría. Como es sabido, las características de la mayor parte de ellos hacen que haya mucha gente que, si estuvieran mejor promocionados, estaría interesada en conocerlos o participar en ellos, y que visitaría Alba, con las repercusiones turísticas correspondientes y el auge que adquiriría dicha actividad por tal motivo. Hoy está por debajo de sus posibilidades, por el poco conocimiento de tales cuestiones y, también, por la escasa promoción y el mínimo aprovechamiento de las mismas desde el punto de vista turístico. Como ocurre en otros muchos lugares, cuando llega un nuevo grupo al Ayuntamiento, se olvida de toda promoción anterior, aunque pueda haber sido buena, y empiezan otra vez de cero, con la pérdida de todo lo anterior. Muchos de tales aspectos paisajísticos, histórico-monumentales, culturales y religiosos son atractivos conocidos como recursos turísticos, fundamentales para impulsar y desarrollar la citada actividad turística a unos niveles muy superiores a los que ahora tiene en Alba y poder lograr un desarrollo turístico integral y sostenible que a día de hoy está lejos de alcanzarse.

Es necesario tener claro qué se entiende por recurso turístico y recordar que este concepto ha cambiado mucho en los últimos tiempos, al hacerlo el modo de vida y el gusto de la gente, a la vez que han surgido otros nuevos por estos motivos. Una definición genérica de recurso turístico es la siguiente: *Aspecto del medio natural, realización material o inmaterial de la acción humana a lo largo de la historia o actual, fiesta, actividad cultural o religiosa que hace que gentes de otros lugares vengan hasta donde están para conocerlos, disfrutar o participar en ellos.* Según esta definición, hoy se considera recurso turístico todo aquello que hay en un lugar o territorio que atrae a gentes de otros lugares, por diferentes motivos, cosa que antes no ocurría cuando se consideraba solo como recurso turístico el sol y la playa. Por esta razón, hoy se han convertido en importantes regiones turísticas comunidades autónomas como Castilla y León, pues muchas de sus ciudades y pueblos tienen recursos variados e interesantes pertenecientes a los aspectos citados antes.

Como es sabido, los recursos turísticos de un lugar y territorio como el de la tierra de Alba presentan bastante diversidad por la procedencia de sus aspectos tan diferentes. Unos pertenecen al medio natural de la zona, son los recursos paisajísticos. Otros derivan de su interesante evolución histórica que, además, ha dado origen a la existencia de construcciones importantes, son los recursos patrimoniales, con los cuales están relacionados también los recursos culturales por la importancia histórica y literaria de algunos personajes ligados con la historia de Alba. En el caso de Alba tienen gran importancia los recursos religiosos, por la estrecha relación de Alba con Sta. Teresa. Por último, señalar también como otro interesante recurso turístico el aprovechamiento que han hecho los albenses de las materias primas existentes en la zona, al desarrollar una gastronomía que atrae a gentes de otros lugares para disfrutar con ella, son los recursos gastronómicos. Por lo tanto, Alba cuenta con una diversidad y relativa importancia de recursos turísticos, cinco grupos diferentes, que, bien promocionados y aprovechados, pueden dar un considerable impulso a la actividad turística de la villa ducal y teresiana, para que esta sirva de base, punto de arranque para su desarrollo integral y sostenible, el cual la saque del estancamiento en que está desde hace años.

Las cosas en esto han cambiado mucho, al igual que el modo de vida, por lo que se han convertido en interesantes recursos turísticos aspectos que antes no llamaban la atención a nadie. Esto ha despertado el interés por el turismo en particulares y en la Administración, y regiones como la nuestra y núcleos como Alba han adquirido importancia en el sector, antes eran solo las zonas costeras y ciudades histórico-monumentales las que eran atractivas para las gentes de otras tierras, con las imaginables consecuencias socioeconómicas.

Pero hoy ya no es así y también llegan turistas a regiones interiores y núcleos como Alba, sin sol ni playa. Según la definición anterior, en Alba y su tierra hay muchos y variados recursos turísticos, aunque no todos tengan el mismo interés, atractivo e importancia, ni estén bien promocionados. Tal diversidad y abundancia complican su promoción, aprovechamiento y la planificación y política de desarrollo integral y sostenible de los citados recursos. Merecen especial mención y dedicación los histórico-monumentales, culturales y, sobre todo, religiosos, por la estrecha relación de Sta. Teresa con la villa ducal, al ser un destacado centro teresiano, con gran importancia actual, pero que podría desarrollarse aún más, con el consiguiente beneficio para la actividad turística y economía albenses.

El impulso de la actividad turística albense, objetivo destacado de este trabajo, debe hacerse a partir del conocimiento de los recursos turísticos existentes. Para ello hay que conocer las características paisajísticas, geográficas, históricas, religiosas y culturales de Alba, por pertenecer a tales sectores los principales atractivos que hay. Es lo que se ha hecho en el presente trabajo y con este objetivo. Por tal motivo, se tiene la primera parte imprescindible para impulsar el desarrollo sostenible e integral de Alba, de acuerdo con sus posibilidades, que son bastante limitadas, como lo son en general en toda la provincia, por causas diversas, propias y ajenas. Otra condición previa a iniciar la promoción para el desarrollo de Alba, es el conocimiento de los recursos turísticos existentes para proceder a la promoción adecuada de los mismos. Es lo que se hace a continuación.

Privilegiado emplazamiento de Alba, junto al río y entre campiñas y Campo Charro.

RECURSOS TURÍSTICOS DE ALBA DE TORMES.
RELACIÓN E IMPORTANCIA DE SU APROVECHAMIENTO

a) Paisajísticos o del medio natural. Variados e interesantes

– *Situación favorable en zona de transición, entre campiñas, Campo Charro y sierras.*
– *Interés paisajístico de la vega que forma el Tormes a su paso por Alba.*
– *Diversidad paisajística de Alba y su entorno, en la vega fluvial del Tormes.*
– *Emplazamiento de Alba sobre un cerro y junto a un vado del Tormes.*
– *Privilegiada situación de Alba en las campiñas del noreste, entre el Duero y puertos del S. Central.*
– *Caudal abundante y regular del Tormes por Alba por la acción del embalse y azud.*
– *Posibilidad de practicar deportes náuticos en los embalses del Tormes.*
– *Presencia de aves migratorias en los humedales del Tormes.*
– *Interés de las rutas cicloturistas por el entorno de Alba.*

b) Recursos del patrimonio histórico-monumental. Interés e importancia

– *Muchos y variados recursos de este tipo, por la antigua y dinámica actividad humana.*
– *Restos prehistóricos y arqueológicos, destaca la Calzada Romana.*
– *Conjunto urbano con interesantes y variadas construcciones militares, religiosas y civiles, pese a las importantes pérdidas sufridas.*
– *Varias iglesias, conventos, ermitas y casonas, interesantes y variadas.*
– *Interesantes museos: carmelitano, P. Belda e iglesia de S. Juan.*
– *Artesanía y alfarería, con tradición, calidad, importancia y aceptación.*
– *Embalse de Sta. Teresa y azud de Villagonzalo que regulan el caudal y favorecen la pesca, deportes náuticos y presencia de aves migratorias.*
– *Cercanía a Salamanca y comarcas de Béjar y Francia, con muchos y variados recursos.*

Lo teresiano y lo relacionado con la Casa de Alba, interesantes recursos turísticos futuros.

c) Religiosos, culturales y sociales. Interés por su dualidad ducal y teresiana

- *Interés e importancia por su antigua e importante historia.*
- *Tradición cultural destacada por la interesante evolución histórica de Alba.*
- *Importancia de Alba por su estrecha relación con la casa ducal y Sta. Teresa.*
- *Interés histórico de varios lugares en el entorno albense: El Carpio y los Arapiles.*
- *Alba, único lugar de España con doble condición, ducal y teresiana.*
- *Importante centro teresiano y religioso por excelencia, por el sepulcro de la Santa.*
- *Importantes fiestas populares y religiosas relacionadas con Sta. Teresa.*
- *Destino de peregrinaciones por su condición de destacado centro teresiano.*
- *Interesante modo de vida rural y posibilidades de turismo activo.*
- *Alba, hito importante en rutas culturales y turísticas salmantinas.*
- *Gastronomía interesante, con materias primas y tradición culinaria.*
- *Población hospitalaria y afable que hace grata la estancia al visitante.*

Cerámica tradicional y asados, dos interesantes atractivos turísticos albenses.

BIBLIOGRAFÍA

ABELLÁN, J. L. *Visión de España en la Generación del 98*. Ed. Emresa. Madrid. 1968.

AGUILERA Y GAMBOA, E. de. *Los Duques de Alba y Santa Teresa*. Madrid. 1955

ÁLAMO SALAZAR, A. *Alba de Tormes. Villa ducal y teresiana*. 3.ª ed. Gráficas Merino. Palencia. 1977.

ALEGRE CARVAJAL, E. *Las Villas Ducales como tipología urbana*. UNED. Madrid. 2014.

ALONSO BAQUER, M. y otros. *Salamanca en la Guerra de la Independencia*. Caja Salamanca y Soria. Salamanca. 1996.

ALONSO CORTÉS, N. Isabel de Urbina, 1.ª mujer de Lope de Vega. *Bol. R. Academia*, vol. XLV, pp. 674-679. Madrid. 1927.

ÁLVAREZ VILLAR, J. *La Villa Condal de Miranda del Castañar*. CES. Salamanca. 1972.

ÁLVAREZ, T. y DOMINGO, F. *Inquieta y andariega la aventura de Teresa de Jesús*. Edit. Monte Carmelo. Madrid. 1981.

ANGULO IÑIGUEZ, D. Convento de las Carmelitas Descalzas, Alba de Tormes. Declaración de monumento histórico-artístico. *Bol. Real Academia de la Historia*, pp. 5-8. Madrid. 1981.

ARAUJO, F. *Guía histórico-descriptiva de Alba de Tormes*. Diputación Provincial. Salamanca. l982. 1.ª edición 1882.

ARRANZ CASTRO, D. y otros. *Las Llanuras del NE. salmantino*. Publicaciones Diputación Provincial. Salamanca. 2006.

ASTIGARRAGA, J. L. Últimos días y muerte de Sta. Teresa. *Ephemerides Carmelitas*, n.º 33, pp. 7-69. 1982.

ASTRANA MARÍN, L. *Lope de Vega*. Edit. Juventud. Barcelona. 1963.

AZORÍN. *El paisaje de España visto por los españoles*. Edic. Austral. Madrid. 1972.

— *Los pueblos de Castilla*. Edit. Planeta. Barcelona. 1990.

— *Castilla*. Espasa Calpe. Madrid. 6.ª ed. 1999.

BARRIOS GARCIA, Á. Repoblación en la zona meridional del Duero. Fases de ocupación, procedencias y distribución espacial de los repobladores. *Studia*

Historica. Historia Medieval, pp. 32-82. Ediciones Universidad de Salamanca. 1985.

BAYÓN VERA, S. Características específicas del Turismo de Interior y su situación actual en España. En *Los Turismos de interior*. Madrid. 1997.

BEJARANO, V. Las fuentes antiguas para la historia de Salamanca. *Rev. Zephyrus*, vol. VII. Salamanca. 1955.

BLASCO ESQUIVIAS, B. *Utilidad y belleza en la arquitectura carmelitana.* Anales de Historia del Arte. Madrid. 2004.

BLÁZQUEZ GÓMEZ, R. *Alba de Tormes y su historia.* Diputación Provincial. Salamanca 1994.

BENET, N. Editor. *La batalla de Salamanca. Los Arapiles. 22-VII-1812.* Publicaciones Caja Duero. Salamanca. 2002.

BONILLA HERNÁNDEZ, J. A. *Conventos salmantinos en la Desamortización de Mendizábal.* Libro Homenaje P. B. Hernández. Univ. de Salamanca, pp. 303-347.

— Coord. *Puentes singulares de la provincia de Salamanca.* Diputación Provincial. 2005.

BOTE GÓMEZ, V. *Turismo en espacio rural. Rehabilitación del patrimonio sociocultural y de la economía local.* Edit. Popular. Madrid. 1988.

CABERO DIÉGUEZ, V. *El espacio geográfico castellano leonés.* Edic. Ámbito. Valladolid. 1982.

CABO ALONSO, Á. La Armuña. *Rev. Estudios Geográficos*, n.º 58, pp. 76-136. Madrid. 1955.

— Paisaje agrario salmantino. En *Coloquios sobre Geografía Agraria.* Acta Salmanticensia, vol. 54, pp. 73-83. Salamanca. 1966.

CABO ALONSO, Á. y MANERO MIGUEL, F. Coords. *Geografía de Castilla y León.* 10 vols. Valladolid. 1986.

CARDIS, M. *El paisaje en la vida y obra de M. de Unamuno.* Cátedra M. de Unamuno. Univ. de Salamanca. 1953.

CARO BAROJA, J. *Los judíos en la España Moderna y Contemporánea.* Ed. Arión. Madrid. 1961.

CASAS ROBLA, M. y otros. *Recorrido por Castilla y León.* Junta de Castilla y León. 1989.

CASASECA, A. y NIETO GONZÁLEZ, J. R. *Libro de los lugares y aldeas del Obispado de Salamanca (1604-1629).* Universidad de Salamanca. 1982.

CASTRO, A. Literatura Espiritual. Teresa la Santa. *Historia Crítica Literatura Española*, vol. II. Edit. Crítica. Madrid. 1980.

CASTRO, A. y DE ONÍS, F. *Fueros leoneses de Zamora, Salamanca, Ledesma y Alba de Tormes.* Centro de Estudios Históricos. Madrid. 1916.

CEA GUTIERREZ, A. Modelos para una Santa. El necesario icono en la vida de Teresa de Ávila. *Rev. de Dialectología y Tradiciones populares*, vol. XLI, n.º 1, pp. 7-48. CSIC. Madrid. 2006.

CHUECA GOITIA, F. *Breve historia del Urbanismo.* Alianza editorial. Madrid. 1987.

COBOS GUERRA, F. y CASTRO FERNÁNDEZ, J. J. de. *Castilla y león. Castillos y fortalezas*. Edilesa León.1997.

CORREDERA MARTÍN, J. *Alba de Teresa*. Diputación Provincial. Salamanca. 1990.

CORTÉS VÁZQUEZ, L. *Salamanca en la Literatura*. Gráficas Cervantes. Salamanca. 1972.

— *Arte Popular Salmantino*. Centro de Estudios Salmantinos. 2.ª ed. Salamanca. 2003.

CRIADO MIGUEL, F. *Descripción y guía de la villa ducal de Alba de Tormes*. Imp. Núñez. Salamanca. 1905.

DELIBES, M. *Castilla, lo castellano y los castellanos*. Edit. Planeta. Barcelona. 1968.

DÍEZ ELCUAZ, J. I. El peso de la tradición: Basílica teresiana de Alba de Tormes. 1897-1923. En Actas Congreso Español de Arte, pp. 373-386. León. 1994.

DOMÍNGUEZ ORTIZ, A. *El Antiguo Régimen: Los Reyes Católicos y los Austrias*. Alianza Edit. Madrid. 1983.

DORADO, N. *Hombres y paisajes salmantinos*. Diputación Provincial. Salamanca. 1982.

EGIDO NÚÑEZ, E. *Alba de Tormes. Guía-manual histórico turística*. La Xilográfica. Madrid. 1968.

ENRÍQUEZ DE SALAMANCA, C. Castillos de Salamanca y Zamora. *Rev. Geográfica Española*, n.º 49. Madrid. 1970.

— *Rutas del Románico en la provincia de Salamanca*. Gráficas Cervantes. 1989

ERIKA, L. *Teresa de Ávila: las tres vidas de una mujer*. Herder. 2004.

FERNÁNDEZ ÁLVAREZ, M. El entorno histórico de Sta. Teresa. En *Studia Zamorensia*, 3, pp. 357-447. Zamora. 1982.

— *Felipe II y su tiempo*. Edit. Espasa Calpe. Madrid. 1998

— *Carlos V, el César y el hombre*. Edit. Espasa Calpe. Madrid. 1999.

— *El Duque de hierro: Fernando Álvarez de Toledo, III de Alba*. Espasa Calpe. Madrid. 2007.

FLORES LÓPEZ, C. *Pueblos de España*. 2 vols. Espasa Calpe. Madrid. 1989.

GACTO FERNÁNDEZ, M.ª T. *Población de la Extremadura Leonesa. S. XII y XIII. Según los fueros de Salamanca, Ledesma, Alba de Tormes y Zamora*. Centro de Estudios Salmantinos. Salamanca. 1977.

GARCÍA BOIZA, A. *Inventario de castillos, murallas, puentes y monasterios*. Diputación Porvincial. Salamanca. 1993

GARCÍA CASAR, M.ª F. La aljama de los judíos de Alba de Tormes en la Edad Media. En *Espacio, tiempo y forma. historia Medieval*, n.º 15, pp. 77-94. Universidad de Salamanca. 2002

GARCÍA DE LA CONCHA, V. *El arte literario en Sta. Teresa*. Ariel. Barcelona. 1981.

— *Libro de las Fundaciones*. Clásicos Castellanos. Madrid. 1991.

GARCÍA FERNÁNDEZ, J. *Castilla. Entre la percepción del paisaje y la tradición*. Espasa Calpe. Madrid. 1995.

GARCÍA FIGUEROLA, M. Lope de Vega en Alba de Tormes (1591-1595). *Papeles del Novelty*, n.º 13. Salamanca. 2006.

GARCÍA GARCÍA, J. M.ª *Alba de Tormes. Páginas sueltas de su historia*. Diputación Provincial. 1991.

GARCÍA MARTÍN, P. Coord. *Cañadas, cordeles y veredas*. Junta de Castilla y León. Valladolid. 1991.

GARCÍA PINACHO, M. del P. *Los Álvarez de Toledo Nobleza viva*. Junta Castilla y León. Consejería E. y Cultura. 1998.

GARCÍA VALDÉS, O. *Santa Teresa de Jesús*. Ediciones Omega S.A. Barcelona. 2001.

GARCIA ZARZA, E. *La Armuña Chica. Geografía, historia y Paisaje*. Diputación provincial. Salamanca. 1978

— *Origen histórico del latifundismo Salmantino*. Centro de Estudios Salmantinos. 2.ª ed. 1986.

— Geografía de Salamanca. En Castilla y León. Salamanca. Edit. Mediterráneo. Madrid, pp. 33-56. 1990.

— *Pueblos y paisajes de Castilla y León*. Ediciones Lancia. León. 1994.

— *Salamanca. Tierras y gentes. La provincia y sus comarcas*. La Gaceta. Salamanca. 1995.

— Coord. El Padre Duero. Mucho más que un río. En *Padre Duero*, pp. 5-19. Edilesa. León. 1996.

— *Alba de Tormes en El Camino del Castellano. De S. Millán de la Cogolla a Alcalá de Henares*. Libro Fiestas Patronales. Ayuntamiento de Alba de Tormes, pp. 415-425. 1998.

— Turismo Rural en Castilla y León. Análisis, problemática y perspectivas. En *Salamanca. Revista de Estudios*, n.º 46, pp. 115-182. Salamanca. 2001.

— *Salamanca. Rutas turísticas provinciales. Importancia geográfico-turística*. Junta Castilla y L. C. I. T. de Salamanca. 2002.

— El Turismo Cultural en Castilla y León. El caso singular de las Edades del Hombre. En Rev. *Cuadernos de Turismo*, n.º 10, pp. 23-67. Univ. de Murcia. 2002.

— Coord. *El Tormes y los ríos salmantinos*. GRUPOSA. La Gaceta de Salamanca. 2006.

— *Actividad turística salmantina. Análisis, problemática y perspectivas*. Junta de Castilla y L. CIT. 2007.

— *Alba de Tormes. Hito importante en Rutas turísticas salmantinas*. Ayuntamiento de Alba de T. 2007.

— *Ruta del Lazarillo. De Salamanca, universitaria, a Toledo, imperial*. Junta Castilla y León. C.I.T. Junta de C. y L. Salamanca. 2008.

— Las Campiñas cerealistas del NE. salmantino. Interés geográfico y diversidad paisajística. En *Llanuras de Salamanca*, pp. 129-199. Diputación Provincial. Salamanca. 2011.

— Conjuntos Históricos de Castilla y León. Importantes recursos turísticos para el Desarrollo Integral y Sostenible. *Cuadernos de Turismo*, n.º 27, pp. 455-469. Univ. de Murcia. 2011.

— *La provincia y población de Salamanca a comienzos del S. XIX. Importantes cambios en ambos aspectos*, pp. 45-68. . Fundación Salamanca. Ciudad de CulturaSalamanca. 2013.

— Alba de Tormes. Importancia geográfica, histórica, cultural religiosa y turística. *Salamanca. Rev. de Estudios*, n.º 59, pp. 327-352. Diputación Provincial. Salamanca. 2014.

GARROSA RESINA, A. *Los ríos del Duero en la Literatura.* Confederación Hidrográfica del Duero. Valladolid. 1998.

GINER DE LOS RÍOS, F. Paisaje. En *La Ilustración Española*, pp. 91-103. Madrid. 1886.

GÓMEZ MENDOZA, J. y otros. *Viajeros y paisajes.* Alianza Edit. Madrid. 1996.

GÓMEZ MOLLEDA, M.ª D. La cultura femenina en la época de Isabel la Católica. *Rev. Archivos y Bibliotecas*, n.º 61, pp. 137- 193. Madrid. 1955.

GÓMEZ-MORENO, M. *Catálogo monumental de España. Provincia de Salamanca.* Direc. G. Bellas Artes. Madrid. 1967.

GONZÁLEZ GONZÁLEZ, J. Repoblación de la Extremadura Leonesa. *Rev. Hispania*, t. III, pp. 195-273. 1943.

— *Alfonso IX.* C.S.I.C. Instº. Jerónimo Zurita, 2 vols. Madrid. 1944.

GONZÁLEZ GARCÍA, M. *La repoblación y la ciudad de Salamanca en la Baja Edad Media.* C.E.S. Salamanca. 1973.

GONZÁLEZ PÉREZ, A. *El Lazarillo de Tormes en Alba.* Libro de las Fiestas. Ayuntamiento de Alba, 1998, pp. 229-245.

GONZÁLEZ, Z. y MILA, H. EL Castillo palacio de los Álvarez de Toledo en Alba de Tormes. *Departamento de Historia del Arte*, vol. 23, pp. 455-468. Univ. Complutense. Madrid. 2013.

— Castillo-palacio de los Álvarez de Toledo en Alba de Tormes. *Anales historia del Arte*, vol. 23, pp. 255-268. Madrid. 2013.

GUTIÉRREZ, J. M. *Castillos de Castilla y León.* Edic. Edical. 1994.

GUTIÉRREZ ROBLEDO, J. L. *Alba de Tormes. Monasterio de la Anunciación de Carmelitas Descalzas.* Edilesa. León. 2008.

— y otros. *Memoria mudéjar en La Moraña.* ASODEMA/PROYECTO LEAL. Ávila. 2011.

— Convento, iglesia y Museo Carmelitano de Alba de Tormes: 151-2014. En *Salamanca. Rev. de Estudios*, n.º 59, pp. 235-275. Diputación Provincial deSalamanca.2014.

HERNÁNDEZ, C. Coord. *Rutas con encanto por España.* Edic. El País. Madrid. 1999.

HERRERO PRIETO, L. C. *Turismo Cultural. El patrimonio como fuente de riqueza.* Fundación Patrimonio de Castilla y León.

JARRÍN, F. *El devoto peregrino a los santuarios del obispado de Salamanca Peregrinación a Alba de Tormes.* Calatrava. Salamanca. 1896

JAVIERRE, J. M.ª *Teresa de Jesús.* Ediciones Sígueme. Salamanca. 1994.

JIMÉNEZ, F. La alhóndiga de Alba. En *De Salamanca. Arte y otras cosas*, pp. 133-136. Diputación Provincial Salamanca. 1983.

— *La Plaza Mayor de Alba de Tormes.* Diputación Provincial, pp. 25-32. Salamanca. 2005.

JIMÉNEZ LOZANO, J. *Guía espiritual de Castilla y León.* Edic. Ámbito. Valladolid. 1984.

KAMEN, H. *El gran duque de Alba.* 4.ª edición. Madrid: La Esfera de los Libros. Madrid. 2007.

LAÍN ENTRALGO, P. *La Generación del 98.* Espasa Calpe. Madrid. 1947.

LAMANO BENEITE, J. *Santa Teresa de Jesús en Alba de Tormes.* Imp. Calatrava, 1914. Ed. Facsímil. Salamanca. 2012.

LAMPÉREZ Y ROMEA, V. *Las iglesias españolas de ladrillo.* Forma. Barcelona. 1905.

LÁZARO CARRETER, F. *Lope de Vega. Introducción a su vida y obra.* Editorial Anaya. Salamanca. 1966.

LUIS CALABUIG, L. de. Coord. *El Padre Duero. Mucho más que un río.* Edilesa. Caja Duero. 2000.

LLAMAS MARTÍNEZ, E. *Sta. Teresa de Jesús y la Inquisición Española.* El Mundo Universal. C.S.I.C. Madrid. 1972.

— Sta. Teresa y la espiritualidad popular. *Rev. Espiritualidad,* n.º 40, pp. 215-252. Salamanca. 1981.

LLORENTE MALDONADO, A. *Las comarcas históricas y actuales de la provincia de Salamanca.* Centro de Estudios Salmantinos. Salamanca. 1976.

— *Toponimia Salmantina. Edición compilada y ordenada.* Diputación provincial. Salamanca. 2003.

MACHADO, A. *Campos de Castilla.* En *Poesías completas.* Col. Austral. Espasa Calpe. Madrid. 1973.

MADOZ, P. *Diccionario geográfico-estadístico-histórico de España y sus posesiones de Ultramar.* Madrid. 1849. Reedición Ámbito Edic. 1984.

MADRE DE DIOS, E. de la. *Obras completas de Sta. Teresa.* 3 vols. BAC. Madrid. 1952.

MALTBY, W. S. *El Gran Duque de Alba. Un siglo de España en Europa. 1507-1582.* Edit. Turner. Madrid. 1995

— *El Gran Duque de Alba.* Prólogo de Jacobo Siruela, 2.ª edición. Atalanta. Madrid. 2007.

MARTÍN GONZÁLEZ, J. J. *El convento de S. José de Ávila y la arquitectura carmelitana.* BSAA. Valladolid. 1976.

MARTÍN JIMÉNEZ, C. *Castillos y fortalezas de Castilla y León.* Edic. Ámbito. 1996.

MARTÍNEZ BLAT, V. *Biografía intensa de Sta. Teresa de Jesús.* BAC. Madrid. 2005.

MARTÍNEZ DE PISÓN, E. *Imagen del paisaje en la Generación del 98.* Caja Madrid. Madrid. 1998.

MENÉNDEZ PIDAL, G. *Los Caminos en la historia de España.* Instituto de Cultura Hispánica. Madrid. 1951.

MESONERO ROMANOS, R. *Memorias de un setentón.* Edit. Tebas. Madrid. 1975.

MIÑAMBRES, N. *Alba de Tormes. Guía Turística*. Edilesa. León. 2003.

MONSALVO ANTÓN, J. M. *El sistema político concejil: ejemplo del señorío medieval de Alba de Tormes y su Concejo de Villa y Tierra*. Universidad de Salamanca. 1989.

MORÁN, C. *Antiguas vías de comunicación en Salamanca*. Rev. Obras Públicas. Madrid.

MOREIRO PRIETO, J. *Una página en la vida de Lope de Vega. Alba de Tormes*. Sociedad Amigos de Alba. 1978.

MÜNZER, J. *Viaje por España*. Edit. Aguilar. Madrid. 1952.

NAVARRO LATORRE, J. Rutas y pueblos en tiempos teresianos. *Estafeta Literaria*, n.º 453, pp. 57-79. Madrid. 1970.

OROZCO DÍAZ, E. *Expresión, comunicación y estilo en la obra de Sta. Teresa*. Diputación Provincial. Granada. 1981.

ORTEGA CANTERO, N. *Paisaje y excursiones. F. de Giner y la Institución Libre de Enseñanza*. Caja Madrid. Madrid. 2001.

— Paisaje e identidad nacional en Azorín. *Bol. de la A.G.E.*, n.º 34, pp. 119-131. Madrid. 2002.

ORTEGA VALCARCE, J. Territorio y desarrollo en Castilla y León. *Papeles de Economía*, n.º 14, pp. 555-560. Madrid 1994

ORTEGA Y GASSET, J. *Paisajes*. Gremio de Editores y Libreros. Madrid. 1983.

PACHO, A. De Burgos a Alba. El último viaje de Santa Teresa. En *Rev. Monte Carmelo*, 89, pp. 97-107. Alba. 1981.

— Sta. Teresa y su tiempo. *Biblioteca Salmanticensis*, n.º 54. Univ. Pontificia. Salamanca 1984.

PANO Y RUATA, M. de. Las iglesias españolas de ladrillo. *Rev. Aragón*, vol. VI. Zaragoza 1905.

PEREÑA, L. Coord. *Proceso a la Leyenda Negra. Testigos de excepción*. Universidad Pontificia. Salamanca. 1989.

PÉREZ GALDÓS, B. *La batalla de los Arapiles*. Introducción J. A. Bonilla. Diputación Provincial. Salamanca. 2002.

PÉREZ, J. *Teresa de Ávila y la España de su tiempo*. Edit. Algaba. Madrid. 2007.

PÉREZ DELGADO, T. Salamanca en la Guerra de la Independencia (1808-1814). Teatro bélico y escenario social. En *Salamanca en el primer tercio del S. XIX*. pp. 15-44. Fundación Salamanca. Salamanca. 2013.

PINILLA GONZALEZ, J. *El Arte de los monasterios despoblados de la provincia de Salamanca.*Univ.de Salamanca. 1982.

PONZ, A. *Viaje de España*, tomo XII. Madrid. 1788.

POZA YAGÜE, M. *Capilla Mayor del Monasterio de S. Leonardo de Alba. Panteón de Álvarez de Toledo*. Actas II Simposio. Orden S. Jerónimo. Sevilla. 1999.

PRIETO PANIAGUA, M.ª R. *La arquitectura románico-mudéjar en la provincia de Salamanca*. CES. Salamanca. 1980.

QUADRADO, J. M.ª *Salamanca, Ávila y Segovia*. Ediciones El Albir. Barcelona. 1979.

RETUERCE VELASCO, M. Castillo de Alba de T. Primeros resultados arqueológicos. *Bol. Amigos Museo de Salamanca.* 1992.

RIBERA, F. de. *Vida de la M. Teresa de Jesús. Fundadora de los descalzos y descalzas carmelitas.* Edibesa. Madrid. 2005.

RIESCO CHUECA, P. Anotaciones toponímicas salmantinas. *Revista Salamanca*, n.º 53, pp. 185-264. Diputación provincial. Salamanca. 2006.

RUIZ, M. *Anécdotas teresianas.* Edit. Monte Carmelo. Burgos. 1981.

RUMEU DE ARMAS, A. *historia de España: Moderna y Contemporánea.* Edit. Anaya. Salamanca. 1963.

SAMPEDRO ESCOLAR, J. L. *La Casa de Alba.* La Esfera de los Libros. Madrid. 2007.

SÁNCHEZ ALBORNOZ, C. *Despoblación y Repoblación del Valle del Duero.* Instituto de Historia de España. Buenos Aires. 1966.

SÁNCHEZ ARROYO, R. *Alba de Tormes.* Ediciones Júcar. 1997.

SÁNCHEZ RUEDA, J. *Recuerdos y Esperanzas. De Alba de Tormes, su entorno y otras cosas.* Salamanca. 1992.

SÁNCHEZ SÁEZ, D. *La Moraña. Análisis y propuestas parasu desarrollo.* Cámara de Comercio de Arévalo. 2004.

SÁNCHEZ SÁNCHEZ, D. *Alba de Tormes. Historia, Arte y Tradiciones.* Europa. Artes gráficas. Salamanca. 1984.

SANTIAGO, E. Coord. *El Libro de Oro de Castilla y León.* La Gaceta. Salamanca. 1995.

SANZ HERMIDA, J. *Salamanca. Conventos y Monasterios. Tres Diócesis y una provincia.* Gaceta Regional. Salamanca. 1995.

SASTRE VARAS, L. *Fr. Juan Álvarez de Toledo. Mecenas del Arte.* Libro Fiestas Patronales Ayuntamiento Alba de Tormes, pp. 372-383. 1998.

TELLECHEA YDÍGORAS, J. I. Teresa de Jesús, Doctora de la iglesia. *Rev. Espiritualidad*, n.º 32. Madrid. 1970.

TERÁN, M. y RIBEIRO, O. *Geografía de España y Portugal.* Edit. Montaner. Barcelona. 1952.

TORMO E. *Alba de Tormes.* Hauser y Menet. Madrid. 1932.

TORRES BALBÁS, L. *El Arte mudéjar. Ars Hispaniae*, vol. IV. Madrid. 1949.

TOVAR, A. *Ancha es Castilla.* Edic. Ámbito. Valladolid. 1983.

TROITIÑO VINUESA, M. A. El turismo en las ciudades históricas. *Rev. Polígonos*, vol. 5, pp. 47-82. 1995

UGALDE AGÚNDEZ, J. M. Los caminos teresianos. *Ciencias y Humanidades*, n.º 30. Colegio de Ingenieros. Madrid. 1989.

UNAMUNO, M. de *Paisajes y Ensayos. Obras Completas*, vol. I. Escelicer. Madrid. 1966.

— *Por tierras de Portugal y España.* Col. Austral. Espasa Calpe. Madrid. 1969.

— *Poemas de los pueblos de España.* Edic. Cátedra. Madrid. 1976.

VACA, C. La personalidad de Sta. Teresa. *Rev. Espiritualidad*, n.º 22, pp. 225-237. Madrid. 1963.

VALENZUELA RUBIO, M. *Las ciudades españolas en la encrucijada: Entre el boom inmobiliario y la crisis económica.* Real Sociedad Geográfica. Asociación de Geógrafos Españoles. Madrid. 2013.

VARGAS AGUIRRE, J. de. *Dibujos salmantinos.* Centro de Estudios Salmantinos. Salamanca. 1974.

VERA REBOLLO, J. F. y otros. Turismo y patrimonio histórico-cultural. *Rev. Estudios Turísticos*, n.º 126, pp. 161-177.

— y otros. *Análisis territorial del Turismo.* Edic. Ariel. 1997.

VILLALONGA, F. *El impacto del turismo en el patrimonio cultural.* AECI. Madrid. 2001.

VILLAR Y MACÍAS, M. *Historia de Salamanca.* 10 vols. Diputación Provincial. Graf. Cervantes. Salamanca. 1973.

VILLANUEVA RODRÍGUEZ, T. Ed. *Turismo Cultural. El patrimonio como fuente de riqueza.* Junta de Castilla y León. 2000.

VILLUGA, P. J. Repertorio de los Caminos de España. *Bol. de la Real Academia Geográfica.* Madrid. 1917.

WOSSLER, K. *Lope de Vega y su tiempo.* Revista de Occidente. Madrid. 1942.

VV. AA. *Arte conventual en Alba de Tormes. Conventos Sta. Isabel y Benedictinas.* Centro de Estudios Salmantinos. 1981.

— *Sta. Teresa de Jesús.* Edic. Lectura Fácil. Ayuntamiento de Ávila. 2012.

— *Salamanca en el primer tercio del S. XIX.* Fundación Salamanca. Ciudad de Cultura Salamanca. 2013.

ZAMORA VICENTE, A. *Lope de Vega. Su vida y obra.* Edit. Gredos. Madrid. 1961.

ZULUETA ARTALOYTIA, J. A. Vocación viajera e imagen del paisaje en la Generación del 98. En *Viajeros y paisajes*. Alianza. Madrid. 2000.

ÍNDICE